PARNASO
DE ALÉM-TÚMULO

PARNASO
DE ALÉM-TÚMULO

(Poesias mediúnicas)

Copyright © 1932 *by*
FEDERAÇÃO ESPÍRITA BRASILEIRA – FEB

19ª edição – 13ª impressão – 1 mil exemplares – 9/2025

ISBN 978-85-7328-649-6

Textos das poesias, integrais e definitivas, da 9ª edição, revista e ampliada pelos Autores Espirituais.

Sínteses biográficas, índices, notas especiais e revisão da equipe da Editora FEB.

Revisado de acordo com a edição definitiva (9ª edição/1972)

Todos os direitos reservados. Nenhuma parte desta publicação pode ser reproduzida, armazenada ou transmitida, total ou parcialmente, por quaisquer métodos ou processos, sem autorização do detentor do *copyright*.

FEDERAÇÃO ESPÍRITA BRASILEIRA – FEB
SGAN 603 – Conjunto F – Avenida L2 Norte
70830-106 – Brasília (DF) – Brasil
www.febeditora.com.br
editorial@febnet.org.br
+55 61 2101 6161

Pedidos de livros à FEB
Comercial
Tel.: (61) 2101 6161 – comercial@febnet.org.br

Adquirindo esta obra, você está colaborando com as ações de assistência e promoção social da FEB e com o Movimento Espírita na divulgação do Evangelho de Jesus à luz do Espiritismo.

Dados Internacionais de Catalogação na Publicação (CIP)
(Federação Espírita Brasileira – Biblioteca de Obras Raras)

X3p Xavier, Francisco Cândido, 1910-2002

Parnaso de além-túmulo: (poesias mediúnicas) / [psicografado por] Francisco Cândido Xavier. – 19. ed. – 13. imp. – Brasília: FEB, 2025.

744 p.; 23 cm

Comentários sobre o estudo realizado por Elias Barbosa com relatos a cada poeta

Contém dados biográficos

Inclui índices

ISBN 978-85-7328-649-6

1. Poesia Espírita. 2. Espiritismo. 3. Obras psicografadas. I. Barbosa, Elias, 1934–2011. II. Federação Espírita Brasileira. III. Título.

CDD 133.93
CDU 133.7
CDE 80.04.00

Sumário

Nota da editora .11
Perenidade do Parnaso de
   além-túmulo .13
À guisa de prefácio .17

FRANCISCO CÂNDIDO XAVIER
   Palavras minhas .27
   De pé, os mortos! .33

ABEL GOMES
   Temos Jesus .41

A.G.
   Morte .45

ALBÉRICO LOBO
   Do meu porto .49

ALBERTO DE OLIVEIRA
   Jesus .53
   Ajuda e passa .54
   Do último dia .55

ALFREDO NORA
   Carta ligeira .61

ALPHONSUS DE GUIMARAENS
   Aos crentes .68
   Redivivo .69
   Sinos .70
   Santa Virgo Virginum .71

ALMA EROS
   O cálice .79
   O irmão .80

ÁLVARO TEIXEIRA DE MACEDO
   Depois da festa .85

AMADEU (?)
   O mistério da morte .89

AMARAL ORNELLAS
   Ave Maria .93
   O tempo .94

ANTERO DE QUENTAL
   Ciência ínfima .99
   Rainha do Céu .100
   À morte .101
   Depois da morte .102
   Soneto .104
   O remorso .105
   Soneto .106
   Deus .107
   Consolai .108
   Crença .109
   Não choreis .110
   Mão divina .111
   Almas sofredoras .112
   Supremo engano .113
   Incognoscível .114
   Fatalidade .115
   Estranho concerto .116

ANTÔNIO NOBRE
   Quadras de um poeta morto .125
   Do Além .129

Soneto   .130
Ao mundo   .131
À mocidade   .132

ANTÔNIO TORRES
Esquife do sonho   .147
Nada...   .148

ARTUR AZEVEDO
Miniaturas da sociedade elegante   .155

AUGUSTO DE LIMA
O doce missionário   .165
O santo de Assis   .168

AUGUSTO DOS ANJOS
Voz do Infinito   .177
Vozes de uma sombra   .180
Voz humana   .184
Alma   .185
Análise   .186
Evolução   .188
Homo   .190
Incógnita   .192
Ego sum   .193
Dentro da noite   .194
Homem-célula   .196
Na imensidade   .197
Alter ego   .199
Aos fracos da vontade   .200
Ao homem   .202
Matéria cósmica   .203
Raça adâmica   .204
A subsconsciência   .205
Espírito   .206
Vida e morte   .207
Nos véus da carne   .208
Homem da Terra   .209
Nas sombras   .210
Confissão   .211
Homem-verme   .212
Gratidão a Leopoldina   .213
Civilização em ruínas   .214
A Lei   .215
A um observador materialista   .216
Ante o Calvário   .217
Atualidade   .218

AUTA DE SOUZA
Almas dilaceradas   .239
Contrastes   .240
Mágoa   .241
Hora extrema   .242
Em paz   .243
Em êxtase   .244
Mãe   .245
Prece   .246
Adeus   .247
Almas   .248
Almas de virgens   .249
Carta íntima   .250
Maria   .251
Mensagem fraterna   .252
Vinde!   .253
O Senhor vem...   .254

B. LOPES
Miragens celestes   .263
Cromos   .265

BATISTA CEPELOS
Sonetos .271

BELMIRO BRAGA
Rimas de outro mundo .277
Bilhetes .280
Quadras .282

BITTENCOURT SAMPAIO
À Virgem .287
À Maria .290
Às filhas da Terra .291
À Virgem .292

CÁRMEN CINIRA
Minha luz .297
Aos Espíritos Consoladores .299
Cigarra morta .301
Era uma vez... .303
À Juventude .305
O viajor e a Fé .306
O sinal .307
Na noite de Natal .308

CASIMIRO CUNHA
Na eterna luz .315
Anjinhos .319
Ascensão .321
Quadras .323
Supremacia da caridade .324
Versos .326
Símbolo .327
Pensamentos espíritas .328
Sombra e luz .329
O beijo da morte .330
O engano .331
Flores silvestres .332
Ao meu caro Quintão .334
Espiritismo .336
Aos companheiros da Doutrina .337

CASIMIRO DE ABREU
À minha terra .343
A Terra .346
Lembranças .349
Recordando .352

CASTRO ALVES
Marchemos! .363
A morte .366

CORNÉLIO BASTOS
Não temas .379

CRUZ E SOUZA
Ansiedade .383
Heróis .384
Aos torturados .385
A sepultura .386
Anjos da Paz .387
Alma livre .388
Gloria victis .389
Nossa mensagem .390
Oração aos libertos .391
Céu .392
Aos tristes .393
Beleza da morte .394
Mensageiro .395
Se queres .396
À dor .397
Noutras eras .398

Sofre .399
Exaltação .400
Vozes .401
Soneto .402
Glória da Dor .403
Quanta vez .404
Ide e pregai .405
Caridade .406
Renúncia .407
Tudo vaidade .408
Ouvi-me .409
Felizes os que têm Deus .410
Glória aos humildes .411
Aos trabalhadores do Evangelho .412

EDMUNDO XAVIER DE BARROS
Vida .421
Diante da Terra .422

EMÍLIO DE MENEZES
Eu mesmo .427
Aos meus amigos da Terra .428

FAGUNDES VARELA
Imortalidade .435

GUERRA JUNQUEIRO
O padre João .447
Caridade .450
Romaria .458
Eterna vítima .460
A um padre .462
Um quadro da Quaresma .465

GUSTAVO TEIXEIRA
A São Pedro de Piracicaba .481

HERMES FONTES
Soneto .487
Minha vida .488
Poema da amargura e da esperança .489

IGNÁCIO JOSÉ DE ALVARENGA PEIXOTO
Redivivo .497

JÉSUS GONÇALVES
Anjo de redenção .507

JOÃO DE DEUS
As lágrimas .511
O Céu .515
Morrer .516
O mau discípulo .517
Na estrada de Damasco .526
Parnaso de Além-Túmulo .530
Angústia materna .531
Lamentos do órfão .533
O leproso .536
Bondade .537
Oração .537
A Fortuna .538
Oração .539
Além .540
Soneto .541
A prece .542
Fraternidade .542
Lembrai a chama .543
Eterna mensagem .543
No templo da Educação .544
Na noite de Natal .545

JOSÉ DO PATROCÍNIO
Nova Abolição .555

JOSÉ DURO
Aos homens .559
Soneto .560

JOSÉ SILVÉRIO HORTA
Oração .563

JÚLIO DINIZ
O esposo da pobreza .567
Poesia .569
Aves e anjos .570

JUVENAL GALENO
Pobres .575
Sextilhas .578
De cá .580

LEÔNCIO CORREIA
Saudade .589

LUCINDO FILHO
Sem sombras .593

LUIZ GUIMARÃES JÚNIOR
Soneto .597
Voltando .598

LUÍS MURAT
Além ainda... .607

LUIZ PISTARINI
No estranho portal .611

MARTA
Nunca te isoles .615
Unidade .616
No templo da morte .617
Jesus .619
Lembra-te do Céu .620
Ao pé do altar .621

Mãe das mães .623

MÚCIO TEIXEIRA
Honra ao trabalho .629

OLAVO BILAC
Jesus ou Barrabás? .633
Soneto .634
No Horto .635
O beijo de Judas .636
A crucificação .637
Aos descrentes .638
Ideal .639
Ressurreição .640
O Livro .641
Brasil .642

PEDRO DE ALCÂNTARA
Meu Brasil .651
No exílio .652
Rogativa .653
Soneto .654
Página de gratidão .655
Oração ao Cruzeiro .656
Bandeira do Brasil .657
Brasil do Bem .658
Brasil .659

RAIMUNDO CORREIA
Sonetos .665

RAUL DE LEONI
Luta .673
Na Terra .674
Soneto .675
Nós... .676
Post mortem .677
Soneto .678

RODRIGUES DE ABREU
Vi-te, Senhor! .683
No castelo encantado .684

SOUZA CALDAS
Ato de contrição .693
Versão do Salmo 12 .694
Versão do Salmo 18 .695

UM DESCONHECIDO
Meditando .701
O nobre castelão .702
Nesga de Céu .706

VALADO ROSAS
Aos meus irmãos .713
Na paz do Além .714

Índice alfabético das poesias .717
*Índice onomástico e
bibliográfico* .723

Edição comemorativa do centenário de nascimento de Francisco Cândido Xavier

Parnaso de além-túmulo, primeiro livro psicografado por Francisco Cândido Xavier, editado pela Federação Espírita Brasileira, teve a sua primeira edição publicada em 1932. Nas edições seguintes houve o acréscimo de novos textos e novos poetas, até a sua oitava edição — que passou a ser a edição definitiva —, não ocorrendo, posteriormente, qualquer inclusão de textos psicografados.

A nona edição, ocorrida em 1972, contou com a colaboração do culto e estimado companheiro de ideal Dr. Elias Barbosa, cujos dados pessoais estão em Nota (6), ao final do texto de sua autoria, "Perenidade do *Parnaso de além-túmulo*", neste livro. O estudo realizado pelo Dr. Elias Barbosa, como o leitor poderá constatar, representa uma enorme contribuição no sentido de demonstrar a profunda harmonia de estilo existente entre a obra do autor espiritual e a obra do mesmo autor quando encarnado. Este fato, por si só, prova, para muitas pessoas, e para outras oferece sólidos indícios de que somos, realmente, espíritos imortais e que carregamos para o mundo espiritual — para onde seguimos depois da morte do corpo físico —, os valores intrínsecos do conhecimento e da moral que acumulamos através de múltiplas encarnações e que constituem a nossa personalidade.

Destaque-se, inclusive, que, na época, o médium Francisco Cândido Xavier era um jovem de 22 anos, tendo completado apenas o curso primário, e que, desde criança, trabalhava arduamente para ajudar no sustento da sua família, sem tempo e sem condições, portanto, para pesquisas culturais.

Ao publicar esta edição do *Parnaso de além-túmulo*, comemorativa do Centenário de Nascimento de Chico Xavier, enriquecida com os valiosos comentários do Dr. Elias Barbosa, a Federação Espírita Brasileira não apenas manifesta o seu reconhecimento pelo extraordinário trabalho e mediunidade de Francisco Cândido Xavier, mas também coloca à disposição de todos uma robusta contribuição aos interessados em estudar, com seriedade, o assunto de magna importância para todos, indistintamente, que diz respeito à nossa própria imortalidade.

A Editora
Brasília (DF), abril de 2010.

Perenidade do *Parnaso de além-túmulo*

No Ano Internacional do Livro,¹ em que se comemora, além do Sesquicentenário da Independência e o Cinquentenário da Semana de Arte Moderna, o quarto Centenário de *Os Lusíadas*, de Camões, e o Centenário de nascimento do poeta Manuel Batista Cepelos, completa o *Parnaso de além-túmulo* quarenta anos de lançamento. Oito lustros de impacto, de assombro para os críticos literários de nossa pátria. Tratando-se de uma *obra eterna, a-histórica*, no conceito de Dámaso Alonso,² justifica-se a intenção da diretoria da Federação Espírita Brasileira em assinalar condignamente os quatro decênios de publicação do primeiro livro psicografado pelo médium Francisco Cândido Xavier com uma edição, a nona, relacionando estudos estilísticos dos 56 poetas, autores espirituais, e, para fazer isso, reconhecemos as nossas próprias limitações, aceitando a tarefa que demandaria muito esforço conjugado de equipes.

---

¹ Nome dado pela UNESCO — Organização das Nações Unidas para a Educação, Ciência e Cultura — a 1972.

² Segundo Dámaso Alonso (*Poesia espanhola*: ensaio de métodos e limites estilísticos. Trad. Darcy Damasceno, Ministério da Educação e Cultura/Instituto Nacional do Livro, 1960, p. 154 e 155), "a obra de arte é eterna (se entendemos por eternidade o ciclo de nossa cultura)". A seu ver, "a *Vênus de Milo*, o *Partenon*, a *Ilíada, A divina comédia*, o teatro de Shakespeare, o *Quixote* presidem aos tempos: não têm história, são imutáveis, seres perfeitos em si mesmos, e, neste sentido, de certo modo participam das qualidades de Deus (claro que dentro da limitação das coordenadas humanas). [...] Uma vez criada, a obra artística, imutável, fixa como cristalina rocha em meio da corrente, vê rugir e desfazer-se a seu lado o devir histórico; nítida, cálida permanência, entre as mechas de névoa fria que um horrível vento desfaz; a-histórica por natureza entre o fluir da História".

Justificam-se, ainda, os seguintes esclarecimentos:

1. Empenhamo-nos, ao máximo, por realizar trabalho tanto quanto possível sucinto, mas o assunto em si, perante o futuro, exigiu estudos mais alentados, alguns deles com vinculação a processos estruturais de pesquisa literária, no setor da poética mediúnica;[3] isso se fez mais claramente necessário, com relação aos poetas de mais renome, principalmente, no que se refere a transcrições de páginas e observações de críticos abalizados, visando à comprovação de nossa análise pessoal, desapaixonada, conquanto modesta;

2. Tentamos conduzir-nos de modo a que o próprio leitor participe da pesquisa literária mencionada, atendendo a dois objetivos: primeiro, motivação para que o estudioso não se enfastie no terreno às vezes sáfaro do bloco estrófico; segundo, para aproveitar espaço, reduzindo as citações dos próprios elementos estruturais existentes no contexto poético;

3. Todas as citações trazem a informação relativa à fonte de publicação e, para algumas delas, tomamos a liberdade de adotar siglas especiais;[4]

4. A numeração à esquerda, ao longo das peças poéticas, guarda a finalidade de orientar o leitor quanto à localização de um morfema, de um lexema, de um verso ou linossigno, a que se refere especificamente cada nota de pé de página;

5. Não alteramos qualquer palavra constante das edições anteriores, quer nas anotações de M. Quintão ou da editora, trasladando apenas as chamadas "Notas da Editora" (p. 421 da 8ª edição), cada uma delas para o corpo do poema a que se reporta, em apontamento infrapaginal;

6. Corrigimos tão somente um senão tipográfico — a palavra crença — que vinha sendo grafada criança (verso 285, de Cármen Cinira, p. 173 da 8ª edição).

---

[3] Usamos o termo *poética*, segundo o conceito de Tzvetan Todorov (*Estruturalismo e poética*. Trad. de José Paulo Paes, Editora Cultrix, São Paulo, 1970, p. 99 a 106; de Roman Jakobson, *Linguística e comunicação*. Trad. de Izidoro Blikstein e José Paulo Paes. São Paulo: Cultrix, 1971, p. 118 a 162; *Linguística. Poética. Cinema*. São Paulo: Perspectiva, 1970 (Pref. de Boris Xchnaiderman e Haroldo Campos); e Emil Staiger, *Conceitos fundamentais da poética*. Trad. de Celeste Aída Galeão. Rio de Janeiro: Edições Tempo Brasileiro, 1972.

[4] As edições do Ministério da Educação e Cultura/Instituto Nacional do Livro serão grafadas assim: *MEC/INL*; as da Livraria Agir Editora — apenas *AGIR*; as da Editora Civilização Brasileira S. A. — somente *Civilização*; Livraria José Olympio Editora — *J. Olympio* etc.

Finalmente, congratulamo-nos com a alta direção da FEB pela ideia feliz de organizar a presente edição comemorativa, e nos rejubilamos com o médium Chico Xavier pelo continuísmo ininterrupto da tarefa que abraçou, guardando a convicção de que o nosso amigo se alegrará, verificando conosco uma ocorrência singular: à medida que os métodos de pesquisa literária se aperfeiçoam, tornando-se cada vez mais sofisticados, mais a autenticidade de sua produção mediânimica se evidencia, e que valeu a pena sofrer todos os percalços na trajetória imensa de quase meio século de lutas abençoadas dentro da mediunidade com Jesus e Allan Kardec.

Temos pessoalmente a certeza de que o médium Xavier, ao perlustrar as páginas desta edição, há de se identificar com os poetas desencarnados. E, conquanto médium, mas veículo enriquecido pelas aquisições culturais de existências já transcorridas, hoje conscientemente entregue ao privilégio de servir aos gênios da poesia luso-brasileira, atualmente desencarnados, repetirá com o nosso admirável poeta Cassiano Ricardo, o genial autor de *Os Sobreviventes*:

> Na verdade, sempre acreditei profundamente (e a minha poesia deve revelá-lo) na enormidade da tarefa que cabe ao poeta no mundo. Quem poderá negar o papel do poeta no seu meio e em sua época? Forma de gnose, de autocrítica ou introspecção — para que o poeta se conheça a si mesmo, a poesia exerce, simultaneamente, uma decisiva função pacificadora face ao desespero do homem da pré-guerra atômica.
>
> Daí que muitas vezes, quando minhas severas críticas (Mais frequentes do que talvez eu o desejaria!) me impulsionaram a riscar tudo quanto tenho escrito, a poesia, ela própria, me chamou à ordem: isso você não pode fazer. Quem é poeta tem que ir até ao fim da jornada...
>
> Realmente, não é impunemente que se percorre um longo caminho de mais de meio século, como
>
> um homem
> que trabalha o poema
> com o suor do seu rosto.
> Um homem
> que tem fome

como qualquer outro homem.

Teria valido a pena?[5]

Sem dúvida que sim, embora Chico Xavier prefira o silêncio, chamando em apoio as palavras de Schiller:
"Se a alma fala, ah! então, já não é a alma que fala".
No caso dele, Chico Xavier, falarão decerto o tempo e a vida.

· ELIAS BARBOSA[6]
Uberaba (MG), 18 de abril de 1972.
(Ano do 40° aniversário de publicação do *Parnaso de além-túmulo*)

---

[5] RICARDO, Cassiano. *Seleta em prosa e verso*. Org., notas e estudos de Nelly Novaes Coelho. Nota de Paulo Rónai. Rio de Janeiro: J. Olympio; INL, 1972, p. 14.

[6] N.E.: ELIAS BARBOSA, professor de Medicina, renomado clínico, com ampla contribuição médica também nas instituições de assistência social, na cidade de Uberaba. Conferencista, escritor, jornalista, poeta. Toda uma vida vinculada à benemerência cristã. Foi justamente à criatura tão assoberbada de afazeres científicos, culturais e espíritos que a Federação Espírita Brasileira decidiu, novamente, atribuir séria incumbência, desta feita vultosíssima, no bojo de um convite: a de realizar as anotações e os estudos estilísticos para o *Parnaso de além-túmulo*, a fim de enriquecer-lhe ainda mais a nona edição, planejada pela *Casa-Máter* do Espiritismo para comemorar o quadragésimo aniversário do seu lançamento, verificado em julho de 1932. A crítica, doravante, dirá do acerto da escolha, como disse a propósito de trabalhos outros no passado confiados à sua operosidade espírita e à sua competência poética: *Antologia dos imortais* (organização, prefácio e notas), 1963; *Trovadores do Além* (antologia — organização, prefácio e notas), 1964; *O Espírito de Cornélio Pires* (antologia poética — apresentação = Nota de limiar), 1965, psicografados por Francisco Cândido Xavier, de parceria medianímica com Waldo Vieira; e *Seareiros de volta* (em prosa — organização e prefácio), 1965, médium Waldo Vieira —, editados pela FEB. Amigo do médium Francisco Cândido Xavier, companheiro dele, de longa data, nas lides sagradas do Cristianismo Redivivo, tendo publicado em 1968 e 1970 os livros *No mundo de Chico Xavier* e *Presença de Chico Xavier* (Editora Calvário), nos quais reuniu entrevistas, depoimentos, informações e documentos de uma vida a serviço do Evangelho do Cristo —, Elias Barbosa, por todos os títulos, e inobstante a simplicidade e a modéstia que lhe reconhecemos inatas, revelara-se o companheiro indicado para o difícil e honroso mister. Por isso, a Casa de Ismael não lhe agradecerá o esforço e a dedicação: era seu o Trabalho!

À guisa de prefácio

A teoria, tanto quanto a prática espírita, apresenta, aos leigos e inscientes, aspectos e modismos inéditos, imprevistos, bizarros, surpreendentes.

Nos domínios da mediunidade, então, o reservatório de surpresas parece inesgotável, e desconcerta e surpreende até os observadores mais argutos e avisados.

Se fôssemos minudenciar, escarificar o assunto até às mais profundas raízes, poderíamos concluir que o comércio de encarnados e desencarnados, velho quanto o mundo, se indicia mais ou menos latente ou ostensivo, em todos os atos e feitos da humanidade.

Inspirações, ideias súbitas ou pervicazes, sonhos, premonições e atos havidos por espontâneos e propriamente naturais radicam muito e mais na influenciação dos Espíritos que nos cercam — por força e derivativo da mesma lei de afinidade incoercível no plano físico, quanto no psíquico — do que a muitos poderia parecer.

E assim como não se desloca nem se precipita, isoladamente, um átomo no concerto sideral dos mundos infinitos, assim também não há pensamento, ideia, sentimento, isolados no conceito consciencial dos seres inteligentes, que atualizam e vivificam o pensamento divino, em ascese indefinida — *semper ascendens...*

É o que fazia dizer a Luísa Michel: "um ser que morre, uma folha que cai, um mundo que desaparece não são, nas harmonias eternas, mais que um silêncio necessário a um ritmo que não conhecemos ainda".

Mas não há daí concluir que a criatura humana se reduza à condição de autômato, sem vontade e sem arbítrio, porque nada à revelia da Lei se verifica; e no jogo dessa atuação constante, o ascendente dos desencarnados não vai além das lindes assinadas pela Providência; não ultrapassa, jamais, a capacidade receptiva do percipiente, seja para o bem, seja para o mal.

Não é, contudo, desse mediunismo sutil, intrínseco, consubstancial à natureza humana, que importa tratar aqui.

Nem remontaríamos aos filões da História para considerar-lhe a identidade nos tempos da Índia, do Egito, da Grécia, das Gálias e de Roma, em trânsito para a Idade Média, na qual os médiuns eram imolados ao mais estúpido dos fanatismos — o religioso. Hoje, fogueira e potro foram substituídos pela difamação, pelo ridículo alvar, pago em boa espécie monetária, ou ainda pelo cerco caviloso e interditório de quaisquer vantagens sociais.

A luta tornou-se incruenta, mas, nem por isso, menos áspera e porfiosa.

Assoalha-se que a mediunidade é fonte de mercantilismo: entretanto, nenhum grande médium, que o saibamos, chegou a acumular fortuna e rendimentos.

Muitos, ao invés, quais Home, Slade, Eusapia e d'Espérance, morreram paupérrimos e, o que mais é, tendo a panejar-lhes a memória o labéu de charlatães.

Mas houvesse de fato esse mercantilismo e nunca se justificaria, senão por abusivo e espúrio, uma vez que a Doutrina o não autoriza, sequer por hipótese.

Porque, na verdade, assim se escreve a História, e o maior dos médiuns, o Médium de Deus, só escapou ao estigma da posteridade pela porta escusa do Concílio de Niceia, numa divinização acomodatícia e rendosa ao formigamento parasitário e onímodo dos Constantinos, que, ainda hoje, lhe exploram os feitos e o nome augusto, com bulas políticas de vulpina retórica, factícios pruridos de grosseira mistificação, em "bonzolatrias" de cimento armado.

Entretanto, como a confirmar a tradição — "os Santos Apóstolos foram, em sua maioria, humildes pescadores" — e não só a tradição como a sentença de que os últimos seriam os primeiros —, não vêm hoje os vexilários da Verdade trazê-la aos magnatas da Terra, aos príncipes dos sacerdotes, escribas e fariseus hodiernos, disputantes à compita da magnífica carapuça a eles talhada e ajustada, de vinte séculos, no capítulo 23 de *Mateus*.

Ao contrário, esses esculcas do Além parecem preferir os operários modestos, modestos e rústicos, rústicos e bons, como tão sutilmente os define o Eça em magistral mensagem:

> Tipos originais, mãos calosas que se entregam aos rudes trabalhos braçais, a fazerem a literatura do Além-Túmulo; homens a que Tartufo chama bruxos e Esculápio qualifica de basbaques, mistificadores, ou simples casos patológicos a estudar...

É verdade tudo isso; mas, convenhamos, também o é para maior glória de Deus.

Não ignoramos que homens de alta cultura e renome científico têm versado o assunto, investigado, perquirido e proclamado a verdade, acima e além das conveniências e preconceitos políticos, científicos, religiosos. Nomeá-los aqui seria fastidioso quanto inútil.

O vulgo que não lê, ou que lê pela cartilha do Sr. vigário nos conselhos privados da família beata, não deitaria os seráficos olhares a estas páginas e seguiria, clamoroso ou contente, de qualquer forma inconsciente — *infinitus stultorum numerus* —, a derrota do seu calvário, no melhor dos mundos, à Pangloss.

O outro, o vulgo que lê e compreende, mas para o qual o *magister dixit* é a melhor fórmula de concessão e acomodação consigo mesmo, estômago e vísceras em função, sofra a quem sofrer, doa a quem doer — esse, basofiando ciência em gestos largos de animalidade superior, se estas linhas chegasse a ler, haveria de esboçar aquele sorriso fino e bom que Bonnemère não sabia definir se seria de Voltaire ou do mais refinado dos idiotas...

Adiante, pois, na tarefa nada espartana de apresentar esta prova opima das esmolas de luz que nos chegam em revoada de graças, a encher-nos o coração de alvissareiras esperanças.

Quem quiser certezas maiores, explanações técnicas e eruditas do fenômeno em apreço, que as procure no livro *Do país da luz*, obra similar, editada há uma vintena de anos, psicografada pelo médium português Fernando de Lacerda, e que fez, nas rodas profanas de Lisboa, o mais ruidoso sucesso.

Nessa obra, o ilustre Dr. Sousa Couto, em magistral prefácio, esgotou o assunto ao encará-lo sob todos os prismas de uma severa crítica, para concluir pela transcendência do fenômeno, rebelde a todos os métodos de classificação científica e, sem embargo, realíssimo em sua especificidade.

Pois, a nosso ver, maior é o mérito, por mais opulenta a polpa mediúnica, desta obra.

É que lá em *Do país da luz*, avulta a prosa, com raras exceções; ao passo que aqui desborda o verso, mais original, mais difícil, mais precioso como índice de autenticidade autoral.

Lá, as mensagens características são exclusivas de escritores lusos, únicas que podem, a rigor, identificar pelo estilo os seus autores.

As de Napoleão I, Teresa de Jesus etc. são incontestavelmente belas no fundo e na forma, mas não características de tais entidades.

Aqui, pelo contrário, não só concorrem poetas brasileiros e portugueses, como retinem cristalinas e contrastantes as mais variadas formas literárias, como a facilitarem de conjunto a identificação de cada um.

Romantismo, Condoreirismo, Parnasianismo, Simbolismo, aí se ostentam em louçanias de sons e de cores, para afirmar não mais subjetiva, mas objetivamente, a sobrevivência dos seus intérpretes.

É ler Casimiro e reviver *Primaveras*; é recitar Castro Alves e sentir *Espumas Flutuantes*; é declamar Junqueiro e lembrar a *Morte de D. João*; é frasear Augusto dos Anjos e evocar *Eu*.

Senão, vejamos:

> Oh! que clarão dentro dalma.
> Constantemente cismando,
> O pensamento sonhando
> E o coração a cantar,
> Na delicada harmonia
> Que nascia da beleza,
> Do verde da Natureza,
> Do verde do lindo mar!

É Casimiro...

> Há mistérios peregrinos
> No mistério dos destinos
> Que nos mandam renascer;
> Da luz do Criador nascemos,
> Múltiplas vidas vivemos,
> Para à mesma luz volver.

É Castro Alves...

> Pairava na amplidão estranho resplendor.
> A Natureza inteira em lúcida poesia
> Repousava, feliz, nas preces da harmonia!...
> Era o festim do amor,
> No firmamento em luz,
> Que celebrava
> A grandeza de uma alma que voltava
> Ao redil de Jesus.

É Junqueiro...

> Descansa, agora, vibrião das ruínas,
> Esquece o verme, as carnes, os estrumes.
> Retempera-te em meio dos perfumes
> Cantando a luz das amplidões divinas.

É Augusto dos Anjos.

E todos, todos os mais, aí estão vivos, ardentes, inconfundíveis na modulação de suas liras encantadas e decantadas.

E na prosa — exceto a Fernando de Lacerda, cujo estilo não temos elementos para identificar — o mesmo traço de originalidade personalíssima se impõe.

Duvidamos que o mais solerte plumitivo, o mais intelectual dos nossos literatos consiga imitar, sequer, ainda que premeditadamente, esta produção.

E isto o dizemos porque o médium Xavier, um quase adolescente, sem lastro, portanto, de grande cultura e treino poético, recebe-a de jato, e mais — quando de alguns autores não conhece uma estrofe!

É extraordinário, será maravilhoso, mas é a verdade nua e crua; verdade que, qual a Luz, não pode ficar debaixo do alqueire.

Foi por assim pensarmos que conseguimos vencer a relutância do médium em sua natural modéstia para lançar ao público, em geral, e aos confrades, em particular, esta obra mediúnica, que, certo estamos, ficará como baliza fulgurante na história a tracejar do Espiritismo em nossa pátria.

Mas perguntarão: Quem é Francisco Cândido Xavier? Será um rapaz culto, um bacharel formado, um acadêmico, um rotulado desses que por aí vão felicitando a família, a pátria e a humanidade?

Nada disso.

O médium polígrafo Xavier é um rapaz de 21 anos, um quase adolescente, nascido ali em Pedro Leopoldo, pequeno rincão do estado de Minas. Filho de pais pobres, não pôde ir além do curso primário dessa pedagogia incipiente e rotineira, que faz do mestre-escola, em tese, um galopim eleitoral e não vai, também em tese, muito além das quatro operações e da leitura corrida, com borrifos de catecismo católico, de contrapeso.

Órfão de mãe aos cinco anos, o pai infenso a literatices e, ademais, premido pelo ganha-pão, é bem de ver-se que não teve, que não podia ter o estímulo ambiente, nem uma problemática hereditariedade, nem um, nem dez cireneus que o conduzissem por tortuosos e torturantes labirintos de acesso aos altanados paços do Olimpo para o idílico convívio de Calíope e Polímnia.

Tudo isso é o próprio médium quem no-lo diz, em linguagem eloquente, porque simples como a própria alma cedo esfolhada de sonhos e ilusões, para não pretender colimar renomes literários.

Ao lhe formularmos um questionário que nos habilitasse a pôr de plano estes detalhes essenciais — uma vez que, em obra deste quilate o que se impõe não é a apresentação dos operários, mas da ferramenta por eles utilizada, tanto quanto do seu manuseio; e não querendo, por outro lado, endossar um fenômeno cuja ascendência sobejamente conhecemos para não refusar, mas, cujo flagrante não presenciamos — ele, o médium, veio "candidamente" ao nosso encontro com *Palavras Minhas*, nas quais estereotipa a sua figura moral, tanto quanto retrata as impressões psicofísicas que lhe causa o fenômeno.

Nós mesmos vimos, certa vez, em São Paulo, o médium Mirabelli cobrir dezoito laudas de papel almaço, no exíguo tempo de treze minutos marcados a relógio, enquanto conosco discreteava em idioma diverso da mensagem escrita.

É um fato. Do seu mecanismo intrínseco e extrínseco, porém, nada nos disse o médium.

Agora, diz-nos este que também as produções são recebidas de jato.

Não há ideação prévia, não há encadeamento de raciocínios, fixação de imagens.

É tudo inesperado, explosivo, torrencial!

Do que escreve e sabe que está escrevendo, também sabe que não pensou e não seria capaz de escrever.

Há vocábulos de étimo que desconhece; há fatos e recursos de hermenêutica, figuras de retórica que ignora; teorias científicas, doutrinas, concepções filosóficas das quais nunca ouviu falar, de autores também ignorados e jamais lidos!

Como explicar, como definir e transfixar a captação, a realização essencial do fenômeno?

Só o médium poderia fazê-lo, e isso ele o faz a seguir, de maneira impressionante, e de modo a satisfazer aos familiares da Doutrina.

Aos outros, aos céticos, fica-lhes a liberdade de conjeturar, para melhor explicar, sem contudo negar, porque o fato aí está na plenitude de sua realidade; e um fato, por mais insólito que seja, vale sempre por mil e uma teorias que nada explicam, antes complicam...

Como nota final aos argos da crítica, Catões e Zoilos de compasso e metro, faisqueiros de nugas e nicas, na volúpia de escandir *quand même*, diremos que, encarregado de apresentar esta obra, não nos dispusemos a escoimá-la de possíveis defeitos de técnica, não só por nos falecer autoridade e competência, como por julgar que tal ousio seria uma profanação.

Trata-se, precipuamente, de um trabalho de identificação autoral, e de entidades hoje mais lúcidas e respeitáveis do que porventura o foram aqui na Terra.

Tal como no-lo deram, esse trabalho melhor corresponde à sua finalidade altíssima, e o que a legítima ética doutrinária aponta é que quaisquer lacunas, ou taliscas, devem ser atribuídas ou irrogadas ao possivelmente precário aparelhamento de transmissão, ou a fatores outros, em suma, que mal podemos imaginar e que, no entanto, racional e logicamente devem existir, mais sutis e delicados do que esses que, amiúde, ocorrem na telepatia, na radiofonia, em tudo, enfim, que participa do meio físico contingente.

Que os arautos da Boa-Nova aqui escalonados, por vindos de tão alto, nos perdoem a vacuidade e a insulsice destas linhas, e que os leitores de boa vontade as desprezem como inúteis, para só apreçarem a obra que ora lhes apresentamos, na pauta evangélica que diz: *A árvore se conhece pelo fruto.*

M. Quintão[7]

---

[7] N.E. à 9. ed., 1971: MANUEL Justiniano de Freitas QUINTÃO, nascido em 28 de maio de 1874, na Estação de Quirino, Marquês de Valença (RJ), e desencarnado em 16 de dezembro de 1954, no Rio de Janeiro. Foi guarda-livros, depois de lutar com imensas dificuldades, como jovem sem recursos financeiros, nas posições mais modestas do comércio. Chefe de família numerosíssima. Estudioso incansável, conseguiu, como autodidata, invejável cultura humanística. Foi jornalista. Ingressou na FEB em 1903, integrando-lhe o quadro social por 44 anos. Médium curador e espírita militante durante mais de meio século, exerceu cargos na Diretoria da Federação Espírita Brasileira ao longo de vários decênios, inclusive a Presidência nos anos 1915, 1918, 1919 e 1929. Como membro do *Grupo Ismael* foi sempre dos mais assíduos e proficientes no estudo do Evangelho de Jesus. Traduziu diversos livros espíritas e publicou alguns de sua autoria, muito apreciados, dentre eles *Cinzas do meu cinzeiro* (coletânea de trabalhos publicados em *Reformador*) e *O Cristo de Deus*, ambos editados pela FEB. Em 1939, escreveu notas autobiográficas endereçadas a *Reformador*, para serem publicadas após a sua desencarnação: estão estampadas na edição de janeiro de 1955.

Francisco Cândido Xavier

Nasceu em Pedro Leopoldo (MG), em 2 de abril de 1910, onde residiu até dezembro de 1958. Transferiu-se para Uberaba (MG), em janeiro de 1959. Filho de João Cândido Xavier e de Maria João de Deus, desencarnados em 1960 e 1915, respectivamente. Aposentou-se como funcionário público federal. Médium de atividade ininterrupta há quase meio século, publicou, pela *Casa-Máter* do Espiritismo — a Federação Espírita Brasileira —, em julho de 1932, o *Parnaso de além-túmulo*, primeiro livro de suas faculdades mediúnicas. Seguiram-se-lhe mais de 110 livros mediúnicos, diversos deles publicados em esperanto, espanhol, japonês, inglês e francês. Os romances psicografados (entre eles *Paulo e Estêvão*, *Há dois mil anos* e *Renúncia*) são periodicamente radiofonizados e televisionados. Criatura simples, afável e operosa, jamais se beneficiou dos direitos autorais da sua vasta produção mediúnica. Respeitado e estimado em todo o Brasil, onde é popularíssimo, goza ele ainda de sincera admiração em outros países. Viajou para o exterior algumas vezes, sempre no exercício do seu mediunato (Texto da Editora — nona edição, 1972).[8]

---

[8] N.E. à 16. ed., 2002: Com esta edição comemorativa dos seus 70 anos de existência, *Parnaso de além-túmulo* alcançou 88.000 exemplares editados. Neste mesmo período, Francisco Cândido Xavier produziu 412 livros psicografados, publicados por várias editoras, em diversos idiomas.

Palavras minhas

Nasci em Pedro Leopoldo, Minas, em 1910. E até aqui, julgo que os meus atos perante a sociedade da minha terra são expressões do pensamento de uma alma sincera e leal, que acima de tudo ama a verdade; e creio mesmo que todos os que me conhecem podem dar testemunho da minha vida repleta de árduas dificuldades, e mesmo de sofrimentos.

Filho de um lar muito pobre, órfão de mãe aos cinco anos, tenho experimentado toda a classe de aborrecimentos na vida e não venho ao campo da publicidade para fazer um nome, porque a dor há muito já me convenceu da inutilidade das bagatelas que são ainda tão estimadas neste mundo.

E, se decidi escrever estas modestas palavras no limiar deste livro, é apenas com o intuito de elucidar o leitor quanto à sua formação.

Começarei por dizer-lhe que sempre tive o mais pronunciado pendor para a literatura; constantemente, a melhor boa vontade animou-me para o estudo. Mas estudar como? Matriculando-me, quando contava oito anos, num grupo escolar, pude chegar até o fim do curso primário, estudando apenas uma pequena parte do dia e trabalhando numa fábrica de tecidos, das quinze horas às duas da manhã; cheguei quase a adoecer com um regime tão rigoroso; porém, essa situação modificou-se em 1923, quando então consegui um emprego no comércio, com um salário diminuto, no qual o serviço dura das sete às vinte horas, mas o trabalho é menos rude, prolongando-se esta minha situação até os dias da atualidade.

Nunca pude aprender senão alguns rudimentos de aritmética, história e vernáculo, como o são as lições das escolas primárias. É verdade que, em casa, sempre estudei o que pude, mas meu pai era completamente avesso à minha vocação para as letras, e muitas vezes tive o desprazer de ver os meus livros e revistas queimados.

Jamais tive autores prediletos; aprazem-me todas as leituras e mesmo nunca pude estudar estilos dos outros, por diferençar muito pouco essas questões. Também o meio em que tenho vivido foi sempre árido, para mim, neste ponto. Os meus familiares não estimulavam, como verdadeiramente não podem, os meus desejos de estudar, sempre a braços, como eu, com uma vida de múltiplos trabalhos e obrigações e nunca se me ofereceu ocasião de conviver com os intelectuais da minha terra.

O meu ambiente, pois, foi sempre alheio à literatura; ambiente de pobreza, de desconforto, de penosos deveres, sobrecarregado de trabalhos para angariar o pão cotidiano, onde se não pode pensar em letras.

Assim têm-se passado os dias sem que eu tenha podido, até hoje, realizar as minhas esperanças.

Prosseguindo nas minhas explicações, devo esclarecer que minha família era católica e eu não podia escapar aos sentimentos dos meus. Fui, pois, criado com as teorias da Igreja, frequentando-a mesmo com amor, desde os tempos de criança; quando ia às aulas de catecismo era para mim um prazer.

Até 1927, todos nós não admitíamos outras verdades além das proclamadas pelo Catolicismo; mas eis que uma das minhas irmãs, em maio do ano referido, foi acometida de terrível obsessão; a medicina foi impotente para conceder-lhe qualquer pequenina melhora. Vários dias consecutivos foram, para nossa casa, horas de amargos padecimentos morais. Foi quando decidimos solicitar o auxílio de um distinto amigo, espírita convicto, o Sr. José Hermínio Perácio, que caridosamente se prontificou a ajudar-nos com a sua boa vontade e o seu esforço. Verdadeiro discípulo do Evangelho, ofereceu-nos até a sua residência, bem distante da nossa, junto à sua família, onde então, num ambiente totalmente modificado, poderia ela estudar as bases da Doutrina Espírita, orientando-se quanto aos seus deveres, desenvolvendo, simultaneamente, as suas faculdades mediúnicas. Aí, sob os seus caridosos cuidados e da sua Exma. esposa D. Cármen Pena Perácio, médium dotada de raras faculdades, minha irmã hauria, para nosso benefício, os ensinamentos sublimes da formosa doutrina dos mensageiros divinos; foi nesse ambiente, onde imperavam os sentimentos cristãos de dois corações profundamente generosos, como o são os daqueles confrades a que me referi, que minha mãe, que regressara ao Além em 1915, deixando-nos mergulhados em imorredoura saudade, começou a ditar-nos os seus conselhos salutares, por intermédio da esposa do nosso amigo, entrando em pormenores da nossa vida íntima, que essa senhora desconhecia. Até a grafia era absolutamente igual à que a nossa genitora usava quando na Terra.

Sobre esses fatos e essas provas irrefutáveis solidificamos a nossa fé, que se tornou inabalável. Em breve minha irmã regressava ao nosso lar cheia de saúde e feliz, integrada no conhecimento da luz que deveria daí por diante nortear os nossos passos na vida.

Resolvemos, então, com ingentes sacrifícios, reunir um núcleo de crentes para estudo e difusão da Doutrina, e foi nessas reuniões que me desenvolvi como médium escrevente, semimecânico, sentindo-me muito feliz por se me apresentar essa oportunidade de progredir, datando daí o ingresso do meu humilde nome nos jornais espíritas, para onde comecei a escrever sob a inspiração dos bondosos mentores espirituais que nos assistiam.[9]

Daí a pouco, a nossa alegria aumentava, pois o nosso confrade José Hermínio Perácio, em companhia de sua esposa, deliberou fixar residência junto a nós, e as nossas reuniões tiveram resultados melhores, controladas pela sua senhora, alma nobilíssima, ornada das mais superiores qualidades morais e que, entre as suas mediunidades, conta com mais desenvolvimento a clariaudiência. Nossas reuniões contavam, assim, grande número de assistentes, porém, a moral profunda que era ensinada, baseada nas páginas esplendorosas do Evangelho de Jesus, parece que pesava muito, como acontece na opinião de grande maioria de almas da nossa época, quase sempre inclinadas para as futilidades mundanas, e, decorridos dois anos, os assistentes de nossas sessões de estudos escassearam, chegando ao número de quatro ou cinco pessoas, o que perdura até hoje.

---

[9] Nota do médium para a 4ª edição, em 1944: Só nos últimos dias de 1931, com a graça de Deus, desenvolveram-se em mim, de maneira clara e mais intensamente, a vidência, a audição e outras faculdades mediúnicas.

Não desanimamos, contudo, prosseguindo em nossas reuniões, constituindo para nós uma fonte de consolações isolarmo-nos das coisas terrenas em nosso recanto de prece, para a comunhão com os nossos desvelados amigos do Além. Continuei recebendo as ideias dos mesmos amigos de sempre, nas reuniões, psicografando-as, e que eram continuamente fragmentos de prosa sobre os Evangelhos. Somente duas vezes recebi comunicações em versos simples.

Em agosto, porém, do corrente ano, apesar de muito a contragosto de minha parte, porque jamais nutri a pretensão de entrar em contato com essas entidades elevadas, por conhecer as minhas imperfeições, comecei a receber a série de poesias que aqui vão publicadas, assinadas por nomes respeitáveis.

Serão [as poesias] das personalidades que as assinam? — é o que não posso afiançar. O que posso afirmar, categoricamente, é que, em consciência, não posso dizer que são minhas, porque não despendi nenhum esforço intelectual ao grafá-las no papel. A sensação que sempre senti ao escrevê-las era a de que vigorosa mão impulsionava a minha. Doutras vezes, parecia-me ter em frente um volume imaterial, do qual eu as lia e copiava; e, doutras, que alguém mas ditava aos ouvidos, experimentando sempre no braço, ao psicografá-las, a sensação de fluidos elétricos que o envolvessem, acontecendo o mesmo com o cérebro, que se me afigurava invadido por incalculável número de vibrações indefiníveis. Certas vezes, esse estado atingia o auge, e o interessante é que parecia-me haver ficado sem o meu corpo, não sentindo, por momentos, as menores impressões físicas. É o que experimento, fisicamente, quanto ao fenômeno que se produz frequentemente comigo.

Julgo do meu dever declarar que nunca evoquei quem quer que fosse; essas produções chegaram-me sempre espontaneamente, sem que eu ou meus companheiros de trabalhos as provocássemos, e jamais se pronunciou, em particular, o nome de qualquer dos comunicantes, em nossas preces. Passavam-se às vezes mais de dez dias sem que se produzisse escrito algum, e dia houve em que se receberam mais de três produções literárias de uma só vez. Grande parte delas foi escrita fora das reuniões e tenho tido ocasiões de observar que, quanto menor o número de assistentes, melhor o resultado obtido.

Muitas vezes, ao recebermos uma destas páginas, era necessário recorrermos a dicionários para sabermos os respectivos sinônimos das palavras nela empregadas, porque tanto eu como os meus companheiros as desconhecíamos em nossa ignorância, julgando minha obrigação frisar aqui também que, apesar de todo o meu bom desejo, jamais obtive outra coisa, na fenomenologia espírita, a não ser esses escritos.[10]

Devo salientar o precioso concurso da bondosa médium Sra. Cármen P. Perácio, que por meio da sua maravilhosa clariaudiência me auxiliou muitíssimo, transmitindo-me as advertências e opiniões dos nossos caros mentores espirituais, e ainda o carinhoso interesse do distinto confrade Sr. M. Quintão, que tem sido de uma boa vontade admirável para comigo, não poupando esforços para que este despretensioso volume viesse à luz da publicidade.

E aqui termino.

Terei feito compreender, a quem me lê, a verdade como de fato ela é? Creio que não. Em alguns despertarei sentimentos de piedade e, noutros, risinhos ridicularizadores. Há de haver, porém, alguém que encontre consolação nestas páginas humildes. Um desses que haja, entre mil dos primeiros, e dou-me por compensado do meu trabalho.

A todos eles, todavia, os meus saudares, com os meus agradecimentos intraduzíveis aos boníssimos mentores do Além, que inspiraram esta obra, e que generosamente se dignaram não reparar as minhas incontáveis imperfeições, transmitindo, por intermédio de instrumento tão mesquinho, os seus salutares ensinamentos.

Francisco Cândido Xavier
Pedro Leopoldo (MG), dezembro de 1931.

---

[10] N.E. à 9. ed., 1972: Ao escrever estas palavras, o autor não se lembrou de que as suas relações constantes com Espíritos desencarnados, mantidas desde os cinco anos de idade, pertencem igualmente à fenomenologia espírita. Pensou em fenomenologia somente como prática consciente da mediunidade nas sessões espíritas; mas todas as pessoas de sua intimidade sabem que ele, desde a infância, confunde os habitantes dos dois mundos e muitas vezes pergunta ao amigo que esteja passeando com ele: "Estás vendo ali um homem de barbas brancas etc.?". Pela resposta do companheiro é que ele fica sabendo se está diante de um habitante do nosso mundo ou de habitante do mundo espiritual. Também isso são fenômenos espíritas.

De pé, os mortos!

Pede-me você uma palavra para o introito do *Parnaso de além--túmulo*, que aparecerá brevemente em nova edição.[11]

A tarefa é difícil. Nas minhas atuais condições de vida, tenho de destoar da opinião que já expendi nas contingências da carne.

Os vivos do Além e os vivos da Terra não podem enxergar as coisas por prismas idênticos. Imagine se o aparelho visual do homem fosse acomodado segundo a potencialidade dos raios X: as cidades estariam povoadas de esqueletos, os campos se apresentariam como desertos, o mundo constituiria um conjunto de aspectos inverossímeis e inesperados.

Cada esfera da vida está subordinada a certo determinismo, no domínio do conhecimento e da sensação.

Decerto, os que receberam novamente o *Parnaso de além-túmulo* dirão mais ou menos o que eu disse.[12] Hão de estranhar que os mortos prossigam com as mesmas tendências, tangendo os mesmos assuntos que aí constituíam a série de suas preocupações. Existem até os que reclamam contra a nossa liberdade. Desejariam que estivéssemos algemados nos tormentos do Inferno, em recompensa dos nossos desequilíbrios no

---

[11] N.E.: Refere-se à 2ª edição, publicada em 1935.
[12] N.E.: Alude às crônicas que ele, quando encarnado, escrevera no *Diário Carioca*, em julho de 1932, ao surgir a 1ª edição do *Parnaso*.

mundo, como se os nossos amargores, daí, não bastassem para nos inclinar à verdade compassiva.

Individualmente, é indubitável que possuímos no Além o reflexo das nossas virtudes ou das nossas misérias.

Mas é razoável que apareçamos no mundo, gritando como alucinados? Os habitantes dos reinos da Morte ainda apreciam o decoro e a decência, e o nosso presente é sempre a experiência do passado e a esperança no futuro.

Parnaso de além-túmulo sairá de novo, como a mensagem harmoniosa dos poetas que amaram e sofreram. Cármen Cinira aí está com os seus sonhos desfeitos, de mulher e de menina, Casimiro, com a sua sensibilidade infantil, Junqueiro, com a sua ironia, Antero, com a sua rima austera e dolorosa.

Todos aí estão, dentro das suas características.

Os mortos falam e a humanidade está ansiosa, aguardando a sua palavra.

Conta-se que na guerra russo-japonesa, terminada a batalha de Tsushima, o grande Togo reuniu os seus soldados no cemitério de Oogama, e na tristeza majestosa do ambiente, em nome da nacionalidade, dirigiu-se aos mortos em termos comovedores; concitou-os a auxiliar as manobras militares, a visitar os cruzadores de guerra, levantando o ânimo dos companheiros que haviam ficado nas pelejas. Uma claridade nova cantou as energias espirituais do valente adversário da pátria de Stoessel e os filhos de Yoritomo venceram.

Na atualidade, afigura-se-nos que os brados de todos os sofredores e infelizes da Terra se concentram numa súplica grandiosa que invade as vastidões como o grito do valoroso almirante.

— De pé, os mortos!... — exclama-se — porque os vivos da Terra se perdem nos abismos tenebrosos.

Os institutos da civilização têm sido impotentes para resolver o problema do nosso ser e dos nossos destinos.

As filosofias e as religiões estenderam sobre nós o manto carinhoso das suas concepções, mas esses mantos estão rotos!... Temos frio, temos fome, temos sede!

E os considerados mortos falam ao mundo na sua linguagem de estranha purificação. A Ciência, zelosa de suas conquistas, ainda não ouviu a sua vibração misteriosa, mas os filhos do infortúnio sentem-se envolvidos na onda divina de um novo *Gloria in excelsis*, e a humanidade sofredora sente-se no caminho consolador da sublime esperança.

Humberto de Campos[13]
(Espírito)

---

[13] N.E. à 9. ed., 1972: HUMBERTO DE CAMPOS Veras, escritor brasileiro, membro da Academia Brasileira de Letras, nascido em Miritiba (hoje Humberto de Campos), MA, em 1886, e desencarnado no Rio de Janeiro, em 1934. Foi jornalista e deputado federal. Produção literária variada quão vultosa. Conheceu em vida a 1ª edição do *Parnaso de além-túmulo*, manifestando-se a respeito dela pelo *Diário Carioca*, edições de 10 e 12 de julho de 1932, com os artigos intitulados *Poetas do outro mundo* e *Como cantam os mortos (apud A psicografia ante os tribunais*, de Miguel Timponi, p. 60 a 64, 4. ed., FEB). Liberto dos liames da carne, dois anos depois passou ele a valer-se, como Espírito, das faculdades mediúnicas de Francisco Cândido Xavier para a transmissão de importantes mensagens, como a que se inseriu nesta página, acoplada ao mesmo *Parnaso* que ele conhecera aqui na Terra e oriunda do mesmo *Além-Túmulo* por ele tenuemente vislumbrado, entre o assombro e a esperança. Ditou-nos doze livros, sendo sete sob o pseudônimo de Irmão X, editados pela FEB. Vale destacar *Brasil, coração do mundo, pátria do evangelho*, o livro confirmador da missão espiritual do Brasil, que é a de levar as luzes do Evangelho do Cristo a todos os quadrantes do mundo, visando à cristianização da humanidade, sob a orientação do Anjo Ismael, o legado do Governador espiritual do planeta em terras de Santa Cruz.

POESIAS MEDIÚNICAS

CONTENDO, COM RELAÇÃO A CADA POETA:

- dados pessoais do autor espiritual;
- poesias do autor espiritual psicografadas por Francisco Cândido Xavier;
- comentários de Elias Barbosa.

Abel Gomes

Escritor, poeta e professor, nascido em Conceição do Turvo (atual Salvador Firmino), MG, em 30 de dezembro de 1877 e falecido em 16 de agosto de 1934. Espírito dinâmico, posto que fisicamente inválido, deixou alguns livros inéditos, dos quais dois já editados pela Federação, além de copiosa obra esparsa.

Temos Jesus

Desaba o Velho Mundo em treva densa
E a guerra, como lobo carniceiro,
Ameaça a verdade e humilha a crença,
Nas torturas de um novo cativeiro.

Mas vós, no turbilhão da sombra imensa,
Tendes convosco o Excelso Companheiro,
Que ama o trabalho e esquece a recompensa
No serviço do bem ao mundo inteiro.

Eis que a Terra tem crimes e tiranos,
Ambições, desvarios, desenganos,
Asperezas dos homens da caverna;

Mas vós tendes Jesus em cada dia.
Trabalhemos na dor ou na alegria,
Na conquista de luz da vida eterna.

Comentários de Elias Barbosa

Percorrendo as páginas da coleção de *Reformador*, venerando órgão da Federação Espírita Brasileira, o leitor poderá apreciar as produções de Abel Gomes quando encarnado, notadamente a de 1934, que, além de publicar três capítulos de sua novela *A felicidade*, ostenta algumas de suas peças poéticas.

Publicada quatro meses antes de sua desencarnação, "A dor" é um poema que diz bem do estro do vate mineiro, tio do professor Ismael Gomes Braga. Destaquemos apenas duas estrofes do longo poema, a fim de que possamos nos inteirar de sua alta qualidade poético-doutrinária:

> *Irmãos e amigos meus! Se o sofrimento*
> *Transpuser os umbrais do vosso lar,*
> *Não levanteis aos céus vosso lamento,*
> *Nem ouseis contra a sorte blasfemar:*
> *São erros de um passado turbulento,*
> *Que ele quer reparar.*
>
> *Nessa noite trevosa do passado,*
> *Quantos erros deixamos de remir!*
> *E quantos cometemos no agitado*
> *Correr de anos que vimos submergir,*
> *Fantasmas que nos seguem lado a lado,*
> *Na senda do porvir!*

(Reformador, 1934, p. 262 a 264.)

Noticiando a desencarnação de Abel Gomes, às p. 504 e 505, o redator da aludida revista transcreve um soneto em versos alexandrinos, com o mesmo esquema rímico com que o poeta comparece por intermédio do médium Xavier, baseado em epígrafe de Tobias Barreto, do qual citaremos apenas os últimos dois tercetos:

> Não! O Filho de Deus, o grande nazareno,
> Que entre dores orava, plácido, sereno,
> Teve missão mais alta, muito mais sublime:
>
> Lutou, sofreu, morreu, o Célico Cordeiro,
> A fim de combater um outro cativeiro,
> O que nos doura o mal e atrai-nos para o crime.

A.G.

Morte

Silenciosa madona da tristeza,
A morte abriu-me as catedrais radiosas,
Onde pairam as formas vaporosas
Do país ignorado da Beleza.

Num dilúvio de lírios e de rosas,
Filhos da luz de uma outra Natureza,
Que entornavam no espaço a sutileza
Dos incensos das naves harmoniosas!

Monja de olhar piedoso, calmo e austero,
Que traz à Terra um tênue reverbero
Da mansão das estrelas erradias...

Irmã da paz e da serenidade,
Que abriu meus olhos na Imortalidade,
À esperança de todos os meus dias!

Comentários de Elias Barbosa

Trata-se, sem dúvida, de excelente poeta simbolista. Anote-se que as aliterações se desdobram do primeiro ao último verso. No 2º e 13º versos, observe-se o emprego admirável do verbo *abrir*, ao qual se seguem palavras sobre cujas vogais o icto realça a claridade: ca-te-*drais*/ ra-dio/sas — e *ol* lhos/ na/ /Imor/ta/li/*da*/de. Interessante é que os versos 12 e 13 são sáficos imperfeitos (com acento predominante na 4ª), e mesmo assim a musicalidade dos versos é flagrante e encantadora.

Albérico Lobo

Nascido na cidade do Rio de Janeiro em 1865 e desencarnado em fevereiro de 1942. Funcionário público, colaborou ativamente na imprensa e deixou opulenta obra esparsa, em prosa e em verso.

Do meu porto

Ao caro amigo M. Quintão

Viajor vacilante e extenuado,
Depois de atravessar a sombra imensa,
Encontrei o país abençoado
Onde vive a celeste recompensa.

Adeus mágoas da noite estranha e densa,
Das angústias e sonhos do passado,
Não conservo senão o Amor e a Crença,
Ante o novo caminho ilimitado.

É doce descansar após a lida,
Banhar o coração na luz da vida,
Rememorando as dores que passaram...

E dos quadros risonhos do meu porto,
Rogo a Jesus conceda reconforto
Aos corações amados que ficaram!

Comentários de Elias Barbosa

Noticiando a desencarnação de Albérico Lobo (*Reformador*, 1942, p. 43 e 44), Manuel Quintão chega a afirmar que "o velho companheiro não era apenas um poeta espontâneo de sons vocalizados, porque o era também da paleta, em sinfonias de cor" e cita-lhe uma frase proferida ante o féretro de Isaltino Barbosa:

"Não te trago lamentos mas parabéns, amigo, porque a morte só existe para os que não souberam viver...".

Natural, portanto, que o poeta se dirigisse ao amigo que ficou na Terra, e com que espontaneidade.

Alberto de Oliveira

Fluminense, nascido em Palmital de Saquarema, em 1859, e falecido em Niterói (RJ), em 1937. Farmacêutico, dedicou-se principalmente ao magistério. Membro fundador da Academia Brasileira de Letras, parnasiano de escol, foi tido como Príncipe dos Poetas de sua geração.

Jesus

Quanta vez, neste mundo, em rumo escuro e incerto,
O homem vive a tatear na treva em que se cria!
Em torno, tudo é vão, sobre a estrada sombria,
No pavor de esperar a angústia que vem perto!...

Entre as vascas da morte, o peito exangue e aberto,
Desgraçado viajor rebelado ao seu guia,
Desespera, soluça, anseia e balbucia
A suprema oração da dor do seu deserto.

Nessa grande amargura, a alma pobre, entre escombros,
Sente o Mestre do Amor que lhe mostra nos ombros
A grandeza da cruz que ilumina e socorre;

Do mundo é a escuridão, que sepulta a quimera...
E no escuro bulcão só Jesus persevera,
Como a luz imortal do amor que nunca morre.

Ajuda e passa

Estende a mão fraterna ao que ri e ao que chora:
O palácio e a choupana, o ninho e a sepultura,
Tudo o que vibra espera a luz que resplendora,
Na eterna lei de amor que consagra a criatura.

Planta a bênção da paz, como raios de aurora,
Nas trevas do ladrão, na dor da alma perjura;
Irradia o perdão e atende, mundo afora,
Onde clame a revolta e onde exista a amargura.

Agora, hoje e amanhã, compreende, ajuda e passa;
Esclarece a alegria e consola a desgraça,
Guarda o anseio do bem que é lume peregrino...

Não troques mal por mal, foge à sombra e à vingança,
Não te aflija a miséria, arrima-te à esperança.
Seja a bênção de amor a luz do teu destino.

Do último dia

O homem, no último dia, abatido em seu horto,
Sente o extremo pavor que a morte lhe revela;
Seu coração é um mar que se apruma e encapela,
No pungente estertor do peito quase morto.

Tudo o que era vaidade agora é desconforto,
Toda a nau da ilusão se destroça e esfacela
Sob as ondas fatais da indômita procela,
Do pobre coração, que é náufrago sem porto.

Somente o que venceu nesse mundo mesquinho,
Conservando Jesus por verdade e caminho,
Rompe a treva do abismo enganoso e perverso!

Onde vais, homem vão? Cala em ti todo alarde,
Foge dessa tormenta antes que seja tarde:
Só Jesus tem nas mãos o farol do Universo.

Comentários de Elias Barbosa

Em "Alberto de Oliveira ante os Espíritos" ("Poetas do Mais-Além", *Reformador*, 1968, p. 250), estudamos o poema de Alberto de Oliveira — "Espíritos" —, que se encontra em *Poesias* (ed. melhorada, 2ª série, Garnier, 1912, p. 171), depois incluído em *Rimas várias*, que tomamos a liberdade de transcrever, na íntegra:

Não irei à sessão de teus espíritos
Ouvi-los nas respostas que te dão.
Deixa-me duvidar, como duvido,
Sem voltar a alma, sem voltar o ouvido
Ao que é verdade ou alucinação.

Deixa-me, como vivo, ir estes últimos
Dias vivendo, deixa-me acabar,
Pouco me dando de saber se existe
Um mundo de fantasmas, ledo ou triste,
Póstumo e vago, a remexer-se no ar.

Se da sobrevivência, ao que ouço, pávido,
Há provas, infeliz de mim, de ti,
De todos nós, pois, num terror estranho,
Vem-se a saber que a vida é mal tamanho
Que inda com a morte não termina aqui.

Por que transcrição tão extensa? Para que possamos nos inteirar da realidade expressa nos três sonetos mediúnicos, no que concerne à temática e aspecto formal.

Diz Mello Nóbrega ("O rimário de Alberto de Oliveira", *Revista do Livro*, no 13, ano IV, março, 1959, MEC/INL, p. 27 a 45):

> Das três figuras predominantes da nossa poesia de corte parnasiano — Alberto, Bilac e Raimundo —, o primeiro foi, sem dúvida, o mais acusado de frieza e apego a fórmulas. E nisso anda forte dose de erro. [...] Alberto de Oliveira não era dotado desse sentido de sonoridade verbal propenso ao virtuosismo instrumentalista, que sinfoniza a poesia de Olavo Bilac; nem da acuidade rítmica que fez de Raimundo Correia um dos mais plásticos dos nossos poetas. Havido por frio e — por que não dizê-lo? — por prosaico, Alberto, nem por isso, pode ser considerado como parnasiano. E mais: sob certos aspectos, foi menos exigente que muitos dos seus contemporâneos e seguidores. Em sua vasta obra,

produzida em quase meio século, é natural que se manifestassem variações de tendências e processos [...].

De igual modo, quanto às rimas, Alberto não se ateve à observância de imposições. Seu rimário, habitualmente modesto, ou melhor, discreto, não repelia o encontro de correspondências havidas por cediças ou pobres; nem se servia de estratagemas valorizadores, que outros poetas do seu tempo não conseguiram ou não quiseram evitar [...].

O estudo do rimário de Alberto de Oliveira revela comedimento e tolerância incompatíveis com a escola a que, reservadamente, se filiara. De todos os grandes representantes do nosso chamado Parnasianismo, o poeta de "O Paraíba" é, talvez, o menos preocupado com a escolha dos consoantes. [...] Alberto de Oliveira raramente perseguiu a rima. Demo-nos ao trabalho de examinar detidamente o seu rimário e o levantamento resultante permite-nos algumas considerações documentadas, embora, como é óbvio, só nos valêssemos da mínima parte do material colhido [...].

Outra pequena audácia de Alberto foi a de rimar formas singulares com formas plurais ou equivalentemente fonéticas.

Bilac tentaria também, ocasionalmente, essa rima imperfeita intencional, em um dos sonetos de "Tarde". No poema de "Alma e Céu", em que estão essas consonâncias irregulares de Alberto, há versos então chamados *bárbaros*, por excederem a medida de doze sílabas:

De tua lira nas tesas cordas fremem teus nervos,
Oh! essas *cordas*
Quanto hás amado, quanto hás sofrido nelas trans*borda*...

Na segunda e na terceira estrofes, *latentes* rima com *fosforescente*, e *horas* com *aurora*.
Citando, à p. 38, a opinião de Manuel Bandeira expressa na *Antologia dos poetas brasileiros da fase parnasiana*, de 1937, estuda, em seguida, rimas em ditongos decrescentes, tônicos, rimas com diferença do timbre nas vogais tônicas, sílabas ditongais em *ou* tônico, em rima com sílabas em ô etc., afirmando categoricamente, à p. 42:

Todas essas quase-consonâncias foram usadas por Alberto de Oliveira com tranquilo desdém pelos cânones da poética parnasiana, aos quais sobrepôs a tolerância tradicional da poética portuguesa. Mantendo-se alheio às exigências meramente formais, Alberto, comedido e discreto, preferiu deixar-se ficar apegado a velhas fórmulas. Eleito príncipe dos nossos poetas, continuou sendo uma voz levemente arcádica, anacronicamente a cantar coisas do seu século e a esforçar-se por ser da sua gente.

Atente-se para as aliterações em *rr*, *ss*, *dd* e *tt*, ao longo dos três sonetos, como nos seguintes exemplos citados por Geir Campos (*Alberto de Oliveira — Poesia*, Nossos clássicos, nº 32. Rio de Janeiro: Agir, 1959, p. 27, 28 e 47):

> De lá trouxeste o olhar sereno e garço,
> O alvo colo onde, em quedas de ouro tinto,
> Rútilo rola o teu cabelo esparso...

> Tri... Tri... Entre as asas geme
> O grilo, e pernalta aranha
> Na trama de ouro em que treme
> Quase o apanha.

> Descobre o Paraíba os arenosos flancos
> E míngua e é como estanque. Oh! não é mais o rio
> De inda há pouco, a passar indômito aos arrancos,
> Desbridado e brutal como um corcel bravio!

Seria necessário, a esta altura, justificar por que Alberto de Oliveira, por intermédio do médium Chico Xavier, rimou substantivo com substantivo, verbo com verbo, adjetivo com adjetivo? Cremos que não.

Alfredo Nora

Alfredo José dos Santos Nora nasceu em 18 de novembro de 1881, no município de Piraí (RJ), e desencarnou em 13 de novembro de 1948. Depois de estudar Engenharia até o 4º ano do curso, tornou-se funcionário da Central do Brasil, aposentando-se como agente de 1ª classe. Poeta e jornalista, colaborou em várias revistas e jornais.

Carta ligeira

Meu Lasneau, não é bilhete,
Não é ofício, nem ata.
É o coração que desata
Meus pesares num lembrete.

I

Lasneau amigo, esta choça,
Onde a carne, breve, passa,
Cheia de lama e fumaça,
É minúscula palhoça.

A Terra, ante o sol da Graça,
É feio talhão de roça,
Detendo por balda nossa
Descrença, guerra e cachaça.

Agora é que entendo isso,
Mas é triste a fé sem viço
Que o sepulcro impõe à pressa...

Espere sem alvoroço,
Além da prisão de osso,
A vida real começa.

II

Oh! meu caro, se eu pudesse
Dizer tudo o que não disse,
Sem a velha esquisitice
Que inda agora me entontece!

Entretanto, é clara a messe
Da sementeira de asnice.
Perdi tempo em maluquice
E o tempo me desconhece.

É natural que padeça
A minha pobre cabeça
Perante a Luz, face a face.

Não me olvide em sua prece,
Desejo que a luta cesse,
Que a coisa melhore e... passe.

Comentários de Elias Barbosa

Jorge Azevedo, com a lucidez que lhe é própria, em *Eles deixaram saudades* (Belo Horizonte: Imprensa Oficial, 1966, p. 57 a 69) refere-se a Alfredo Nora, transcrevendo-lhe diversas poesias, a maioria em forma de bilhetes, inclusive a seguinte, sobre o verbo *gungunar*:

Aí vai, Jorge Azevedo,
esta poesia que o medo
de morrer me gungunou.

Mas esse medo não tira
a certeza da mentira
que esta vida me pregou...

(p. 65)

Narrando a sua conversa, através do fio telefônico com Sebastião Lasneau, sobre os três sonetos que Chico recebeu mediunicamente, enfatiza esse gosto do poeta pelos bilhetes, transcrevendo-lhe os três sonetos, dois dos quais aqui se encontram.

Fato curioso se deu com o autor destas notas. Em 16-2-1968, submeteu-se a um minucioso exame com distinto cardiologista de São Paulo; no dia 19, regressou a Uberaba e encontrou o livro *Eles deixaram saudades*, de Jorge Azevedo, que chegara pelo correio, tendo percorrido o capítulo sobre Alfredo Nora; no dia seguinte, conversou com um confrade do Rio, que se encontrava em Uberaba, sobre Alfredo Nora, e que o conhecera pessoalmente; na quarta-feira, dia 21, participou, normalmente, dos trabalhos de desobsessão da Comunhão Espírita Cristã e, para surpresa de todos, ao final, psicofonicamente, Chico Xavier recebeu o seguinte bilhete:

> Meus irmãos, Deus conosco.
> Segundo a palavra falada, visito-vos pela primeira vez, mas do ponto de vista espiritual, sou um companheiro e admirador do vosso trabalho.
> Sem dúvida, tenho muitos amigos e muitos irmãos doentes, mas por motivo da comunhão de pensamentos nos dias últimos, ofereço uma pequenina lembrança rimada, um soneto pobre que dedico a um amigo doente, e esse amigo — que para nós todos não é doente — é o nosso companheiro..., que em seu nome receberá as nossas palavras, entretanto cujo nome nos absteremos de colocar nas palavras escritas porque o soneto tanto pode ser para o nosso amigo como para nós próprios. Vamos ver se o conseguimos:

> Meu amigo, eleva a tocha —
> Luz na fé que em ti se anicha!
> Doença quando enrabicha
> É sombra que nos arrocha.

Evita amargura e rixa
Se a luta surge e reprocha.
Inquietação é garrocha
Que a saúde escorropicha.

Tristeza cria debuxo
Do mal que chega por luxo
Promovendo cambalacho.

Coração que não se fecha
Recorda barco sem brecha:
Não range, nem vem abaixo.

Muito obrigado pela oportunidade.
ALFREDO NORA

Para finalizar, e com vistas a documentar a autenticidade da psicografia de Francisco Cândido Xavier, assinalemos um passo da obra *Rima e poesia*, de Mello Nóbrega (Rio de Janeiro: MEC/INL, 1965, p. 84 e 85):

Engenhoso jogo de sons mostra-se numa balada de Marot, cujas rimas conservam a mesma consoante final, variando nas vogais tônicas:

Or est Noël venu son petit trac:
Sus donc aux champs, bergieres de respec;
Prenons chascun panetiere et bissac,
Flûte, flageol, cornemuse et rebec...

Georges Lote refere-se a uma poesia de Saint-Gelais, em que as consonâncias obedecem ao mesmo tipo: *quoac, pac.*; *bec, haec*; *bric, ricq*... O emprego das vogais, em sua ordem alfabética, em rimas graves, é também muito antigo, como se vê neste exemplo, citado nas *Règles de la Seconde Rhétorique*, escritas no primeiro quartel do século XV:

Pour moy parer, hier me vestis de nate
Et affulay chaperon sans cornette,

Comme celuy qui a amer s'enate
Sote cornant qui n'est pas de cors nette.
Lours dame Amours, en guise de penite,
Se traist vers moy et me dis epanite
A sote amer qui a nom Vincenote,
Car moult bien scet de trande le note,
Et de marans sur toutes est cognute.
Je respondis, dont j'eus une hornote:
Non feray voir, point ne l'aray je nute.

Alphonsus de Guimaraens

Afonso Henrique da Costa Guimarães (dito Alphonsus Guimaraens), poeta mineiro de Ouro Preto. Nasceu em 24 de julho de 1870 e desencarnou em 15 de julho de 1921. Magistrado, jornalista e poeta, notabilizou-se principalmente pela tonalidade mística do seu estro, qual se afirma em suas obras: *Dona Mística, Setenário das dores de Nossa Senhora, Kiriale, Escada de Jacob* etc.

Aos crentes

Ó crentes de uma outra vida,
Que andais no mundo exilados,
Nos caminhos enevoados,
Lendo o missal da amargura!

Esperai a sepultura,
Ó crentes de uma outra vida!...

Tangei harpas de esperança,
Nas lutas de vossa esfera,
Porque a morte é a primavera
Luminosa, eterna e imensa...

Filhos da paz e da crença
Tangei harpas de esperança!...

REDIVIVO

Sou o cantor das místicas baladas
Que, em volutas de flores e de incenso,
Achou, no Espaço luminoso e imenso,
O perfume das hóstias consagradas.

Almas que andais gemendo nas estradas
Da amargura e da dor, eu vos pertenço,
Atravessai o nevoeiro denso
Em que viveis no mundo, amortalhadas.

Almas tristes de freiras e sorores,
Sobre quem a saudade despetala
Os seus lírios de pálidos fulgores;

Eu ressurjo nos místicos prazeres,
De vos cantar, na sombra onde se exala
Um perfume de altar e misereres...

Sinos

Escuto ainda a voz dos campanários
Entre aromas de rosas e açucenas,
Vozes de sinos pelos santuários,
Enchendo as grandes vastidões serenas...

E seguindo outros seres solitários,
Retomo velhos quadros, velhas cenas,
Rezando as orações dos Septenários,
Dos Ofícios, dos Terços, das Novenas...

A morte que nos salva não nos priva
De ir ao pé de um sacrário abandonado,
Chorar, como inda faz a alma cativa!

Ó sinos dolorosos e plangentes,
Cantai, como cantáveis no passado,
Dizendo a mesma Fé que salva os crentes!...

Santa Virgo Virginum

Sobe da Terra, em ondas luminosas,
Um turbilhão de vozes e de lírios,
Buscando-vos nas Luzes Harmoniosas,
Oh! Virgem da Pureza e dos Martírios!

Imagens de turíbulos e rosas
Aromatizam todos os empíreos...
Há na Terra canções maravilhosas
Entre as luzes e as lágrimas dos círios.

Senhora, o mundo inteiro vos festeja,
Em magnificência ampla e radiosa,
Nos altares simbólicos da Igreja!

Eis, porém, que vos vejo nos caminhos,
Onde a vossa virtude carinhosa
Consola e ampara os fracos pobrezinhos...

Comentários de Elias Barbosa

Antes de tudo, vejamos a opinião abalizada de Gladstone Chaves de Melo (*Alphonsus de Guimaraens — Poesia* — N. Cl., nº 19. Rio de Janeiro: Agir, 1958, p. 7 a 13) sobre o Verlaine Mineiro, uma vez que, mediunicamente, o poeta comparece com todas as características indicadas pelo ilustre filólogo patrício.

Alphonsus de Guimaraens foi poeta. Poeta no sentido pleno da palavra, poeta que traduziu a vida em beleza, poeta que viu, sentiu, captou e exprimiu. Sim, porque o poeta é o homem que *fixa a beleza que passa*. O mundo cósmico e o mundo humano, social e interior, a paisagem telúrica e a paisagem humana, no seu perpétuo movimento, apresentam a cada passo aspectos de beleza. Aspectos fugazes, instantes fugidios, demonstrações esquivas e rápidas da beleza, essência eterna da perfeição. [...] A temática de Alphonsus é pobre em extensão, rica em profundidade. São poucos os assuntos, os motivos se repetem, mas o poeta tira deles belezas insuspeitadas, ora pelo colorido, ora pelo simbolismo, ora pelo ritmo, ora pela sonoridade, ora pela expressão. Dois temas reparecem a cada momento, entrelaçados, comprometidos um com o outro, casados indissoluvelmente, o *amor* e a *morte*:

Cantei o amor em febre mal sentida,
E nos meus versos comparei-o à vida,
Que se vai logo, sedutora e forte.

Comparo-o agora às brancas sepulturas,
Que não se acabam, que perduram, puras,
Pois sei que o amor é eterno como a morte.

(Soneto LXIII da *Pastoral.*) [...] Mais alto que a noiva imaterial e etérea, a constante Constança espiritualizada, existe uma encarnação mais sublime e, por isso, mais próxima da Beleza. É Nossa Senhora, a Mulher imácula, a mulher divina, a mulher que realizou o eterno feminino que o poeta persegue, a mulher plena, virgem e mãe, virgem de perfeito esplendor, mãe carinhosa e desvelada para um pobre peregrino atormentado, angustiado pela sensação da insegurança, da fugacidade, do nada, da morte. Nossa Senhora então expande o coração de Alphonsus, coração de poeta e coração de crente. Por isso, ele se tornou o maior cantor da Virgem em nossa língua. Além de poemas esparsos, o poeta consagrou a Maria todo um livro riquíssimo, o *Setenário das dores de Nossa Senhora*, 49 sonetos, cada sete dedicados a uma dor.

Curioso observar que Antônio de Pádua (*Revista Brasileira de Filologia*, vol. 1, tomo II, dezembro, 1955, Livraria Acadêmica, Rio de Janeiro, "Notas de Estilística", p. 184 e 185) salientou os três adjetivos mais empregados por Alphonsus, que refletem o cunho religioso de sua inspiração, a saber: a) *celeste, celestial*, célico(a); b) *pobre* e c) *mísero(a), miserando(a)*. Ora, através dos canais mediúnicos, o poeta mineiro utiliza formas metafóricas para explicitar o conteúdo religioso de sua produção. Vejamos de que modo isto se apresenta. Ontem, *celestes resplendores*, 8 a 123; *harmonias célicas*, 134; *alcândora celeste*, 332; *célicas regiões*, 258; *celestiais caminhos*, 367 (o autor se refere às *Poesias*, Rio de Janeiro, 1938). Hoje, "Luzes Harmoniosas e Empíreos" designam as mesmas regiões. Ontem, "pobre saudade", 14; "pobre Alphonsus", 284; "pobres freiras", 246. Hoje, o velho bardo se lembra de que devemos consolar e amparar os "fracos pobrezinhos...". A palavra deixa a condição de adjetivo para se transformar em substantivo e com que carga afetiva. É que o poeta, na Espiritualidade, compreende que não há *pobreza* em relação ao que possuímos ou ao que nos cerca, mas *a pobreza*, com vistas a fazer com que os avarentos, vítimas do remorso, possam ressarcir seus débitos de existências anteriores, atravessando estações de aparente sofrimento (aparente, por se tratar de sofrimento do orgulho e egoísmo, não da individualidade reencarnante propriamente dita).

Com relação ao último adjetivo — *mísero(a)* — Alphonsus preferiu utilizar a forma plural do termo latino — *miserere* —, assim como fez com o "soror", aliás, conseguindo sair-se muito bem de empresa assaz difícil. Em português, como sabemos, existe a gíria *miserê*, mas não a palavra *miserere* como tal. Diga-se de passagem, porém, que na obra terrena do vate mineiro há diversas passagens semelhantes. Citemos algumas delas, apenas. Em "Pastoral aos crentes do amor e da morte" (*Poesias*, edição da Organização Simões, Rio de Janeiro, 1955, 1º volume, p. 333), a última estrofe do poema XLIV — "Vila do Carmo", ostenta a palavra em análise, sem qualquer preocupação de destacá-la:

> E então olhou-me (não seja embalde)
> O olhar de Deus para que eu espere...

O luar tombava sobre a cidade
Numa dolência de miserere.

A palavra *claror(res)* aparece em diversos passos:

A aurora loira que me guiava os passos
Dentro do sonho etéreo em que eu vivia,
Encheu-se toda de clarores baços...
Nunca mais para mim nasceu o dia.

(Poema XXXVI, *Poesias*, p. 373.)

Vou pela sombra. O luar é suave como
O sol que morre no claror supremo.
Agora a lua, em demorado assomo,
Domina todo o céu, de extremo a extremo.

(Soneto XX, *Poesias*, 2º volume, p. 487.)

"Soidão" (p. 379), "algares" (p. 400), "aurorizar" (p. 304), "enluarizar-se" (p. 380) são algumas das diversas palavras arcaicas ou de uso restrito que se multiplicam no 1º volume.

No 2º volume, vejamos, além de "volutabro" (p. 452) e o uso de "ambos os dois" (p. 518), os seguintes exemplos de *rosicleres*:

Amar a aurora, amar as flores rosicleres,
E tudo quanto é belo e o sentido nos doma!
Mas, antes disso, amar as crianças e as mulheres...

(Soneto IV, "Caminho do Céu", p. 433.)

O soneto XXXII, ainda do "Caminho do Céu", p. 456, oferece-nos no segundo quarteto isto:

> — A primeira por quem bati (sonho desfeito)
> Andava como envolta em leves rosicleres.
> E vi-a repousar no seu caixão estreito...
> — E agora não tens mais por quem no mundo esperes...

Para terminar, rogando ao leitor que anote, por gentileza, todas as palavras do ideário católico que existem nas peças mediúnicas, transcrevamos os dois mais belos sonetos de Alphonsus, o primeiro deles sobre rosas, que mereceu de Agrippino Grieco estas palavras, a propósito de rosas: "acentue-se que ninguém as celebrou tão lindamente em nosso país":

> Rosas que já vos fostes desfolhadas
> Por mãos também que já se foram, rosas
> Suaves e tristes! Rosas que as amadas,
> Mortas também, beijaram suspirosas...
>
> Umas rubras e vãs, outras fanadas,
> Mas cheias do calor das amorosas...
> Sois aromas de alfombras silenciosas
> Onde dormiram tranças destrançadas.
>
> Umas brancas, da cor das pobres freiras,
> Outras cheias de viço e de frescura,
> Rosas primeiras, rosas derradeiras!
>
> Ai! quem melhor que vós, se a dor perdura,
> Para coroar-me, rosas passageiras,
> O sonho que se esvai na desventura?

(Apud Agrippino Grieco, *Evolução da poesia brasileira*,
3ª ed. revista, J. Olympio, 1947, p. 102.)

Eis o segundo soneto, cujos quatorze versos o autor de *O sol dos mortos* considera "macios como a penugem do peito das andorinhas" (*Op. cit.*, p. 104):

Hão de chorar por ela os cinamomos,
Murchando as flores ao tombar do dia.
Dos laranjais hão de cair os pomos,
Lembrando-se daquela que os colhia.

As estrelas dirão: — Ai! nada somos,
Pois ela se morreu, fulgente e fria...
E pondo nela os olhos como pomos,
Hão de chorar a irmã que lhes sorria.

A lua, que lhe foi mãe carinhosa,
Que a viu nascer e amar, há de envolvê-la
Entre lírios e pétalas de rosa.

Os meus sonhos de amor serão defuntos...
E os arcanjos dirão no azul, ao vê-la,
Pensando em mim: — Por que não vieram juntos?

Alma Eros

O CÁLICE

A chuva benéfica e abundante cai dos céus
Mitigando a sede da terra.
Assim também, o Amado faz chover sobre os homens
Os poderes e as bênçãos.
No entanto, choras e desesperas...
Por que não recolheste a tempo a tua parte?
— Nada vi — responderás...
É porque teus olhos estavam nevoados na atmosfera do sonho.
O Senhor passa todos os dias,
Distribuindo os dons celestiais,
Mas as ânforas do teu coração vivem transbordando de substâncias
[estranhas.
Aqui, guardas o vinagre dos desenganos,
Acolá, o envenenado licor dos caprichos.
O Amado é incapaz de violentar a tua alma.
Seu carinho aguarda a confiança espontânea,
Seu coração freme de júbilo,
Na expectativa de entregar-te os tesouros eternos...
Mas, até agora,
Persegues a fantasia e alimentas furiosamente a ilusão.
Todavia, o Amado espera.
E dia virá,
Na estrada longa do destino,
Em que estenderás ao seu amor infinito
O cálice do coração lavado e vazio.

O IRMÃO

Por que ajuízas com ironia,
Sobre as obscuridades do irmão que sobe dificilmente a montanha?
Quando atravessava a floresta
O pobrezinho julgou que o Amado lhe falava à mente pela voz do trovão
E lhe erigiu altares
Enfeitados de flechas.
Depois,
Quando penetrou noutros círculos,
Acreditou que o Senhor pertencia somente ao seu grupo
E que as outras comunidades humanas eram condenadas...
Lutou, sofreu, feriu-se em dolorosas experiências.
O Amado, porém, jamais o deserdou por isso.
Deu-lhe novas forças,
Concedeu-lhe oportunidades diferentes.
Por vezes,
Buscou-o no fundo dos abismos,
Como pai carinhoso,
Em busca da criancinha abandonada.
De tempos a tempos,
Fê-lo dormir no regaço,
Ao influxo do bendito esquecimento,
Para que o sol do trabalho lhe sorrisse outra vez.
Não observas em seu caminho áspero a tua própria história?
Não atormentes com palavras amargas o irmão que se eleva
Laboriosamente,
Dando ao mundo o que possui de melhor.
Ama-o, faze-lhe o bem que possas.
Se já atingiste
Algum topo de colina,
Contempla as culminâncias que te aguardam
Entre as nuvens,
E estende as mãos fraternas
Àquele que ainda não pode ver o que já vês.

Comentários de Elias Barbosa

Pertencente à geração modernista, Alma Eros nos oferece dois poemas repassados de profunda religiosidade. Em linguagem quase que discursiva, consegue, no entanto, situar-nos no mundo diáfano da poesia legítima.

O poema "O irmão" contém profundo ensinamento: devemos nos precatar contra a nossa tendência natural de invejar aqueles que sobem por esforço próprio e que conseguem, por isso mesmo, se destacar dos demais.

Verso 52. Atente-se para o seguinte: a pausa de fim de linha (do "linossigno") não corresponde à pausa lógica do pensamento. Com semelhante estruturação poemática, a poetisa atenua o tom discursivo da mensagem poética.

ÁLVARO TEIXEIRA DE MACEDO

    Álvaro Teixeira de Macedo nasceu no Recife (PE) em 13 de janeiro de 1807 e desencarnou em 7 de dezembro de 1849, na Bélgica, onde era encarregado dos negócios do Governo Imperial do Brasil. Publicou, em livro, um poema heroico-burlesco — "A festa de Baldo".

Depois da festa

Não te entregues na Terra à vil mentira,
Desfaze a teia da filáucia humana,
Que a Morte, em breve, humilha e desengana
A demência da carne que delira...

O gozo desfalece à própria gana,
Toda vaidade ao báratro se atira,
Sob a ilusão mendaz chameja a pira
Da verdade, celeste, soberana.

Finda a festa de baldo riso infando,
A alma transpõe o túmulo chorando,
Qual folha solta ao furacão violento.

E quem da luz não fez templo e guarida,
Desce gemendo, de alma consumida,
Ao turbilhão de cinza e esquecimento.

Comentários de Elias Barbosa

Detenhamo-nos no primeiro terceto, de modo a apreciar o belíssimo jogo de aliterações em *f*, *d*, *t*.

Um grito de alerta contra o culto da mentira, "Depois da festa" como que antecipa o belíssimo "Cantilena triste" de um bardo contemporâneo (Thiago de Mello):

> Oh, como somos tristes,
> tão terrivelmente tristes,
> ao fim das noites alegres!

Amadeu (?)

O MISTÉRIO DA MORTE

O mistério da morte é o mistério da vida,
Que abandona a matéria exânime e cansada;
Que traz a treva em si e abre a porta dourada
De um mundo que entre nós é a luz desconhecida.

Também tive a minh'alma outrora perturbada,
De dúvida, incerteza e angústias consumida,
Mas a morte sanou-me a última ferida
Desfazendo as lições utópicas do Nada.

A morte é simplesmente o lúcido processo
Desassimilador das formas acessíveis
À luz do vosso olhar, empobrecido e incerto.

Venho testemunhar a luz de onde regresso,
Incitando vossa alma aos planos invisíveis,
Onde vive e se expande o Espírito liberto.

Comentários de Elias Barbosa

Depois de tantos lustros decorridos, permitimo-nos perguntar: Amadeu não será o mesmo *Amadeu* Ataliba Arruda *Amaral* Leite Penteado (Capivari-SP, 6-11-1875 — São Paulo, 29-10-1929)? Cremos que sim.

Quando o *Parnaso de além-túmulo* foi organizado, fazia apenas dois anos que o ilustre poeta havia desencarnado. Homem de muitas relações sociais, jornalista de *O Estado de S. Paulo*, é natural que, na época, se escondesse no anonimato.

A título de curiosidade, transcreveremos, em seguida, o último de uma série de seis sonetos, intitulada "A um adolescente", dedicada a Júlio Mesquita Filho:

> Que importa que o final de todo humano esforço
> seja um enigma, além — e, inda mais longe, nada!
> Que os caminhos da vida, o direito e o retorso,
> levem ao mesmo termo a boa e a má jornada.
>
> Que procurava o efebo, erguendo o disco e a espada
> na arena, ou governando a quadriga no corso?
> O sereno esplendor da alma forte, ligada
> à rijeza do braço e ao relevo do torso.
>
> Perdeu-se tudo? Sim. Talvez não. A beleza
> que em vagas de emoção torceu a turba erguida,
> não se perdeu, talvez, quem sabe! como o resto...
>
> E que importa, afinal! Afronta essa incerteza,
> afronta a escuridão, glorificando a Vida
> no minuto de luz que arde, às vezes, num gesto!

(*Espumas*, edição de *A Cigarra*, São Paulo, 1917, p. 15 a 26, *apud* Fernando Góes, *Panorama da Poesia Brasileira* — volume V — O *Pré-Modernismo*. Rio de Janeiro: Civilização, 1960, p. 31 e 32.)

Amaral Ornellas

Funcionário público. Nasceu no Rio de Janeiro em 20 de outubro de 1885 e desencarnou em 5 de janeiro de 1923. Talento brilhante, deixou dois volumes de poesia, consagrados pela crítica coeva, além de copiosa literatura teatral e doutrinária.

Ave Maria

Ave Maria! Senhora
Do amor que ampara e redime,
Ai do mundo se não fora
A vossa missão sublime!

Cheia de graça e bondade,
É por vós que conhecemos
A eterna revelação
Da vida em seus dons supremos.

O Senhor sempre é convosco,
Mensageira da ternura,
Providência dos que choram
Nas sombras da desventura.

Bendita sois vós, Rainha!
Estrela da Humanidade,
Rosa mística da fé,
Lírio puro da humildade!

Entre as mulheres sois vós
A Mãe das mães desvalidas,
Nossa porta de esperança,
E Anjo de nossas vidas!

Bendito o fruto imortal
Da vossa missão de luz,
Desde a paz da Manjedoura,
Às dores, além da Cruz.

Assim seja para sempre,
Oh! Divina Soberana,
Refúgio dos que padecem
Nas dores da luta humana.

Ave Maria! Senhora
Do Amor que ampara e redime,
Ai do mundo se não fora
A vossa missão sublime!

O tempo

O tempo é o campo eterno em que a vida enxameia
Sabedoria e amor na estrada meritória.
Nele o bem cedo atinge a colheita da glória
E o mal desce ao paul de lama, cinza e areia.

Esquece a mágoa hostil que te oprime e alanceia.
Toda amargura é sombra enfermiça e ilusória...
Trabalha, espera e crê... O serviço é vitória
E cada coração recolhe o que semeia.

Dor e luta na Terra — a Celeste Oficina —
São portas aurorais para a Mansão Divina,
Purifica-te e cresce, amando por vencê-las...

Serve sem perguntar por "onde", "como" e "quando",
E, nos braços do Tempo, ascenderás cantando
Aos Píncaros da Luz, no País das Estrelas!

Comentários de Elias Barbosa

Amaral Ornellas — diz Manuel Quintão, à página 181 de *Reformador* de 1918 —, "fugindo a essa tendência contemporânea que a precipitação perfilha, pensa maduramente o assunto de seus versos e deixa, por isso, de cair em delíquio de exuberância, em malabarismo palavroso..." A maneira do que fez José Silvério Horta com o *Pai-Nosso*, Amaral Ornellas parafraseou com mestria a oração *Ave-Maria*.

༒

Verso 30. Atente-se para o belíssimo *enjambement*.

༒

Neste soneto, ressurge, sem dúvida, o Amaral Ornellas do "Fantasma". Senão vejamos:

> Surge e para ante mim, translúcida e divina,
> Com lampejos de sóis no albor de cada face,
> Uma alva estátua irreal de gaze ou de neblina,
> Que a luz branca do luar, de longe, atravessasse.
>
> É o fantasma de Glauce — imácula bonina
> Que vi murchar no hastil do seu viver fugace.
> Diria ser o amor que a revive e ilumina,
> Se ao poder da saudade alguém ressuscitasse.
>
> Olha-me com ternura ao ver-me em prantos, goza,
> Resplendendo, a sorrir, numa alvura radiosa,
> Que lembra o sol dourando a crista de uma vaga.
>
> Depois treme e se esvai numa lirial brancura,
> Que é o supremo esplendor da existência futura,
> E o lento bruxulear da vida que se apaga.
>
> (*Baixos Relevos*, *apud* Clóvis Ramos, *Antologia de poetas espíritas*. Rio de Janeiro: Irmãos Pongetti Editores, 1959, p. 17.)

Antero de Quental

Nascido na ilha de São Miguel, nos Açores, em 1842, e desencarnado por suicídio, em 1891. É vulto eminente e destacado nas letras portuguesas, caracterizando-se pelo seu espírito filosófico.

Ciência Ínfima

Onde o grande caminho soberano
Da Ciência que abriu a nova era,
Investigando a entranha da monera,
A desvendar-se no capricho insano?

Ciência que se elevou à estratosfera
E devassou os fundos do oceano,
Fomentando o princípio desumano
Da ambição onde a força prolifera...

Ciência de ostentação, arma de efeito,
Longe da Luz, da Paz e do Direito,
Num caminho infeliz, sombrio e inverso;

Sob o alarme guerreiro, formidando,
Eis que a Terra te acusa, soluçando,
Como a Grande Mendiga do Universo!...

Rainha do Céu

Excelsa e sereníssima Senhora,
Que sois toda Bondade e Complacência,
Que espalhais os eflúvios da Clemência
Em caminhos liriais feitos de aurora!...

Amparai o que anseia, luta e chora,
No labirinto amargo da existência.
Sede a nossa divina providência
E a nossa proteção de cada hora.

Oh! Anjo Tutelar da Humanidade.
Que espargis alegria e claridade
Sobre o mundo de trevas e gemidos;

Vosso amor, que enche os céus ilimitados,
É a luz dos tristes e dos desterrados,
Esperança dos pobres desvalidos!...

À MORTE

Ó Morte, eu te adorei, como se foras
O Fim da sinuosa e negra estrada,
Onde habitasse a eterna paz do Nada
Às agonias desconsoladoras.

Eras tu a visão idolatrada
Que sorria na dor das minhas horas,
Visão de tristes faces cismadoras,
Nos crepes do Silêncio amortalhada.

Busquei-te, eu que trazia a alma já morta,
Escorraçada no padecimento,
Batendo alucinado à tua porta;

E escancaraste a porta escura e fria,
Por onde penetrei no sofrimento,
Numa senda mais triste e mais sombria.

Depois da morte

I

Apenas dor no mundo inteiro eu via,
E tanto a vi, amarga e inconsolável,
Que num véu de tristeza impenetrável
Multiplicava as dores que eu sofria.

Se vislumbrava o riso da alegria
Fora dessa amargura inalterável
Esse prazer só era decifrável
Sob a ilusão da eterna fantasia.

Ao meu olhar de triste e de descrente,
Olhar de pensador amargurado,
Só existia a dor, ela somente.

O gozo era a mentira dum momento,
Os prazeres, o engano imaginado
Para aumentar a mágoa e o sofrimento.

II

Misantropo da ciência enganadora,
Trazia em mim o anseio irresistível
De conhecer o Deus indefinível,
Que era na dor, visão consoladora.

Não O via e, no entanto, em toda hora,
Nesse anelo cruciante e intraduzível,
Podia ver, sentindo o Incognoscível
E a sua onisciência criadora.

Mas a insídia do orgulho e da descrença
Guiava-me a existência desolada,
Recamada de dor profunda e intensa;

Pela voz da vaidade, então, eu cria
Achar na morte a escuridão do Nada,
Nas vastidões da terra úmida e fria.

III

Depois de extravagâncias de teoria,
No seio dessa ciência tão volúvel,
Sobre o problema trágico, insolúvel,
De ver o Deus de Amor, de quem descria,

Morri, reconhecendo, todavia,
Que a morte era um enigma solúvel,
Ela era o laço eterno e indissolúvel,
Que liga o Céu à Terra tão sombria!

E por estas regiões onde eu julgava
Habitar a inconsciência e a mesma treva
Que tanta vez os olhos me cegava,

Vim, gemendo, encontrar as luzes puras
Da verdade brilhante, que se eleva,
Iluminando todas as alturas.

Soneto

Quisera crer, na Terra, que existisse
Esta vida que agora estou vivendo,
E nunca encontraria abismo horrendo,
De amargoso penar que se me abrisse.

Andei cego, porém, e sem que visse
Meu próprio bem na dor que ia sofrendo;
Desvairado, ao sepulcro fui descendo,
Sem que a Paz almejada conseguisse.

Da morte a Paz busquei, como se fora
Apossar-me do eterno esquecimento,
Ao viver da minh'alma sofredora;

E em vez de imperturbáveis quietitudes,
Encontrei os Remorsos e o Tormento,
Recrudescendo as minhas dores rudes.

O REMORSO

Quando fugi da dor, fugindo ao mundo,
Divisei aos meus pés, de mim diante,
A medonha figura de gigante
Do Remorso, de olhar grave e profundo.

Era de ouvir-lhe o grito gemebundo,
Sua voz cavernosa e soluçante!...
Aproximei-me dele, suplicante,
Dizendo-lhe, cansado e moribundo:

— Que fazes ao meu lado, corvo horrendo,
Se enlouqueci no meu degredo estranho,
Acordando-me em lágrimas, gemendo?

Ele riu-se e clamou para meus ais:
— Companheiro na dor, eu te acompanho,
Nunca mais te abandono! Nunca mais!

Soneto

Mais se me afunda a chaga da amargura
Quando reflexiono, quando penso
No mar humano, encapelado e imenso,
Onde se perde a luz em noite escura...

Nesse abismo de treva a bênção pura,
Do espírito de amor ao mal infenso,
Sente o assédio do mal. É o contrassenso
Da luz unida à lama que a tortura.

Mais se me aumenta a chaga dolorida,
Escutando o soluço cavernoso
Da pobre Humanidade escravizada;

Sentindo o horror que nasce dessa vida,
Que se vive no abismo tenebroso,
Cheio do pranto da alma encarcerada!

Deus

Quem, senão Deus, criou obra tamanha,
O espaço e o tempo, as amplidões e as eras,
Onde se agitam turbilhões de esferas,
Que a luz, a excelsa luz, aquece e banha?

Quem, senão ELE fez a esfinge estranha
No segredo inviolável das moneras,
No coração dos homens e das feras,
No coração do mar e da montanha?!

Deus!... somente o Eterno, o Impenetrável,
Poderia criar o imensurável
E o Universo infinito criaria!...

Suprema paz, intérmina piedade,
E que habita na eterna claridade
Das torrentes da Luz e da Harmonia!

Consolai

Se eu pudesse, diria eternamente,
Aos flagelados e desiludidos,
Que sobre a Terra os grandes bens perdidos
São a posse da luz resplandecente.

A dor mais rude, a mágoa mais pungente,
Os soluços, os prantos, os gemidos,
Entre as almas são louros repartidos
Muito longe da Terra impenitente.

Oh! se eu pudesse, iria em altos brados
Libertar corações escravizados
Sob o guante de enigmas profundos!

Mas, dizei-lhes, ó vós que estais na Terra,
Que a luz espiritual da dor encerra
A ventura imortal dos outros mundos!

CRENÇA

Minha vida de dor e de procela
Que se extinguiu na tempestade imensa,
Despedaçou-se à falta dessa crença,
Que as grandes luzes místicas revela.

E estraçalhei-me como alguém que sela
Com o supremo infortúnio a dor intensa,
Desvairado de angústia e de descrença,
Dentro da vida sem compreendê-la.

Ah! Crer! bem que, na Terra, não possuí,
Quando entre conjeturas me perdi,
De tão pequena dor fazendo alarde...

Crença! Luminosíssima riqueza
Que enche a vida de paz e de beleza,
Mas que chega no mundo muito tarde.

Não choreis

Não choreis os que vão em liberdade
Buscar no Espaço o luminoso leito
Da paz, distante do caminho estreito
Desse mundo de dor e de orfandade.

O pranto é a flor de aromas da saudade,
Que perfuma e crucia o vosso peito,
Mas transformai-o em gozo alto e perfeito,
Em santa e esperançosa claridade.

Chega um dia em que o Espírito descansa
Das aflições, angústias e cansaços,
Dos aguilhões das dores absolutas:

Feliz de quem, na Crença e na Esperança,
Procura a luz sublime dos espaços,
Buscando a paz depois das grandes lutas.

Mão divina

184　A luz da mão divina sempre desce,
　　Misericordiosa e compassiva,
　　Sobre as dores da pobre alma cativa,
　　Que está nas sendas lúcidas da Prece.

　　Se a amargura das lágrimas se aviva,
　　Se o tormento da vida recrudesce,
　　Aguardai a abundância da outra messe
　　De venturas, que é da alma rediviva.

　　Confiando, esperai a Providência
　　Com os sentimentos puros, diamantinos,
　　Lendo os artigos ríspidos da Lei!

　　Os filhos da Piedade e da Paciência
　　Encontrarão nos páramos divinos
　　A paz e as luzes que eu não alcancei.

Almas sofredoras

Passam na Terra como as ventanias,
Ou como agigantadas nebulosas
Provindas de cavernas misteriosas,
Essas compactas legiões sombrias;

Turbas de almas escravas de agonias,
Com que andei entre queixas dolorosas,
Ao palmilhar estradas escabrosas,
Entre as noites mais lúgubres e frias!

Oh! visões de martírios que apavoram,
Miseráveis Espíritos que choram,
Sob os grilhões de rude sofrimento!

Orai por eles, bons trabalhadores
Que estais colhendo sobre a Terra as flores
De um doce e temporário esquecimento.

SUPREMO ENGANO

Vê-se da Terra o Céu, em toda a vida,
Como um vergel azul de lírios brancos,
Onde mora a ventura, e em cujos flancos
Repousa a grande mágoa adormecida.

Céu! quanta vez minh'alma entristecida
Anteviu tua paz, sob os arrancos,
Sob os golpes da dor, rijos e francos,
Na escuridão espessa e indefinida!

Não sonhei com teus deuses venturosos,
Com teus grandes olimpos majestosos,
Cheios de vida e de infinitos bens...

Antegozei, somente, em minhas dores,
A paz livre de trevas e pavores,
Do imperturbável nada que não tens!

Incognoscível

Para o Infinito, Deus não representa
A personalidade humanizada,
Pelos seres terrenos inventada,
Cheia, às vezes, de cólera violenta.

Deus não castiga o ser e nem o isenta
Da dor, que traz a alma lacerada
Nos pelourinhos negros de uma estrada
De provação, de angústia e de tormenta.

Tudo fala de Deus nesse desterro
Da Terra, orbe da lágrima e do erro,
Que entre anseios e angústias conheci!

Mas, quanto o vão mortal inda se engana,
Que em sua triste condição humana
Fez a essência de Deus igual a si!

Fatalidade

Crê-se na Morte o Nada, e, todavia,
A Morte é a própria Vida ativa e intensa,
Fim de toda a amargura da descrença,
Onde a grande certeza principia.

O meu erro, no mundo da Agonia,
Foi crer demais na angústia e na doença
Da alma que luta e sofre, chora e pensa,
Nos labirintos da Filosofia...

E no meio de todas as canseiras
Cheguei, enfim, às dores derradeiras
Que as tormentas de lágrimas desatam!...

Nunca, na Terra, a crença se realiza,
Porque em tudo, no mundo, o homem divisa
A figura das dúvidas que matam.

Estranho concerto

Clamou o Orgulho ao homem: — "Goza a vida!
E fere, brasonado cavaleiro,
Coroado de folhas de loureiro,
Quem vai de alma gemente e consumida..."

Veio a Vaidade e disse: — "A toda brida!
Dominarás, além, no mundo inteiro,
Cavalga o tempo e corre ao teu roteiro
De soberana glória indefinida!..."

Mas a Verdade, sobre a humana furna,
Gritou-lhe, angustiada, em voz soturna:
— "Insensato! aonde vais, sem Deus, sem norte?"

E impeliu, sem detença e sem barulho,
Cavaleiro e corcel, vaidade e orgulho,
Aos tenebrosos pântanos da Morte.

Comentários de Elias Barbosa

Se nos fixarmos na série dos sonetos mediúnicos aqui enfeixados, verificaremos que todos eles se constituem respostas às perquirições terrenas do poeta, em muitos dos quais a servir-se das mesmas imagens, como, por exemplo — "das portas que se abrem"; ou que sofrem grandes golpes; do Nada; da Morte; de Deus; da Ciência; da Filosofia; da Religião e, sobretudo, da *mão* como apêndice puro, sem qualquer véu metafórico.

Antero de Quental, que reconhecia no soneto "a forma lírica por excelência", aqui se apresenta dentro daquela característica que lhe era própria, e, sem nenhuma hipérbole, podemos assegurar que os sonetos do Além se erigem, com efeito, em continuação dos que ficaram no mundo. Todos conservam a marca inconfundível do inolvidável Antero. As palavras de Adolfo Casais Monteiro (*Antero de Quental — Poesia e prosa*, N. Cl., no 6, Agir, 1957, p. 13) são, a nosso ver, válidas para a série de poemas que ora estudamos:

"Enquanto viver a língua portuguesa, os *Sonetos* de Antero de Quental permanecerão como a mais profunda expressão do drama da consciência vivido em todos os momentos duma existência que procura, em si própria, um sentido ao universo".

O poeta que hoje reverencia a "Rainha do Céu", ontem, talvez já sentindo a presença do Espírito Maria de Nazaré, por intermédio dos Emissários Sublimes que militam junto aos suicidas reencarnados ou residentes nas estâncias espirituais, escreveu este belíssimo "À Virgem Santíssima — Cheia de Graça, Mãe de Misericórdia":

> Num sonho todo feito de incerteza,
> De noturna e indizível ansiedade,
> É que eu vi teu olhar de piedade
> E (mais que piedade) de tristeza...
>
> Não era o vulgar brilho da beleza,
> Nem o ardor banal da mocidade...
> Era outra luz, era outra suavidade,
> Que até nem sei se as há na natureza...
>
> Um místico sofrer... uma ventura
> Feita só do perdão, só da ternura
> E da paz da nossa hora derradeira...

Ó visão, visão triste e piedosa!
Fita-me assim calada, assim chorosa...
E deixa-me sonhar a vida inteira!

(Sonetos completos e poemas escolhidos. Seleção, revisão e prefácio de Manuel Bandeira, Edições de Ouro, MCMLXIX, p. 270.)

Hoje, escreve a "Mão divina"; ontem, "Na mão de Deus", dedicado à Exma. Sra. D. Vitória de O. M.:

Na mão de Deus, na sua mão direita,
Descansou afinal meu coração.
Do palácio encantado da Ilusão
Desci a passo e passo a escada estreita.

Como as flores mortais, com que se enfeita
A ignorância infantil, despojo vão,
Depus do Ideal e da Paixão
A forma transitória e imperfeita.

Como criança, em lôbrega jornada,
Que a mãe leva no colo agasalhada
E atravessa, sorrindo vagamente,

Selvas, mares, areias do deserto...
Dorme o teu sono, coração liberto,
Dorme na mão de Deus eternamente!

(Idem, p. 303.)

Por intermédio de Chico Xavier, não apenas no primeiro soneto — "Ciência ínfima", como também no segundo soneto da série —

"Depois da morte" —, Antero de Quental se insurge contra a Ciência, chegando a nomeá-la por "a grande mendiga do universo". Em carta ao seu grande amigo Oliveira Martins, de 1872, Antero descreve a natureza da sua doença, que nenhum médico da época conseguira diagnosticar. Refiramo-nos apenas a alguns trechos da célebre missiva. Depois de afirmar que "tenho passado mal de corpo e de espírito, o suficiente para não prestar para nada há dois meses", prossegue:

> De corpo, com os meus desarranjos nervosos; de espírito, atacado por um daqueles períodos de abatimento e indiferença budista, que são próprios do meu temperamento. [...] A doença, de um modo ou de outro, é o meu estado normal. [...] Tenho um horror instintivo e como inato a todas as ideias que representam a atividade da vida, como plenitude, felicidade, esperança e outras deste teor. [...] Como quer que eu ande, se sou ao mesmo tempo solicitado, com intensidade igual, em dois sentidos contrários? Pensa que renego as nossas verdades filosóficas e morais? Engana-se. Vejo-as tão bem como nunca. Simplesmente *vejo-as*: nada mais. [...] Seja como for, o que é certo é que neste momento estou atacado de "náusea da realidade". [...] Peço-lhe que me diga francamente uma coisa: julga-me incurável? Diga sem receio de me afligir o que lhe parecer, porque eu cheguei à impassibilidade interior dos fatalistas...
>
> (*Apud Sonetos Escolhidos*. Seleção e introdução de Torrieri Guimarães. São Paulo: Livraria Exposição do Livro, 1966, p. 26.)

"Em 1877 e em 1878 fez Antero duas viagens a Paris" — diz Manuel Bandeira (*Op. cit.*, p. 19 e 20):

> Para consultar o grande Charcot. Os médicos portugueses tinham-lhe diagnosticado uma doença da espinha, e em 1875 o doutor Curry Cabral lhe aplicara pontas de fogo. Charcot foi franco e positivo: *'On s'est trompé; vous n'avez rien à l'épine, vous avez une maladie de femme, transportée dans un corps d'homme: c'est l'hystérisme'*. E receitou-lhe hidroterapia. Batalha Reis, que o viu em Paris, achou-o transformado:

'Estava alegre, animado, expansivo, cheio de planos'. Assim voltou para Lisboa, onde foi morar com a irmã Aba (a mãe morrera no ano anterior). Mas o novo fogacho não tardou a amortecer. Voltaram as insônias, as dores, as fobias, as astenias musculares, o tédio com o seu 'plúmbeo capacete' — todo o cortejo implacável da nevrose.

Em 1881, passara a tomar conta, em Vila do Conde, de duas filhas órfãs do seu amigo Germano Meireles. Finalmente, padecendo sempre a enfermidade que o corroía por dentro, suicida-se a 11 de setembro de 1891, no Campo de S. Francisco, Ponta Delgada, Ilha de S. Miguel (Açores), sentado num banco sobre o qual se lia a palavra *Esperança* sobre o desenho de uma âncora, nome de um convento.

Fidelino de Figueiredo, citando Alberto Sampaio (*In Memoriam*, p. 28), diz o seguinte sobre o enterro do poeta, que bem confirma a presença dos benfeitores espirituais encarregados dos suicidas, ao seu lado:

> Até o padre, que teve de lavrar o termo do óbito, se rendeu ante a magnitude titânica daquele desespero e a magia daquela alma que se evolava. Sarcerdote católico, ante o corpo dum trânsfuga da Igreja e um suicida, emociona-se tanto que transforma o termo de óbito e seu estilo canônico num panegírico e numa oração. Quero associar aqui ao nome do mártir glorioso o deste humilde capelão, Jerônimo Filomeno Velloso, de coração cristámente franco à piedade e à beleza, que durante o saimento fúnebre rezava com versos do poeta:
>
> Dorme o teu sono, coração liberto,
> Dorme no seio de Deus eternamente!

(Fidelino de Figueiredo, *Antero*. São Paulo: Coleção "Departamento de Cultura", volume XXVI, 1942, p. 42 e 43.)

Em *Ignoto Deo*, clamava o poeta:

Que beleza mortal se te assemelha,
Ó sonhada visão desta alma ardente,
Que refletes em mim teu brilho ingente,
Lá como sobre o mar o sol se espelha?

O mundo é grande — e esta ânsia me aconselha
A buscar-te na terra: e eu, pobre crente,
Pelo mundo procuro um Deus clemente,
Mas a ara só lhe encontro... nua e velha...

Não é mortal o que eu em ti adoro.
Que és tu aqui? olhar de piedade,
Gota de mel em taça de venenos...

Pura essência das lágrimas que choro
E sonho dos meus sonhos! se és verdade,
Descobre-te, visão, no céu ao menos!

(*Sonetos completos e poemas escolhidos*, p. 185.)

᛫ Antônio Nobre ᛫

    Nasceu na cidade do Porto (Portugal) e faleceu na Foz do Douro aos 33 anos, em 18 de março de 1900. Distinguiu-se pela suavidade e melancolia do seu estro. Deixou um livro inconfundível e, ainda hoje, muito estimado — *Só;* e *Despedidas*, edição de 1902.

Quadras de um poeta morto

Coração, não vos canseis
De bater... que importa lá?
Porque os amores fiéis,
Nem a morte os vencerá.

5   Ó figuras de velhinhos
Que andais dormitando ao léu!
Como são belos os linhos
Que vos esperam no Céu!

Dizem que os mortos não voltam...
Voltam sim. E por que não?
Os corpos daí nos soltam,
Como às aves o alçapão.

Nem gritos e nem cantigas
Entre vós que à noite andais;
As almas das raparigas
Inda sonham nos choupais.

Nas grandes mansões da morte
Inda há romance e noivados,
Venturas da boa sorte,
Corações despedaçados.

Quem riu ontem, quem ri hoje,
Nem sempre poderá rir...
Um dia o riso lhe foge,
Sem que o veja escapulir.

Riquezas, que valem elas
Se estão na sombra ou sem luz?
Tesouro são as estrelas
Da bondade de Jesus.

Pode-se amar o veludo
De uns olhos e os brilhos seus,
Porém, acima de tudo
Devemos amar a Deus.

Vós que amais a luz da Lua,
De vossa alma abri as portas
Para os fantasmas da rua,
Que choram nas horas mortas.

Pensei que a morte era o fim
Das ânsias do coração;
Contudo, não é assim...
Nem pó e nem solidão.

Às vezes acham-se fojos
Onde há música e festins,
E há muitos cardos e tojos
Entre as flores dos jardins.

Se eu pudesse, estenderia
Minhas capas de luar,
Sobre os filhos da agonia
Que andam no mundo a penar.

A morte só pode ser
A vida risonha e pura,

Para quem a padecer
Vive aí na sepultura.

Mal vais, se vais caminhando
Na ambição de ouro e glória;
Nesse mundo miserando
Toda ventura é ilusória.

Chorai! chorai orfãozinhos,
Vossas dores amargosas:
Achareis noutros caminhos
As vossas mães extremosas.

Deixa cantar, ó menina,
Teu coração sonhador...
No sepulcro não termina
O novelário do amor.

Um anjo cheio de encanto
Vive sempre com quem chora,
Guardando as gotas de pranto
Numa urna cor da aurora.

No Universo há céus profundos,
Cheios de vida e esplendor,
Um céu é um ninho de mundos,
Um mundo é um ninho de amor.

A caridade é a beleza
De um divino plenilúnio,
Luz que se estende à pobreza,
Na escuridão do infortúnio.

Aos mendigos desprezados
Não ridicularizeis,

São senhores despojados
Dos seus tesouros de reis.

Aqui, a alma inda espera
O alguém que na Terra amou,
O raio de primavera
Que aí jamais encontrou.

Há quem faça aí mil contas,
Que os interesses resuma,
Mas morrem cabeças tontas,
Sem fazer conta nenhuma.

Tecei sonhos, fiandeiras,
Oh! almas enamoradas,
Vivei aí nas clareiras
De luzes alcandoradas.

Ah! que sinto aqui saudades
Das noites de S. João,
Sonho, estrelas, claridades,
Cantigas do coração.

Na minha vida de agora
Não canto as festas louçãs,
Naquelas toadas de outrora
Às moçoilas coimbrãs.

Acompanha-me a tristeza
Das saudades, por meu mal;
Minha terra portuguesa!...
Meu querido Portugal!...

Do Além

Pudesse o nosso olhar, vagueando os ermos,
Ver através da própria soledade
A expressão luminosa da Verdade,
E da luz da Verdade não descrermos...

Preocupar-se aí, porém, quem há de
Com o problema de sermos ou não sermos,
Pois que o ardente desejo de o sabermos
É sempre o anelo falso da vaidade?

Peregrinos da dor, na dor andamos
Sem que a nossa miséria se desfaça
No escabroso caminho onde marchamos,

Seguindo a alma nos sonhos iludida,
Até que a dor unindo-se à desgraça
Descerre os véus que encobrem outra vida.

Soneto

"Quando cobrir-se o chão de folhas mortas
— Meu coração dizia em grave entono —
Extinguindo-se a vida que comportas,
Dormirás no meu seio o último sono..."

E murmurava a alma — "Findo o Outono,
A Primavera vem por outras portas;
Não existe no túmulo o abandono,
Ou a dor amarga e rude em que te cortas."

Escutava essas vozes comovido,
Morto de angústia, morto de incerteza,
Aguardando o sol-posto, entristecido;

E além da amarga vida de segundos,
Ressurgi da tortura e da tristeza,
Sob os ares sadios de outros mundos!

Ao mundo

A Terra é o vasto abismo onde a alma chora,
O vale de amarguras do Salmista,
Lodoso chavascal onde se avista
A podridão dos vermes que apavora.

Mas, para os grandes bens, para que exista
A perfeição da luz deslumbradora,
Precisamos da carne que aprimora
Com o camartelo mágico do artista.

Terra, tranquilamente eu te abençoo...
Porque da tua dor alcei meu voo
Para a mansão das luzes opulentas;

Teu rigor nos redime e nos eleva;
Mas és ainda o cárcere da treva,
Triste mundo de chagas pustulentas!

À MOCIDADE

Cantai! cantai, ó mocidade! Moira
Encantada que ri nos prados verdes,
Cantai o amor que é luz que se entesoira,
Vibrai na luz da vida em que viverdes.

Glorificai, ditosa, o sol que doira
O riso que espalhais sem compreenderdes,
Expandi-vos na primavera loira,
Nos poemas de luar que conceberdes!

Ide cantando, mocidade ardente,
Alvorada em abril, do sol nascente,
Clareando o porvir almo e risonho;

Marchai sorrindo, doce juventude,
Na exaltação do amor e da saúde,
Ébria de aroma e luz, ébria de sonho!...

Comentários de Elias Barbosa

Quando R. Magalhães Júnior extravasou seu insopitável entusiasmo pelo *Parnaso de além-túmulo*, no jornal *A Noite*, de 14 de agosto de 1944 (Conforme Miguel Timponi, *A psicografia ante os tribunais*, Federação Espírita Brasileira, 4ª edição, 1961, p. 339 a 341), referiu-se particularmente a Antônio Nobre, transcrevendo-lhe duas quadras, a primeira delas sobre os velhinhos.

Sem dúvida, para quem conheça a obra do poeta português e tenha honestidade intelectual suscetível de contrabalançar o medo natural frente aos preconceitos de toda ordem, os apontamentos não poderiam ser outros.

Não querendo, naturalmente, esgotar o assunto, analisemos, poema a poema, a produção mediúnica de Antônio Nobre.

Exatamente em 1890, Anto [Antônio] escreveu, em Coimbra, um conjunto de dezoito quadras a que deu o título de "Para as raparigas de Coimbra", incluído no *Só*, desde a primeira edição (1892), do qual destacaremos algumas estrofes, a fim de verificarmos a semelhança do poeta de ontem com o de hoje, pelo lápis de Chico Xavier, quando o médium contava cerca de dezoito primaveras apenas:

> Ó choupo magro e velhinho,
> Corcundinha, todo aos nós,
> És tal qual meu Avozinho:
> Falta-te apenas a voz.

> Minha capa vos acoite
> Que é pra vos agasalhar:
> Se por fora é cor da noite,
> Por dentro é cor do luar...

> Vou encher a bilha e trago-a
> Vazia como a levei!
> Mondego, qu'é da tua água,
> Qu'é dos prantos que eu chorei?

Anotemos, agora, a última quadra:

> Ó Fogueiras, ó cantigas,
> Saudades! recordações!

> Bailai, bailai, raparigas!
> Batei, batei, corações!

> (Antônio Nobre, *Só,* Porto:
> Livraria Tavares Martins, 1962, p. 53 a 57.)

Quanto à conformidade e ao esquema rímicos, note-se que são os mesmos de ontem — *céu/eu, hoje/foge, desejos/beijos* etc. e *abab* ou *1212.*

O gosto obsessivo pelos diminutivos, que na obra terrena é frequente, desde os *Primeiros Versos* até *Despedidas,* aqui se patenteia de modo inequívoco. Senão vejamos, tomando por parâmetro o *Só,* conquanto semelhante recurso estilístico devesse ser levantado de toda a sua obra, com vistas a documentação mais alentada.

Já no soneto introdutório, encontramos um vocábulo que lhe é tão querido e que destacaremos sem itálico:

> Aquele que partiu no brigue Boa-Nova
> E na barca Oliveira, anos depois, voltou;
> Aquele santo (que é velhinho e já corcova)
> Uma vez, uma vez, linda menina amou:
> Tempos depois, por uma certa lua-nova,
> Nasci eu... O velhinho ainda cá ficou,
> Mas ela disse: "Vou, ali adiante, à Cova,
> Antônio, e volto já..." e ainda não voltou!
> (p. 7)

> Visões enterradas no adro da Igreja
> Branquinha, da Infância.

> Mas foi a uma festa, vestido de anjinho,
> Que fado cruel!

E a Antônio calhou-lhe levar, coitadinho!
A Esponja do Fel...
                    (p. 14)

❧

A tia Delfina, velhinha tão pura,
Dormia a meu lado

❧

Santinho como dia, santinho voltava:
Pecados? Nem um!
                    (p. 15)

❧

Ó bom Moleiro, cautelinha!
Não deperdices a farinha
Que tanto custa a germinar...
                    (p. 16)

❧

E mais, e ceguinhos, mas era dos hécticos
Que eu tinha mais pena...
                    (p. 17)

❧

E o Avô que dormia, quietinho na vala,
Entrava, Jesus!

❧

Sobe ao meu quarto, bom velhinho!
Que eu dou-te um copo deste vinho
E metade do meu jantar.

Pedi-lhe, tremendo, fizesse recados
À alminha da Avó...
(p. 18)

Ó Lua encantada no fundo do poço,
Moirinha da Mágoa!
(p. 19)

A minha, que o era, ficou num segundo
Cheiinha de brancas!
(p. 22)

Velhinhas na roca a fiar,
Cabelos todo em caracóis!
(p. 29)

Que o leitor percorra, página a página, a obra imortal de Antônio Nobre e verá que os diminutivos são abusivamente utilizados pelo poeta. Às vezes, num só bloco estrófico, de uma dezena ou pouco mais de versos, há três ou quatro vocábulos grávidos de carga poética: *ceguinho, coitadinho, corpinho, esmolinha, alminhas* etc.

No poema "Purinha", encontramos: *magrinha, estrelinhas da manhã, cabrinhas-montesas, branquinho, pobrezinha*

E o pescador explicará ao bom Moleiro
que é talqualzinha a sua Lancha pelo Mar! (p. 46); *deitadinha*

Fui ter com minha Fada e disse-lhe: Madrinha!
Acaso nunca te mentiu tua varinha? (id.); *dirá baixinho —*

E, quando pela estrada encontrar um velhinho
Todo suado, carregadinho (p. 48); *ceguinhos, aleijadinhos* —

E será a Mamã que me há de vir criar,

Admirável Joaninha d'Arc (p. 49. Sobre as rimas exóticas (criar/d'Arc), cf. Mello Nóbrega, *Rima e poesia*, p. 282); *"Mulherzinha"*; *"vê-la choquinha"* (p. 52); *"pastelinho"*; "É altinho como eu" (p. 70); "E a voz de Virgílio docinha que ela era" (p. 71); "— Vá, dorme, que vens cansadinho" (p. 78);

— Ó verdes figueiras, ó verdes figueiras,
Deixai-o falar!
À vossa sombrinha, nas tardes fagueiras,
Que bom que é amar! Tristinha, chorando, dará figos pretos... (p. 81);
Sapatinhos de sola nova; Ó ricos sapatos de solinha nova (p. 86);

Os choupos nus, tremendo, arripiadinhos,
O xale pedem a quem vai passando... (p. 91); Tinha a alma tão levezinha (p. 123); Olhos ofélicos! Dois sóis, que dão sombrinha... (p. 126);

E, meiga, tombava a tardinha...
No chão, jogando a vermelhinha (p. 75).

Olha um velhinho a carregar com a farrinha,

E o filho no arraial, jogando a vermelhinha!" (p. 128 — A propósito de "Vermelhinha", cf. Luís da Câmara Cascudo, *Antônio Nobre — Poesia*, N. Cl., no 41, Agir, 1959, p. 47); "Adeus! 'St. Jacques', vai depressinha..." (p. 131); "Um poucochinho maiores..."; "Ó Mar! fala mais baixinho..." (p. 141); "(Mas já não sou 'o estudantinho de Direito'.)" (p. 181); "Aninhas da Eira que vai a enterrar" (p. 191); "Que manda esta perdiz, mortinha de manhã" (p. 207); "Tão faltinho de cor, os cabelos compridos" (p. 208);

"Os teus mortinhos, sim! dormem tão bem"; "Foi lavar à Fontinha de Belém..." (p. 213); "Faz solzinho, que horas são?" (id.);

> "Ó luar, anda mais devagarinho!
> Deixa dormir o meu menino...
> *Coitadinho!"* (p. 214)

Finalmente, observamos o antepenúltimo grupo estrófico do *Só*:

> A Mãe de Anto
> Aqui, espero-te, há que tempo enorme!
> Tens o lugar quentinho...

E tal, com efeito, era a obsessão de Anto pelos diminutivos, que, a 10 de março de 1889, escreveu numa página do *Código civil português*, um de seus livros de aula, o seguinte soneto, dedicado ao seu condiscípulo Francisco de Souza Holstein (Misco):

> Faz-me pena ao ver-te. Andas rotinho,
> Como que envolto em transparente véu:
> Pouco me falta para te ver nuzinho
> Pouco te falta para andar ao léu:
>
> Tens a batina, pálido Misquinho!
> Cor da esperança... e teve a cor do breu...
> No entanto assim foi Cristo, em rapazinho
> E, hoje, é o duque de Morny no Céu!
>
> Por isso, ó flor ideal dos rapazitos!
> Pacienciazinha, coze os farrapitos
> Dessa batina. Toma a agulha e as linhas.
>
> Dar-te-ia, crê, meu lindo pequerrucho!
> Uma das penas orientais — um luxo!
> Se eu fosse Deus, o Pool das andorinhas.

(Antônio Nobre, *Só*, 6. ed., Porto: Companhia Editora do Minho-Barcelos, 1939, p. 224 e 225. As notas existentes na parte final do volume, por lapso da editora, não ostentam o nome do autor. Ao que tudo indica, porém, devem ser do prof. Augusto Nobre, irmão do poeta e seu editor. A propósito, cf. Luís da Câmara Cascudo, *op. cit.*, p. 95.)

Linho era vocábulo de uso corrente pelo nosso poeta, sempre rico de carga semântica, como, por exemplo, neste passo do *Só*:

> E, assim, sozinha com a aia,
> Ao sol, se assenta sobre a praia,
> Entre os bebés, que é o seu lugar.
> E o Oceano, trêmulo Avozinho,
> Cofiando as barbas cor de linho,
> Vem ter com ela a conversar.

> Sarar? Dar cor dos alvos linhos,
> Parecem fusos seus dedinhos,
> Seu corpo é roca de fiar...
> E, ao ouvir-lhe a tosse seca e fina,
> Eu julgo ouvir numa oficina
> Tábuas do seu caixão pregar!
> (p. 170 e 171)

— ou neste belíssimo terceto:

> Vós, pombas de marfim, aves de linho,
> Que ides tão alto, divagando errantes,
> Quase mortas, perdidas no caminho
> (p. 185)

— ou, para terminar, a palavra com toda a sua carga de prosaísmo num contexto relativamente discursivo:

A pomba que passava era a minha alma a voar...
E era a minha agonia um pinhal a ulular!
E, ao ver meadas de linho a corarem, ao sol,
Pensava... se estaria, ali, o meu lençol...

(p. 203)

Josué Montello, consagrado autor de *Cais da sagração* e membro da Academia Brasileira de Letras, em sua obra *Caminho da fonte — Estudos de Literatura* (MEC/INL, Rio de Janeiro, 1959, p. 101 a 162), incluiu excelente ensaio intitulado "A fonte shakespeariana de Antônio Nobre", no qual deixa patenteada a influência de Shakespeare sobre o bardo português, "notadamente por uma tragédia: a de *Hamlet*".

"Antônio Nobre, no feitio de sua individualidade e nos rumos de seu destino" — diz o ensaísta.

> Ratifica a tese de que em *Hamlet* há um poeta. De tal maneira Anto se associa à personagem de Shakespeare que se torna impossível, após análise exaustiva, dissociá-los ou separá-los. Dos pés à cabeça, há uma linha a unir estes irmãos siameses (p. 112).

Há de perguntar o leitor: por que esse arrazoado envolvendo o poeta inglês?

Simplesmente porque nos versos recebidos por Chico Xavier, 28 anos antes que Josué Montello publicasse seu ensaio de que ora nos ocupamos — "Preocupar-se aí, porém, quem há de Com *o problema de sermos ou não sermos*" — já havia sido toda a problemática expressa de modo singular no soneto *Do Além*.

"A angústia da vida futura" — continua Montello:

> Expressa no monólogo hamletiano, está na poesia de Antônio Nobre. O enigma do Ser e do Não Ser com a consequente suspeição de que a Morte é o sono eterno que elimina os desesperos da vida sobre a terra — assim como se denuncia em *Hamlet*, assim está nos versos

do poeta português, com o mesmo e trágico entono, revelador de incertezas e agonias:
E a tortura do Além e quem lá mora!
Isso é talvez minha única aflição (p. 125 e 126).

À página 149, o autor volta a insistir na mesma tecla:

> Diante do enigma do ser e do não ser, sua perplexidade não lhe resolve a angústia, que é uma espécie de beco sem saída do mundo interior. A capa escura que lhe cobre o corpo parece cobrir-lhe também a alma, sem o feixe de luz de uma certeza total.

Da página 153 ao final do lúcido ensaio, Josué Montello se refere às visões do poeta (alucinações, no seu entender), transcrevendo um episódio ilustrativo, narrado por Jaime Cortesão:

> Antônio Nobre na véspera do dia em que morreu, junto à tarde, desatou a gritar que lhe acudissem. Vieram os da família e ele, aflito, suplicou que lhe tirassem dali aquela velha, vestida de preto, tão triste e tão magra, sentada ao fundo da cama (p. 154).

Para entendermos o soneto "Do Além", rememoremos este poema — "Fala do coração" —, datado de Coimbra, 1888, e que se encontra à página 137 do *Só*:

> Meu Coração, não batas, para!
> Meu Coração, vai-te deitar!
> A nossa dor, bem sei, é amara,
> A nossa dor, bem sei, é amara:
> Meu Coração, vamos sonhar...
> Ao Mundo, vim, mas enganado.
> Sinto-me farto de viver:
> Vi o que ele era, estou maçado,

Vi o que ele era, estou maçado,
Não batas mais! vamos morrer...
Bati à porta da Ventura
Ninguém ma abriu, bati em vão:
Vamos a ver se a sepultura,
Vamos a ver se a sepultura,
Nos faz o mesmo, Coração!
Adeus, Planeta! adeus, ó Lama!
Que a ambos nós vais digerir.
Meu Coração, a Velha chama,
Meu Coração, a Velha chama:
Basta, por Deus! vamos dormir...

ಬಿಡ

O soneto nº 18, datado de Paris, 1891 (p. 164 do *Só*), justifica esse "Morto de angústia, morto de incerteza". Vejamos somente o segundo quarteto:

Mas a Arte, o Lar, um filho, Antônio? Embora!
Quimeras, sonhos, bolas de sabão.
E a tortura do Além e quem lá mora!
Isso é, talvez, minha única aflição.

ಬಿಡ

Para terminar o nosso já longo estudo, recorramos, ainda, a Josué Montello em seu citado *Caminho da fonte*, detendo-nos em seu ensaio *Uma alternância vocálica na poesia de Língua Portuguesa*, especialmente no item IV — *A lição de Antônio Nobre* (p. 384 a 394):

"A prevalência do A e do I, que ocorre no cancioneiro e no romanceiro, está na poesia de Antônio Nobre e constitui um de seus elementos rítmicos mais frequentes" — diz Montello, citando passos dos *Primeiros Versos*, do *Só* e das *Despedidas*, nos quais "a primeira vogal, cuja harmoniosa claridade — se assim podemos dizer — se presta preferencialmente ao canto, marca, também, com a sua toada, a melancolia do poeta".

Citemos, apenas, alguns exemplos colhidos por Montello, a fim de que o leitor consiga, por si mesmo, respigá-los da produção mediúnica de Antônio Nobre:

> As algas negro-cerrado
> Que eu trouxe da beira-mar,
> Guardo-as num missal doirado,
> Onde costumo cismar.
>
> Às vezes triste e cansado,
> Quando o vou a folhear,
> Dentro do livro encantado
> Eu oiço as algas chorar.
> (p. 385)

> Cantai! cantai as límpidas cantigas!
> Das ruínas do meu Lar desenterrai
> Todas aquelas ilusões antigas
> Que eu vi morrer num sonho, como um ai...
> Ó suaves e frescas raparigas,
> Adormecei-me nessa voz. Cantai!
> (p. 393)

Conclusão: Poderia o médium Francisco Cândido Xavier, com menos de vinte de idade, trabalhando das sete da manhã às duas horas da madrugada, numa cidade pequena qual Pedro Leopoldo, onde não havia biblioteca pública para que o jovem médium pudesse ler os poetas brasileiros e portugueses, pelo menos, numa época em que existiam mais obstáculos para se adquirir livros estrangeiros, poderia o médium, repetimos, compor semelhantes poemas, cinco lustros apenas após a desencarnação do poeta, carismados, todos eles, não somente do ponto de vista formal, mas, e sobretudo, no que se refere à temática, com nuances shakespearianas? Impossível, sem dúvida.

Com efeito, 72 anos após a desencarnação do poeta (Anto partiu às dez e meia da manhã de 18 de março de 1900, domingo, para o mundo espiritual) e quarenta anos após a publicação destes poemas mediúnicos, quedamo-nos pensativos acerca da obra gigantesca de Allan Kardec, sem a qual dificilmente poderíamos abordar assuntos de tão alta importância quanto o da mediunidade psicográfica.

Antônio Torres

Nasceu em Diamantina (MG) em 1885, falecendo, em 1934, na cidade de Hamburgo (Alemanha), como cônsul adjunto do Brasil. Ordenou-se sacerdote, abandonando mais tarde a profissão eclesiástica. Poeta e escritor.

Esquife do sonho

Tive um Sonho de Amor e de Inocência,
Cheio de luz das coisas invulgares,
Do qual perdi a luminosa essência
Na cristalização dos meus pesares.

Tarde reconheci minha falência,
Terminados os múltiplos azares,
De minha quase inútil existência,
No silêncio das cinzas tumulares.

E da Morte, no abismo indefinido,
Tombei exausto, amargurado e cego,
— Abismo tenebroso que eu transponho.

Infeliz do meu ser irredimido,
Pois triste e atordoado inda carrego
O negro esquife do meu próprio sonho.

Nada...

Nada!... Filosofia rude e amara,
Na qual acreditei, com pena embora
De abandonar a Crença que esposara,
— A minha aspiração de cada hora.

Crença é o perfume dalma que se enflora
Com a luz divina, resplendente e rara
Da Fé, única Luz da única Aurora,
Que as trevas mais compactas aclara.

Revendo os dias tristes do passado,
Vi que troquei a Fé pela Ironia,
Nos desvios e excessos da Razão;

Antes, porém, não fosse tão ousado,
Pois nem sempre a Razão profunda e fria
Alivia ou consola o Coração.

Comentários de Elias Barbosa

Para que possamos compreender a mensagem do poeta, vazada nos dois belíssimos sonetos, destaquemos alguns tópicos de Martins de Oliveira sobre o autor de *Pasquinadas cariocas* e *prós & contras*:[14]

---

[14] Martins de Oliveira, *História da literatura mineira:* Esquema de interpretação e notícias bibliográficas. Belo Horizonte: Editora Itatiaia Ltda., 1958, p. 180 e 181.

Na prosa, será sempre lido Antônio Torres. Escritor brilhante, cheio de imagens imprevistas, maneja a pena com destemor, em tom panfletário, que é a sua característica fundamental. Dado, invariavelmente, a agrestias, ferino, violento, inexorável nas afirmações, ou no que seria a paixão de seus pontos de vista, vai a extremos da rudeza. Sem perder, em momento algum, as suas inegáveis qualidades de escritor, em páginas por vezes de comovente beleza, vale-se, a todo instante, de sua formidável cultura humanística. Seguindo o conselho de Paul-Louis Courier, no famoso *Pamphlet des Pamphlets*, não tem contemporização alguma com a *molicie*, com a timidez, com o jogo das conveniências, partam donde partirem, venham donde vierem. Ele próprio, sem vacilação alguma, à semelhança do panfletário francês, está na posição que tivera Pascal diante dos seus inimigos, que dariam ao filósofo o epíteto violento — *Tição do Inferno*. [...] Do que se sabe, e já é alguma coisa, é que, egresso da vida eclesiástica, buscou no jornalismo carioca a expansão de seu poderoso talento. Teria que enfrentar, como enfrentou, as dificuldades que lhe haviam de surgir, em virtude de seu entranhado *jacobinismo*, que, começando pelo ódio aos portugueses, se foi adensando até atingir aos estrangeiros em geral. E nesse aspecto, foi inexorável. Intransigente. Não perdia vaza. Em breves, curtíssimos artigos, tecia o comentário que julgava oportuno, e tudo lhe saía violento, cheio de farpas. O vitríolo das apóstrofes aparecia a cada momento. Não dobrava, nunca, a cerviz em instante algum a ninguém, muito embora se sentisse por vezes esquecido, ou evitado, senão odiado, pelos que se comprazíam em eliminar escândalo ou desagrado. Homem de cor, mulato puro, seria um reflexo da angústia que se aninhara na alma de Gonçalves Dias, ou André Rebouças, mas o reflexo encontraria a fórmula do combate em defesa dos direitos do negro, ou dos homens pardos. Estaria nisso a sua glória. Anteciparia, com os seus panfletos, a famosa lei Afonso Arinos, em proteção do elemento de cor.

Concluindo o seu lúcido comentário, diz Martins de Oliveira:

Antônio Torres foi poeta, e poeta excelente. Prestou culto ao romantismo, deslizando, levemente, pelo simbolismo. Sua poesia, entretanto, é inferior a seu talento. Salvou-o a prosa, que é, como foi acentuado, rica, brilhante, e isso lhe marca lugar de relevo na época de difusão de tendências.

Referindo-se à obra *Antônio Torres e seus amigos* (São Paulo: Cia. Editora Nacional, 1950), que contém cartas reunidas por Gastão Cruls, Brito Broca, em *Antônio Torres vivo*[15] explica as razões por que o autor de *Verdades indiscretas* se excedeu na atitude de revolta com que se conduziu durante a vida terrestre.

O pai, criatura boníssima, a quem tive oportunidade de conhecer, em Diamantina, em 1942, acostumara-se a educar os filhos pelos princípios rígidos do patriarcalismo nos quais fora criado. A carta de Torres para a prima Heroína, a 24-12-1913, dá-nos disso um comovente testemunho: "Eu nunca tive intimidade com meu pai" — escreve ele. "O seu sistema de educação era dominar pelo terror." Esta distância entre pai e filho concorreu enormemente para o drama moral de Antônio Torres, levando-o a ordenar-se sem vocação e a apostatar em seguida, para cair na condição de marginal na sociedade, sem poder construir um lar, atormentado pela consciência de crente perjuro e condenado a viver só, ele, um sentimental, um homem cioso de afeto.

Julgando-se um falhado ("fui eu o único que falhou na vida") — escreve a *Heroína*, vítima de circunstâncias inelutáveis, desabafa-se em protestos geralmente emotivos, contra tudo que lhe parece falso e errôneo dentro de um sistema defeituoso, como aquele pelo qual foi sacrificado.

"Foi bem expressiva a alegoria" — dizem Waltensir Dutra e Fausto Cunha[16]

com que Humberto de Campos se referiu a Antônio Torres, por ocasião da sua morte: um lavrador que carrega às costas um saco de trigo cujo grão se derrama pelo caminho e é logo devorado pelos pássaros. Não

---

[15] Brito Broca, *Horas de leitura*. Rio de Janeiro: MEC/INL, 1957, p. 245 a 250.
[16] Waltensir Dutra e Fausto Cunha, *Biografia crítica das letras mineiras:* esboço de uma história da literatura em Minas Gerais. Rio de Janeiro: MEC/INL, 1956, p. 93 e 94.

foi outra coisa a trajetória de Antônio Torres senão esbanjamento de talento, de cultura e de forma estilística. [...] Do jovem sacerdote e poeta místico, ao polemista impiedoso e temido, a obra de Torres é toda um produto de efemeridade. [...] Pois é preciso ser um Marcial ou um Horácio para destruir e sobreviver, para transmitir aos tempos o gênio do sarcasmo. Quase sempre o demolidor é soterrado pelo desabamento. Foi o que aconteceu com esse prosador admirável, que ficou sepultado na armadura enferrujada do polemista.

Note-se que o Espírito comparece à organização mediúnica, não somente para dar testemunho de que é *ele mesmo* do ponto de vista formal, surgindo como autêntico poeta simbolista (ressalte-se o gosto pelas maiúsculas e a musicalidade dos versos, a prevalência das vogais abertas, as aliterações etc.), mas, e sobretudo, sob o ângulo temático. É a produção de um ex-seminarista que, imbuído de ideais sublimes de perfeccionista (no bom sentido psicanalítico), se vê, no túmulo, arrependido pelos excessos a que chegou, mas carregando, ainda, "o negro esquife" do seu próprio sonho.

Artur Azevedo

Nascido em São Luís (MA), em 7 de julho de 1855 e falecido na cidade do Rio de Janeiro em 22 de outubro de 1908. Diretor-geral de Contabilidade do Ministério da Viação. Poeta, comediógrafo, jornalista e crítico. Membro e fundador da Academia Brasileira de Letras, onde ocupou a cadeira de Martins Pena.

Miniaturas da sociedade elegante

I

Adriano Gonçalves de Macedo,
Homem de cabedais e alma sem siso,
Penetrou no seu quarto com um sorriso
Às dez horas da noite, muito a medo.

Uma carta de amante — era um segredo —
Ia abri-la, e, assim, era preciso
Que a sua esposa, dama de juízo,
Não na visse nem mesmo por brinquedo:

Dona Corália Augusta Colavida
Estaria nessa hora recolhida?
Levantou a cortina, devagar...

Mas que tragédia após esse perigo...
Viu que a esposa beijava um seu amigo,
Sobre o divã da sala de jantar.

II

No belo palacete do Furtado,
Palestrava a galante Mariquita

Com um pelintra afetado, assaz catita,
Bacharel delambido e enamorado.

De sobre a grande cômoda bonita,
Toma o moço um livrinho encadernado,
Revirando-o nas mãos, interessado,
Mas a jovem retoma-o, muito aflita:

— Esse livro, Antonico, é meu breviário!
Diz inquieta. E ele, cínico e falsário,
Arrebata-o às frágeis mãos trementes.

Abriu-o. Mais o olhava e mais se ria...
Era um compêndio de pornografia,
Recamado de quadros indecentes.

III

Dom Castilho, notável latinista,
Realizara alentada conferência,
Sobre rígido assunto moralista,
Protegido dos membros da regência.

Foi um sucesso. E a esposa Ana Fulgência,
Nele via uma grande alma de artista,
Louvando-lhe a utilíssima existência
De homem probo e notável publicista.

Que primor de moral! e os companheiros
Escritores, poetas, conselheiros,
Foram levar-lhe um abraço camarada.

Numa corrida louca, esses senhores
Foram achá-lo em seus trajes menores,
No apartamento escuro da criada...

Comentários de Elias Barbosa

Teatrólogo por excelência, Artur Azevedo, neste belo tríptico, deixa carismada a sua presença por intermédio de Chico Xavier. Senão vejamos:

> Os principais aspectos da obra de Artur Azevedo — diz Péricles Eugênio da Silva Ramos[17] — estão no teatro e no conto. Sua poesia, contudo, merece relevo na parte humorística, que basta para singularizar-lhe a posição em nosso parnasianismo.

Fato curioso: "a poesia é, em essência, a-histórica, a-narrativa e a-geográfica. Na realidade," — são palavras de Massaud Moisés:[18]

> A poesia não se insere no tempo (embora possa escolher o tempo como tema), quer dizer, não se prende às dimensões do tempo, não se apresenta numa ordem temporal, cronológica, com um *antes* e um *depois* (um *antes* e um *depois* que balizassem a ordem do tempo, não a ordem com que as palavras se organizam no corpo do poema). Em suma: as emoções, sentimentos e conceitos que integram um poema ignoram qualquer sucessividade análoga à do tempo no relógio, e apenas se arquitetam conforme um nexo psicológico ou inerente à própria substância da poesia, dir-se-ia um nexo emotivo-sentimental-conceptual. Daí que pareça mais participar do tempo psicológico, ou da 'duração' bergsoniana, que da cronologia histórica ou física (Sobre o tempo, cf. ainda Massaud Moisés, *A criação literária:* introdução à problemática da Literatura. São Paulo: Edições Melhoramentos, 1967, p. 162).

Tanto nos versos que deixou quanto nos que estamos analisando, o fator *tempo* está presente e, a nosso ver, não poderia faltar, assim

---

[17] Péricles Eugênio da Silva Ramos, *Panorama da Poesia Brasileira:* Parnasianismo, vol. III. Rio de Janeiro: Civilização, 1959, p. 178.

[18] Massaud Moisés, *Guia prático de análise literária.* São Paulo: Editora Cultrix Ltda., 1970, p. 42 a 43.

como o *espacial*, por se tratar de peças poéticas encharcadas do *húmus* teatral por excelência.

De passagem, apenas alguns exemplos:

> Muitas vezes sorrindo me perguntas:
> Se eu morrer hoje, meu querido amigo,
> Fazes-me uns versos, fazes-me um artigo?
> E eu te respondo: — As duas coisas juntas.

("Não Morras", *Rimas*, p. 299 e 300, *apud* Péricles Eugênio da Silva Ramos, *op. cit.*, p. 179.)

> Seis horas da manhã. Pespega-se no posto
> Quincas, o namorado. O beco está deserto.
> E de um terceiro andar no postigo entreaberto
> Da filha de um burguês a medo assoma o rosto.
>
> Sete horas já lá vão. Quincas está disposto
> A se deixar torrar por vivo sol esperto.
> Sete horas e quarenta. As oito já vêm perto,
> E o Quincas fica, tendo um frade por encosto.
>
> O sol se esconde agora. Os píncaros dos morros
> Pura neblina são. E que horas são? Dão nove.
> Que grande trovoada! A chuva cai a jorros!
>
> Dez horas. Chove! Onze. E chove! Doze. E chove!
> A enxurrada recresce, abrigam-se os cachorros —
> O beco está deserto. E o Quincas não se move!

("Improbus amor", *Rimas*, p. 61 e 62, *idem*, p. 180.)

Em "Impressões de teatro", as cenas se sucedem cinematograficamente, com rara mestria. (Cf. a obra citada de Péricles Eugênio da Silva Ramos, p. 180 e 181.)

Para que possamos compreender perfeitamente os três sonetos com que Artur Azevedo nos brinda por meio da mediunidade de Chico Xavier, destaquemos alguns tópicos da tese de Joel Pontes — *O teatro sério de Artur Azevedo*, apresentada no Segundo Congresso Brasileiro de Crítica e História Literária, realizado na cidade de Assis (SP), de 24 a 30 de julho de 1961, e publicada nos *Anais* do Congresso,[19] volume que publica a célebre tese de Cassiano Ricardo — *22 e a poesia de hoje*.

"Nada encontrará quem procure no teatro de Artur Azevedo" — diz o lúcido ensaísta:

> Concepções originais sobre a vida e a arte. Não foi ele um escritor que balizasse o pensamento num sistema filosófico, não foi propagador de técnicas inusitadas, nem mesmo um espírito revoltado contra as instituições. Seu mundo de artista era o mesmo do cidadão, a refletir a sociedade em que vivia e — mais do que isto — a aceitar os seus princípios.

Referindo-se a *A almanjarra*, afirma:

> A ideia principal a discutir-se está numa das falas da comédia: "pois essa imoralidade que a Igreja santifica e a sociedade legaliza, o casamento de conveniência é lá bastante forte para destruir o sentimento do amor em dois corações apaixonados e jovens?".

"Por partes" — prossegue o autor,

> há duas proposições a serem discutidas. A primeira sobre o matrimônio, cujas razões a Igreja não pesquisa; sobre esta, Artur Azevedo não adianta uma só palavra. Seu anticlericalismo é o de um esgrimista de alfinete, como depois veremos. A segunda proposição permanece na peça, e chega a marcar uma das suas mais interessantes personagens. O casamento em si não é bastante forte para destruir nem para construir coisa nenhuma, mas a formação moral das pessoas pode se sobrepor à

---

[19] *Anais do Segundo Congresso Brasileiro de Crítica e História Literária, Faculdade de Filosofia, Ciências e Letras de Assis, 1963, p. 237 a 264.*

paixão adulterina. Posta a pergunta, falam Ernesto, D. Joana, Isabel, todos na defesa do ponto de vista de Artur Azevedo, contra a fortaleza do patriarcalismo que é Ribeiro. Isto é, numa escamoteação do problema, numa transferência para o plano da mulher solteira que ama a um e se vê instada a casar com outro. Só Rosália, mulher nova que engana marido velho, fala a linguagem humana dos que sofrem e sabem, acima das noções preconcebidas: "Levaram-me a uma igreja como se me levassem a um leilão e deram-me aquele ridículo companheiro para toda a vida. Para toda a vida, Belinha! Faltou-me energia; não me falta amor. Não tive forças para repelir o marido; é natural que as não tenha para repelir o amante". Esta defesa sarcástica do amor, que é drama, transforma-se em comédia (p. 248 e 249).

À página 250, há um trecho expressivo da peça. Ouçamos a personagem Rosália dizer à Isabel:

> Admira-se desta linguagem? Que quer? O casamento perverteu-me: já não sou a mesma; é provável que venham a falar de mim... é possível até que já se fale... Mas que me importa uma sociedade que consente no nosso sacrifício, que não tem uma voz que se levante em nosso favor?

Aludindo à peça *O retrato a óleo*, diz, a certa altura, Joel Pontes:

> O problema, agora, é anular o casamento feito de comum acordo e até como uma salvação da honra. Conclui-se pela necessidade do divórcio (denominação antiga do desquite), que, para a ocasião, seria "providencial e moralizador", embora fosse "uma medida incompleta" por não quebrar o vínculo conjugal. Levantado o problema jurídico, não se encontra solução no Código Civil em vigor, e talvez nem mesmo se encontre no de hoje, apesar da cláusula do "erro essencial de pessoa", arts. 218 e 219 § I. Mais uma vez Artur Azevedo tem assunto de drama e o larga sem a exploração completa. A possível reivindicação do divórcio tal como hoje o entendemos não se concretiza; nem um ataque desassombrado às falhas do Código Civil, que quatorze anos depois seria revogado (p. 252 e 253).

Conquanto em suas peças Artur Azevedo tenha se servido de versos de metros variados, brancos ou com esquemas rímicos diversos, chegando a escrever em prosa, pela nota que inseriu ao final da carta que Isabel escreve a Ergasto, na cena VII do ato segundo da comédia em três atos, em verso, de Molière, *A Escola dos Maridos*, traduzida por ele e publicada na *Revista Brazileira*. Diz Artur Azevedo, na referida nota:[20] "No original a carta de Isabel é escrita em prosa. Traduzi-a em verso, usando, para destacá-la, metrificação diversa da do diálogo. N. do T.".

Concluindo, ousamos perguntar ao leitor: o que é o tríptico mediúnico senão a súmula de toda a obra de Artur Azevedo, isto é, a demonstração de que continua, no Além, a observar as falhas da legislação vigente, no que tange aos casamentos de conveniência e à predominância do patriarcalismo, gerando um clima falso de moralismo, não o *reiner Moralismus* de Fichte, mas no seu sentido vulgar?

---

[20] *Revista Brazileira*, tomo XI, 1897, p. 286.

Augusto de Lima

   Poeta, nascido em Sabará (MG), em 5 de abril de 1859 e desencarnado no Rio de Janeiro em 22 de abril de 1934. Magistrado íntegro, orador e publicista, militou na política e foi membro de realce da Academia Brasileira de Letras, tendo ocupado a presidência dessa instituição.

O doce missionário

Sertão hostil. Agreste serrania.
Tendo por companhia
A cruz do Nazareno, humilde e solitário,
Ali vivia Anchieta, o doce missionário,
Carinhoso pastor, espelho de bondade,
Abençoando o bem, perdoando a maldade,
Servo amado de Deus, imitador de Assis,
Que na humildade achara a vida mais feliz.

Naquele dia,
Era intenso o calor.
Ninguém! Nem uma sombra se movia,
Tudo era languidez, desânimo e torpor.

Além se divisava a solidão da estrada,
Amarela de pó, tristonha e desolada.
Na clareira, onde o Sol feria os vegetais,
Viam-se florescer bromélias e boninas,
E, elevando-se aos céus, esguios espinhais
Implorando piedade às amplidões divinas...

Eis que o irmão de Jesus, o humilde pegureiro
Avista um mensageiro.
Dirige-se-lhe a casa,
Pisando vagaroso o chão que o Sol abrasa.

23 — "Meu protetor — diz ele —, o bom pajé,
Convertido por vós à luz da vossa fé,
Que tem oferecido a Deus o seu amor,
Agoniza na taba, ao longe, em aflição.
Ele espera de vós a paz do coração
E implora lhe leveis a bênção do Senhor."

29 — "Oh! doce filho meu, que vindes de passagem,
Que Jesus vos ampare, ao termo da viagem..."

E isso dizendo, o pastor prestamente
Toma da humilde cruz do Mártir do Calvário,
Abandonando o ninho agreste e solitário,
Para arrancar à dor o pobre penitente.

Há solidão na estrada,
Ferem-lhe os pés as pontas dos espinhos.
Que penosa jornada,
Em tão rudes e aspérrimos caminhos!...

Pairam no ar excessos de calor,
Nem árvores umbrosas e nem fontes,
Somente o Sol ferino e destruidor,
Que calcina, inflamando os horizontes.

Eis que a sede o devora;
Entretanto, o pastor não se deplora;
A terna e meiga efígie de Jesus
É-lhe paz e alimento, amparo e luz.

Numa férvida prece,
Ele ainda agradece:
49 — "Sê bendito, Senhor, por tudo o que nos dás,
Seja alegria ou dor, tudo é ventura e paz.
Eu vejo-te no alvor das manhãs harmoniosas,

No azulíneo do céu, no cálice das rosas,
Na corola de luz de todas as florinhas,
No canto, todo amor, das meigas avezinhas,
Na estação outonal, na loura Primavera,
No coração do bom, que te ama e te venera,
Na vibração dos sons, na irradiação da luz,
Na dor, no sofrimento, em nossa própria cruz...
Tudo vive a mostrar tua pródiga bondade,
Eterno Pai de amor, de luz e caridade.
Abençoados são o Inverno que traz frio
E os calores do Sol nas estações do estio..."

Terminando a sorrir a espontânea oração,
Inspirada em tão santa devoção,
Anchieta escuta em torno os mais sutis rumores.
Eis que nos arredores
Congregam-se apressadas
Todas as avezinhas,
E, asas aconchegadas,
Juntinhas,
Numa ideal combinação
Formam um pálio protetor,
Cobrindo o doce irmão
Que ia ofertar amor,
Luz e consolação,
Em nome do Senhor.

Pelos caminhos,
Foi-se aumentando
O alado bando
Dos bondosos e ternos passarinhos,
Aureolando com amor o Discípulo Amado,
Modesto, casto, humilde e isento de pecado,
Que ia seguindo,
Lábios sorrindo,
Em meiga mansuetude.

O enviado do Bem e da Virtude
Agradecia ao Céu, o coração em luz,
Evolando-se puro ao seio de Jesus.

Chegara ao seu destino. Ia caindo o dia...
No poente de paz e de harmonia,
Brilhava nova luz, feita de crença e amor:
Era a bênção dos Céus, a bênção do Senhor...

O SANTO DE ASSIS

No suave mistério dos espaços,
Santa Maria dos Anjos inda existe,
Com a mesma luz divina dos seus traços,
Glorificando as dores da alma triste,
Repartindo a Virtude, a Graça e os Dons
Que a palavra divina do Cordeiro
Prometeu aos pacíficos e aos bons
Do mundo inteiro...

Uma nova Porciúncula, dourada
Pelos astros de mística alvorada,
Aí se rejubila,
Sob a paz de Jesus, terna e tranquila,
Derramando no Além ignorado
Os sonhos de Virtude e Perfeição,
Daquela mesma Umbria do passado,
Cheia de encantamento e de oração.

À luz dos sóis da etérea Natureza,
Numa doce e ideal Eucaristia,
O Esposo da Pobreza
No seu manto de amor e de alegria
Inda abre os braços para os pecadores...

"Irmão sol, irmãos Anjos, irmãs Flores,
Não nos cansemos de glorificar
A caridade imensa do Senhor,
Sua sabedoria e seu amor,
Procurando salvar
Os nossos irmãos Homens mergulhados
Entre as noites sombrias dos Pecados!..."

E à voz suave e dúlcida do Santo,
A Terra escura e triste se povoa
De anjos de amor, que enxugam todo o pranto
E que levam consigo
Todo o consolo amigo
Da Esperança no Céu, singela e boa...

Das paragens etéreas
Da sua ideal igreja,
São Francisco de Assis abraça e beija
O homem que sofre todas as misérias,
Amparando-lhe a alma combalida
Nos desertos de lágrimas da Vida,
E o conduz
Ao regaço divino de Jesus!...

Santo de Assis, divino "poverello",
Nas amarguras do meu pesadelo
De vaidade do mundo, que devasta
Todo o bem, vi tua luz singela e casta
Beijando as minhas lepras asquerosas...
Uma chuva de lírios e de rosas
Lavou-me o coração de pecador
E guardei para sempre o teu amor.

Santo de Assis, irmão da Caridade,
Que me curaste as lepras e a cegueira,

Depois da morte, à luz da imensidade,
Quero ainda abençoar-te a vida inteira...

Comentários de Elias Barbosa

Em lúcido ensaio intitulado "O poeta Augusto de Lima" (*Revista do Livro,* nº 19, ano V, setembro, 1960, MEC/INL, p. 119 a 137), Aires da Mata Machado Filho demonstra claramente como foi que o egresso do Seminário Marianense "empreendeu a incerta viagem de cultura", desde o "filosofismo poético" inicial, os traços do parnasianismo e do simbolismo em sua obra, a sua dúvida, inquietação e angústia, até julgá-lo "sempre religioso".

> Fez-se a conquista demoradamente desde o materialismo de *Contemporâneas* até o Cristianismo de *São Francisco de Assis.* Nos altos e baixos dessa caminhada, Augusto de Lima nunca deixou de ser poeta religioso (p. 125).

Rogamos ao leitor percorra o item "Belezas e fraquezas" (p. 126 a 128) do citado estudo, a fim de que possa se inteirar, principalmente, do mau gosto do poeta em certas passagens de sua produção, não por se servir de rimas imperfeitas, mas, sobretudo, pelo prosaísmo dos elementos estruturantes utilizados e pela pobreza de imagens e metáforas, como nestes rápidos exemplos do poema "Visita a uma mineração":

> Creso da Lídia, foste um miserável,
> também, Luculo, um miserável foste,
> Alhambra, arquitetura detestável,
> Coluna de Vendôme, humilde poste.

> O íris compõe-se em luz, a luz se coalha
> e decompõe-se em íris, e de novo
> cintila, ora na luz que o raio espalha,
> ora na suave cor da gema de ovo.

"A fraqueza maior é, porém, a do conjunto. O fecho só vem salientá-la" (conclui o arguto ensaísta mineiro):

E toda aquela maravilha imensa,
que de espanto e de luz nos embebeda,
se apouca, se constringe e se condensa
no disco miserável da moeda!

Seria devido às fraquezas do poeta mineiro que Agrippino Grieco deixou de incluí-lo na sua obra *São Francisco de Assis e a poesia cristã*, e Manuel Bandeira em sua monumental *Apresentação da poesia brasileira*, apenas tenha dedicado menos que uma linha ao seu nome? É provável, conquanto exista nessa atitude injustiça das mais flagrantes porque em toda a obra do autor de *Contemporâneas* encontram-se peças poéticas de peregrina beleza, como, por exemplo, o soneto "Serenata", que mereceu detida análise de Aires da Mata Machado Filho, no ensaio de que estamos nos servindo para a composição destas notas.

Ontem, o poeta rogava com o antecanto — Santa Maria dos Anjos — nas sete estrofes do poema:

Santa Maria dos Anjos,
Mãe de Deus, Nossa Senhora,
da Porciúncula, alma e luz,
sê do poeta inspiradora,
embebe-lhe o estro na aurora
do doce olhar de Jesus.

(*Apud* Da Costa Santos, *Joias da poesia mineira*. Belo Horizonte: Edições Mantiqueira, 1952, p. 93 e 94.)

Pelo lápis de Chico Xavier, canta hoje o poeta:

No suave mistério dos espaços,
Santa Maria dos Anjos inda existe,
Com a mesma luz divina dos seus traços,

> Uma nova Porciúncula dourada
> Pelos astros de mística alvorada,
> Aí se rejubila,
> Sob a paz de Jesus, terna e tranquila,

☙❦❧

Ontem, servia-se o bardo mineiro da imagem do manto protetor de passarinhos, em versos amplos, referindo-se a Francisco de Assis:

> Levados na atração daquela alma sonora,
> deixando os ninhos,
> vão seguindo a Francisco os passarinhos,
> na frente, à sua triunfal passagem,
> ilumina-se a estrada de esplendores,
> e as árvores agitam a ramagem,
> atirando-lhe flores.
>
> (*Apud* Aires da Mata Machado Filho, *op. cit.*, p. 134.)

Hoje, mantendo a mesma "franciscana suavidade", surge a imagem alada, já agora se referindo a Anchieta, em metros mais curtos, como se pode notar nos versos 66 a 85.

"Na linguagem límpida, rareiam imagens. Já disse que é poesia pura." Assim afirma o distinto crítico a propósito dos versos que transcrevemos anteriormente. Não podem ser aplicadas as mesmas palavras aos versos psicografados?

☙❦❧

Na opinião de Waltensir Dutra e Fausto Cunha (*Biografia crítica das letras mineiras*, p. 65 e 66), Augusto de Lima, a rigor, "não foi um parnasiano" e haveria "parentesco entre esses dois Augustos" (de Lima e dos Anjos), apontando uma característica que transparece, agora, na poesia mediúnica: "Vez por outra reponta em Augusto de Lima uma nota nitidamente moderna":

☙❦❧

> Arranquem-me a ardente túnica
> Da vida agitada e vã:
> Vejam, minha ambição única
> É de ser lírio amanhã.
>
> ("Sonho transformista")

Para terminar, vejamos que ontem o poeta se servia do diálogo, como neste passo:

> Começou São Francisco, em tom discreto e brando:
> — Meu caríssimo irmão, Deus te conceda a paz.
> — Que posso esperar de Deus, disse o leproso,
> de Deus, que m'a tirou,
> com tudo que era meu, e todo o mal me faz?
> Na lástima em que estou,
> que posso mais querer, misérrimo e asqueroso?
> — Tem paciência, filhinho, diz o Santo;
> Deus dá a dor e o pranto,
> por nossa salvação; grande merecimento
> tem quando suportado, em paz, o sofrimento.
>
> (*Apud* Aires da Mata Machado Filho, *op. cit.*, p. 135.)

— e hoje, de igual modo, comparece o poeta dentro da mesma tônica:

> — Meu protetor — diz ele —, o bom pajé,
> Convertido por vós à luz da vossa fé,

> — Oh! doce filho meu, que vindes de passagem,
> Que Jesus vos ampare, ao termo da viagem...

Augusto dos Anjos

Paraibano. Nasceu em 1884 e desencarnou em 1914, na cidade de Leopoldina (MG). Era professor no Colégio Pedro II. Inconfundível pela bizarria da técnica, bem como dos assuntos de sua predileção, deixou um só livro — *Eu* — que foi, aliás, suficiente para lhe dar personalidade original.

Voz do Infinito

I

No excêntrico labor das minhas normas
Na Terra, muita vez me consumia
Perquirindo nas leis da Biologia
As expressões orgânicas das formas.

O fenômeno apenas, porque o fundo
Do númeno às eternas rutilâncias,
Eram partes do Todo nas Substâncias
Desde o estado prodrômico do mundo.

Com o espírito absconso em paroxismos,
No rubro incêndio de batalha acesa,
Via Deus adstrito à Natureza,
Deus era a lei de eternos transformismos.

Concepção panteística, englobando
As substâncias todas na Unidade,
Perpetuando-se em continuidade,
A essência onicriadora reformando.

O corpo, desde o embrião inicial,
Era um mero atavismo revivendo;
A alma era a molécula, sofrendo,
Afastada do Todo Universal;

Dominava-me todo o medo horrível,
Do meu viver, que eu via transtornado:
Eu era um átomo individuado
Em cerebralidade putrescível.

25 À luz dessa dourada ignorância,
E com certezas lógicas, numéricas,
Notava as pestilências cadavéricas
Iguais à carne angélica da infância,

A sutilez do arminho que se veste,
30 A coroa aromática das flores,
Irmanadas aos pútridos fedores
De emanações pestíferas da peste!

Extravagância e excesso jamais visto,
De ideia que esteriliza e desensina,
35 Loucura que igualava Messalina
À pureza lirial da Mãe do Cristo.

Assim vivi na presunção que via,
Dos cumes da Ciência e do saber,
Os princípios genéricos do ser,
40 No pantanal da lama em que eu vivia.

Vi, porém, a matéria apodrecer,
E na individualidade indivisível
Ouvi a voz esplêndida e terrível
Da luz, na luz etérica a dizer:

II

45 "Louco, que emerges de apodrecimentos,
Alma pobre, esquelético fantasma
Que gastaste a energia do teu plasma
Em combates estéreis, famulentos...

Em teus dias inúteis, foste apenas
Um corvo ou sanguessuga de defuntos,
Vendo somente a cárie dos conjuntos,
Entre as sombras das lágrimas terrenas.

Vias os teus iguais, iguais aos odres
Onde se guarda o fragmento imundo,
De todo o esterco que apavora o mundo
E os tóxicos letais dos corpos podres.

E tanto viste os corpos e as matérias
No esterquilínio generalizados,
E os instintos hidrófobos, danados,
Em meio de excrescências e misérias,

Que corrompeste a íntima saúde
Da tua alma cegada de amargores,
Que na Terra não viu os esplendores
E as ignívomas luzes da virtude.

Olhos cegos às chamas da bondade
De Deus e à divinal misericórdia,
Que espalha o bem e as auras da concórdia
No coração de toda a Humanidade.

Descansa, agora, vibrião das ruínas,
Esquece o verme, as carnes, os estrumes,
Retempera-te em meio dos perfumes
Cantando a luz das amplidões divinas."

III

Calou-se a voz. E sufocando gritos,
Filhos do pranto que me espedaçava,
Reconheci que a vida continuava
Infinita, em eternos infinitos!

Vozes de uma sombra

Donde venho? Das eras remotíssimas,
Das substâncias elementaríssimas,
Emergindo das cósmicas matérias.
80 Venho dos invisíveis protozoários,
Da confusão dos seres embrionários,
Das células primevas, das bactérias.

Venho da fonte eterna das origens,
No turbilhão de todas as vertigens,
85 Em mil transmutações, fundas e enormes;
Do silêncio da mônada invisível,
Do tetro e fundo abismo, negro e horrível,
Vitalizando corpos multiformes.

Sei que evolvi e sei que sou oriundo
90 Do trabalho telúrico do mundo,
Da Terra no vultoso e imenso abdômen;
Sofri, desde as intensas torpitudes
Das larvas microscópicas e rudes,
À infinita desgraça de ser homem.

95 Na Terra, apenas fui terrível presa,
Simbiose da dor e da tristeza,
Durante penosíssimos minutos;
A dor, essa tirânica incendiária,
Abatia-me a vida solitária
100 Como se eu fora bruto entre os mais brutos.

Depois, voltei desse laboratório,
Onde me revolvi como infusório,
Como animálculo medonho, obscuro,
Té atingir a evolução dos seres

105 Conscientes de todos os deveres,
Descortinando as luzes do futuro.

E vejo os meus incógnitos problemas
Iguais a horrendos e fatais dilemas,
Enigmas insolúveis e profundos;
110 Sombra egressa de lousa dura e fria,
Grito ao mundo o meu grito que se alia
A todos os anseios gemebundos:

"Homem! por mais que gastes teus fosfatos
Não saberás, analisando os fatos,
115 Inda que desintegres energias,
A razão do completo e do incompleto,
Como é que em homem se transforma o feto
Entre os duzentos e setenta dias.

A flor da laranjeira, a asa do inseto,
120 Um estafermo e um Tales de Mileto,
Como existiram, não perceberás;
E nem compreenderás como se opera
A mutação do inverno em primavera,
E a transubstanciação da guerra em paz;

125 Como vivem o novo e o obsoleto,
O ângulo obtuso e o ângulo reto
Dentro das linhas da Geometria;
A luz de Miguel Ângelo nas artes,
E o espírito profundo de Descartes
130 No eterno estudo da Filosofia.

Porque existem as crianças e os macróbios
Nas coletividades dos micróbios
Que fazem a vida enferma e a vida sã;
Os antigos remédios alopatas
135 E as modernas dosagens homeopatas,
Produto da experiência de Hahnemann.

A psíquico-análise freudiana
Tentando aprofundar a alma humana
Com a mais requintadíssima vaidade,
140 E as teorias do Espiritualismo
Enchendo os homens todos de otimismo,
Mostrando as luzes da imortalidade.

Como vive o canário junto ao corvo,
O céu iluminado, o inferno torvo
145 Nos absconsos refolhos da consciência;
O laconismo e a prolixidade,
A atividade e a inatividade,
A noite da ignorância e o sol da Ciência.

As epidermes e as aponevroses,
150 As grandes atonias e as nevroses,
As atrações e as grandes repulsões,
Que reunindo os átomos no solo
Tecem a evolução de polo a polo,
Em prodigiosas manifestações;

155 Como os degenerados blastodermas
Criam a descendência dos palermas
No lupanar das pobres meretrizes,
Junto dos palacetes higiênicos,
Onde entre gozos fúlgidos e edênicos
160 Cresce a alegre progênie dos felizes.

Os lombricoides mínimos, os vermes,
Em contraposição com os paquidermes,
Assombrosas antíteses no mundo;
É o gigante e o germe originário,
165 Os milhões de corpúsculos do ovário,
Onde há somente um óvulo fecundo.

A alma pura do Cristo e a de Tibério,
Vaso de carne podre, o cemitério,
E o jardim rescendendo de perfumes;
O doloroso e tetro cataclismo
Da beleza louçã do organismo,
Repleto de dejetos e de estrumes.

As coisas sustanciais e as coisas ocas,
As ideias conexas e as loucas,
A teoria cristã e Augusto Comte;
E o desconhecido e o devassado,
E o que é ilimitado e o limitado
Na óptica ilusória do horizonte.

Os terrenos povoados e o deserto,
Aquilo que está longe e o que está perto;
O que não tem sinal e o que tem marca;
A funda simpatia e a antipatia,
As atrofias e a hipertrofia,
Como as tuberculoses e a anasarca.

Os fenômenos todos geológicos,
Psíquicos, científicos, sociológicos,
Que inspiram pavor e inspiram medo;
Homem! por mais que a ideia tua gastes,
Na solução de todos os contrastes,
Não saberás o cósmico segredo.

E apesar da teoria mais abstrusa
Dessa ciência inicial, confusa,
A que se acolhem míseros ateus,
Caminharás lutando além da cova,
Para a Vida que eterna se renova,
Buscando as perfeições do Amor em Deus."

Voz humana

Uma voz. Duas vozes. Outras vozes.
Milhões de vozes. Cosmopolitismos.
Gritos de feras em paroxismos,
Uivando subjugadas e ferozes.

É a voz humana em intérminas nevroses,
Seja nas concepções dos ateísmos,
Ou mesmo vinculada a gnosticismos
Nos singultos preagônicos, atrozes.

É nessa eterna súplica angustiada
Que eu vejo a dor em gozos, insaciada,
Nutrir-se de famélicos prazeres.

A dor, que gargalhando em nossas dores,
É a obreira que tece os esplendores
Da evolução onímoda dos seres.

ALMA

Nos combates ciclópicos, titânicos,
Que eu às vezes na Terra empreendia,
Nos vastos campos da Psicologia,
Buscava as almas, seres inorgânicos;

Nas lágrimas, nos risos e nos pânicos,
Nos distúrbios sutis da hipocondria,
Nas defectividades da estesia,
Nos instintos soezes e tirânicos,

Somente achava corpos na existência,
E o sangue em continuada efervescência
Com impulsos terríficos e tredos.

Enceguecido e louco então que eu era,
Que não via, dos astros à monera,
As luzes dalma em trágicos segredos.

ANÁLISE

225 Oh! que desdita estranha a de nascermos
Nas sombras melancólicas dos ermos,
Nos recantos dos mundos inferiores,
Onde a luz é penumbra tênue e vaga,
Que, sem vigor, fraquíssima, se apaga
230 Ao furacão indômito das dores.

Voracidade onde a alma se mergulha,
Apoucado Narciso que se orgulha
Na profundeza ignota dos abismos
Da carne, que, estrambótica, apodrece;
235 Que atrofiada, hipertrófica, parece
Cataclismo dos grandes cataclismos.

Prendermo-nos ao fogo dos instintos,
Serpentes entre escrófulas e helmintos,
Multiplicando as lágrimas e os trismos,
240 Tendo a alma — centelha, luz e chama —
Amalgamada em pântanos de lama,
Em sexualidades e histerismos.

Misturarmos clarões de sentimentos
Entre vísceras, nervos, tegumentos,
245 Na agregação da carne e dos humores,

Atrocidade das atrocidades;
Enegrecermos luminosidades
Na macabra esterqueira dos tumores.

E nisto achar fantásticos prazeres,
250 Ilusão hiperbólica dos seres
Bestializados, materializados;
Espíritos em ânsias retroativas,
No transcorrer das vidas sucessivas,
Nas ferezas do instinto, atassalhados...

255 Mas a análise crua do que eu via,
Hedionda lição de anatomia,
É mais que uma atrevida aberração;
Que se quebre o escalpelo de meus versos:
Entreguemos a Deus seus universos
260 Que elaboram a eterna evolução.

Evolução

Se devassássemos os labirintos
Dos eternos princípios embrionários,
A cadeia de impulsos e de instintos,
Rudimentos dos seres planetários;

265 Tudo o que a poeira cósmica elabora
Em sua atividade interminável,
O anseio da vida, a onda sonora,
Que percorrem o espaço imensurável;

Veríamos o evolver dos elementos,
270 Das origens às súbitas asceses,
Transformando-se em luz, em sentimentos,
No assombroso prodígio das esteses;

No profundo silêncio dos inermes,
Inferiores e rudimentares,
275 Nos rochedos, nas plantas e nos vermes,
A mesma luz dos corpos estelares!

É que, dos invisíveis microcosmos,
Ao monólito enorme das idades,
Tudo é clarão da evolução do cosmos,
280 Imensidade nas imensidades!

Nós já fomos os germes doutras eras,
Enjaulados no cárcere das lutas;
Viemos do princípio das moneras,
Buscando as perfeições absolutas.

Homo

I

Ao meu tétrico olhar abominável,
O homem é fruto insólito da ânsia,
Heterogeneidades da Substância,
Argamassando um Todo miserável.

Psique dolorosa e inexpressável
Na mais remota epíspase da infância,
Desde a mais abscôndita reentrância
Da sua embriogenia detestável.

Do intravascular princípio informe,
Larva repugnante e vermiforme,
Nos íntimos recôncavos da placenta.

À quietação dos túmulos inermes,
Era um feixe de mônadas de vermes,
Dissolvidos na terra famulenta.

II

Após a introspecção do Além da Morte,
Vendo a terra que os próprios ossos come,

Horrente a devorar com sede e fome
Minhas carnes em lúbrico transporte,

Vi que o "ego" era o alento flâmeo e forte
Da luz mental que a morte não consome.
Não há luta mavórtica que o dome,
Ou venenada lâmina que o corte.

Depois da estercorária microbiana,
De que o planeta triste se engalana
Nas grilhetas do Infinitesimal,

Volve o Espírito ao páramo celeste,
Onde a divina essência se reveste
Da substância fluida, universal.

INCÓGNITA

Por que misterioso incompreensível
Vomito ainda em náuseas para o mundo
Todo o fel, toda a bílis do iracundo,
Se eu já não tenho a bílis putrescível?

Insondável arcano! Por que inundo
Meu exótico ser ultrassensível
Em plena luz e atendo ao gosto horrível
De apostrofar o pobre corpo imundo?

Fluidos teledinâmicos me servem,
Transmitindo as ideias que me fervem
No cérebro candente, ígneo, em brasa...

De que concavidade do Universo
Vem-me o açoite flamívomo do verso,
Chama da mesma chama que me abrasa?

"Ego sum"

Eu sou quem sou. Extremamente injusto
Seria, então, se não vos declarasse,
Se vos mentisse, se mistificasse
No anonimato, sendo eu o Augusto.

Sou eu que, com intelecto de arbusto,
Jamais cri, e por mais que o procurasse,
Quer com Darwin, com Haeckel, com Laplace,
Levantar-me do leito de Procusto.

Sou eu, que a rota etérica transponho
Com a rapidez fantástica do sonho,
Inexprimível nas termologias,

O mesmo triste e estrábico produto,
Atramente a gemer a mágoa e o luto,
Nas mais contrárias idiossincrasias.

Dentro da noite

É noite. À Terra volvo. E, lúcido, entro
Em relação com o mundo onde concentro
O espírito na queixa atordoadora
Da prisioneira, da perpétua grade,
— A misérrima e pobre Humanidade,
Aterradoramente sofredora!

Ausculto a humana dor, que hórrida sinto,
Dalma quebrando o cárcere do instinto,
Buscando ávida a luz. Por mais que sonde,
Mais o enigma do mundo se lhe aviva,
Em diferenciação definitiva,
Mais a luz desejada se lhe esconde!

É o quadro mesológico, tremendo,
De tudo o que ficou no abismo horrendo
Da tenebrosa noite dos gemidos;
São uivos dos instintos jamais hartos,
As dores espasmódicas dos partos,
A desgraça dos úteros falidos.

É a ânsia afrodisíaca das bocas,
Que nas bestialidades se unem loucas,
As bactérias mais vis ambas trocando;
As dolorosas mágoas dos enfermos,
Sentindo-se em seus leitos como em ermos,
Deplorando o destino miserando.

São os ais dos leprosos desprezados,
Tendo os seus organismos devastados
Pela fome insaciável dos micróbios,

Sentindo os próprios membros carcomidos,
Verminados, cruéis, apodrecidos,
Plantando a dor no chão dos seus cenóbios...

É o grito, o anseio, a lágrima do homem
Agrilhoado aos prantos que o consomem,
Preso às dores que se lhe agrilhoaram;
É a imprecação de todos os lamentos
Dentro do mundo de padecimentos,
Dos desejos que não se realizaram.

Pábulo sou dessa hórrida agonia
E nos abismos de hiperestesia
Experimento, além das catacumbas,
Essa angústia indomável, atrocíssima,
Junto da emanação requintadíssima
Do ácido sulfídrico das tumbas,

Trazendo dentro dalma, envoltos na ânsia,
Asco e dó, piedade e repugnância
Pelo espírito e o corpo nauseabundo;
E com os meus pensamentos desconexos,
Vejo a guerra pestífera dos sexos,
Abominando as coisas deste mundo.

Terra!... e chegam-me fortes cheiros acres,
Como o cheiro de sangue dos massacres,
Fétido, coagulado, decomposto,
Escorrendo num campo de batalhas
Onde as almas se vestem de mortalhas,
Desde o sol-posto, ao próximo sol-posto.

Apavora-me o horror dessa miséria
E fujo da imundície da matéria,
Onde traguei meus grandes amargores;
Fujo... E ainda transpondo o Azul sereno,
Sinto em minh'alma o tóxico, o veneno
E a desdita dos seres sofredores.

Homem-célula

Homem! célula ainda escravizada
Nos turbilhões das lutas cognitivas,
Egressa do arsenal de forças vivas
Que chamamos — estática do Nada.

Sob transformações consecutivas,
Vem dessa origem indeterminada,
Onde se oculta a luz indecifrada
Dos princípios das luzes coletivas.

Vem através do Todo de elementos,
Em sucessivos aperfeiçoamentos,
Objetivando a Personalidade,

Até achar a Perfeição profunda
E indivisível, pura, e se confunda,
No transcendentalismo da Unidade.

Na imensidade

⁴¹⁵ Alma humana, alma humana, tu que dormes
Entre os grandes colossos desconformes
Da carne, essa voraz liberticida,
Desse teu escafandro de albuminas,
Em tua mesquinhez não imaginas
⁴²⁰ A intensidade esplêndida da Vida!

Inda não vês e eu vejo panoramas
De luz em gigantescos amalgamas
De sóis, nas regiões imensuráveis,
Auscultando os espaços mais profundos
⁴²⁵ Na sinfonia harmônica dos mundos,
Singrando a luz de céus incomparáveis.

Do teu laboratório de arterites,
De gangliomas, úlceras, nevrites
Ao lado de humaníssimas vaidades,
⁴³⁰ Não podes perceber as ressonâncias,
Quinta-essências de todas as substâncias
Na fluidez das eletricidades.

Aqui não há vertigens de nevróticos,
Nem bisonhos aspectos de cloróticos
⁴³⁵ Nas estradas de eternos otimismos!

A vida imensa é coro de grandezas,
Submersão nas fluídicas belezas,
Envergando os etéreos organismos.

Ante a minh'alma fulgem ideogramas,
440 Pensamentos radiosos como chamas,
Combinações no Mundo das Imagens;
São vibrações das almas evolvidas
E que, concretizadas e reunidas,
Formam luminosíssimas paisagens...

445 Em pleno espaço — Imensidade de ânsias,
Sem aritmologias das distâncias,
Sem limites, sem número, sem fim.
Deus e Pai, ó Artista Inimitável,
Deixai meu ser esdrúxulo, execrável,
450 No prolongado e edênico festim!

"Alter ego"

Da morte estranha que devora as vidas,
Eis-me longe dos rudes estertores,
Sem guardar os micróbios homicidas
De eternos atavismos destruidores.

455 Tenho outro ser talhado pelas dores
De minhas pobres células falidas,
Que se putrefizeram consumidas
Com os seus instintos atordoadores.

Não sou o homúnculo da hominal espécie,
460 Da terrígena raça que padece
Das mais pungentes heteromorfias.

Mas contérmino à carne, que me aterra,
Envolvo-me nos fluidos maus da Terra,
E sou o espectro das anomalias.

Aos fracos da vontade

465 Homem, levanta o véu do teu futuro,
Troca o prazer sensualista e obscuro
Pelo conhecimento da Verdade.
Foge do escuro ergástulo do mundo
E abandona o Desejo moribundo
470 Pelo poder da tua divindade.

Teu corpo é todo um orbe grande e vasto:
Livra-o do mal onífero, nefasto,
Com a espada resplendente da virtude;
Que o sol da tua mente, eterno, esplenda,
475 Dando a teu mundo a mágica oferenda
Da alegria em divina plenitude.

Deixa o conjunto de ancestralidades
Da carne — o eterno símbolo do Hades —
Onde o espírito clama, sofre e chora;
480 Deixa que as tuas glândulas do pranto
Te salvem do cadinho sacrossanto
Da lágrima pungente e redentora.

Mas, sobretudo, observa o pensamento,
Fonte da força e altíssimo elemento,
485 Em que toda molécula se cria:

Da existência ele faz sepulcro abjeto
Ou jardim luminoso e predileto,
De arcangélicas flores de Harmonia.

Ouve-te sempre a ronda do mistério,
Mas faze de tua alma um grande império
De beleza, de paz e de saúde:
Que as tuas agregações moleculares
Vivam livres de todos os pesares,
Com os tônicos sagrados da Virtude.

Tua vontade esclarecida e forte
Triunfará das angústias e da morte
Além dos planos tristes da matéria,
Mas a tua vontade enfraquecida
É a meretriz no báratro da vida,
Amarrada no catre da miséria!

Ao homem

Tu não és força nêurica somente,
Movimentando células de argila,
Lama de sangue e cal que se aniquila
Nos abismos do Nada eternamente;

És mais, és muito mais, és a cintila
Do Céu, a alma da luz resplandecente,
Que um mistério implacável e inclemente
Amortalhou na carne atra e intranquila.

Apesar das verdades fisiológicas,
Reflexas das ações psicológicas,
Nas células primevas da existência,

És um ser imortal e responsável,
Que tens a liberdade incontestável
E as lições da verdade na consciência.

Matéria cósmica

515 Glória à matéria cósmica, a energia
Potencial que dá vida aos elementos,
Base de portentosos movimentos
Onde a Forma se acaba e principia.

Sistematização dos argumentos
520 Que elucidam a Teleologia:
Dentro da força cósmica se cria
A fonte-máter dos conhecimentos.

É do mundo o Od ignoto, o éter divino,
Onde Deus grava a história do destino
525 Dos seus feitos de Amor no Amor imersos.

Livro onde o Criador Inimitável
Grava, com o pensamento almo e insondável,
Seus poemas de seres e universos.

Raça adâmica

    A Civilização traz o gravame
530 Da origem remotíssima dos Árias,
    Estirpe das escórias planetárias,
    Segregadas num mundo amargo e infame.

    Árvore genealógica de párias,
    Faz-se mister que o cárcere a conclame,
535 Para a reparação e para o exame
    Dos seus crimes nas quedas milenárias.

    Foi essa raça podre de miséria
    Que fez nascer na carne deletéria
    A esperança nos Céus inesquecidos;

540 Glorificando o Instinto e a Inteligência,
    Fez da Terra o brilhante gral da Ciência,
    Mas um mundo de deuses decaídos.

A SUBCONSCIÊNCIA

Há, sim, a inconsciência prodigiosa
Que guarda pequeninas ocorrências
De todas as vividas existências
Do Espírito que sofre, luta e goza.

Ela é a registradora misteriosa
Do subjetivismo das essências,
Consciência de todas as consciências,
Fora de toda a sensação nervosa.

Câmara da memória independente,
Arquiva tudo rigorosamente
Sem massas cerebrais organizadas,

Que o neurônio oblitera por momentos,
Mas que é o conjunto dos conhecimentos
Das nossas vidas estratificadas.

Espírito

Busca a Ciência o Ser pelos ossuários,
No órgão morto, impassível, atro e mudo;
No labor anatômico, no estudo
Do germe, em seus impulsos embrionários;

Mas só encontra os vermes-funcionários
No seu trabalho infame, horrendo e rudo,
De consumir as podridões de tudo,
Nos seus medonhos ágapes mortuários.

No meio triste de cadaverinas
Acha-se apenas ruína sobre ruínas,
Como o bolor e o mofo sob as heras;

A alma que é Vibração, Vida e Essência,
Está nas luzes da sobrevivência,
No transcendentalismo das esferas.

VIDA E MORTE

A morte é como um fato resultante
Das ações de um fenômeno vulgar,
Desorganização molecular,
Fim das forças do plasma agonizante.

Mas a vida a si mesma se garante
Na sua eternidade singular,
E em sua transcendência vai buscar
A luz do espaço, fúlgida e distante!

Vida e Morte — fenômenos divinos,
Na ascendência de todos os destinos,
Do portentoso amor de Deus oriundos...

Vida e Morte — Presente eterno da Ânsia,
Ou condição diversa da substância,
Que manifesta o espírito nos mundos.

Nos véus da carne

585 Na ilusão material da carne espúria,
Sob o acervo das células taradas,
Choram de dor as almas condenadas
Ao cárcere de lágrima e penúria.

Entre as sombras das míseras estradas,
590 Vê-se a guerra da inveja e da luxúria,
Esfacelando com medonha fúria
O coração das almas bem formadas.

É nesse turbilhão de dor e de ânsia
Que o homem procura a eterna substância
595 Da verdade suprema, alta, imortal.

Deixando corpos pelos cemitérios,
A alma decifra o livro dos mistérios
De luz e amor da vida universal.

Homem da Terra

Na sombra abjeta e espessa das estradas,
Vive o homem da Terra adormecido,
No horrendo pesadelo de um vencido
Entre milhões de células cansadas.

Prantos sinistros! Loucas gargalhadas,
Pavorosos esgares de gemido,
E lá vai o fantasma embrutecido
Pelas sombras de lôbregas jornadas.

Homem da Terra! trágico segredo
De Miséria, de Horror, de Ânsia e de Medo,
Feito à noite de enigma profundo!...

Anjo da Sombra, mísero e perverso,
És o sentenciado do Universo
Na grade organogênica do mundo.

Nas sombras

      Bombardeios. Canhões. Trevas. Muralhas.
      E rasteja o dragão horrendo e informe,
615 Espalhando a miséria e o luto enorme
      Em miserabilíssimas batalhas.

      Visões apocalípticas do mal,
      Desenhadas por corvos vagabundos,
      Gritam a dor de povos moribundos
620 Na sinistra hecatombe universal.

      A civilização do desconforto,
      De mentira e veneno cerebrais,
      Vai carpindo nos tristes funerais
      Do seu fausto de sombra, amargo e morto.

625 Quadros de sangue, lágrimas e horrores
      Avassalam de dor o mundo inteiro,
      É o triunfo terrível do coveiro,
      Ossuários tremendos sob as flores.

      Enquanto a desventura chora inerme,
630 O homem, filosófico ou sem nome,
      Morre de frio e fel, de sede e fome,
      Nas vitórias fantásticas do verme.

      Ai de vós nos abismos da aflição,
      Sem o raio de luz da crença amiga:
635 Desventurado aquele que prossiga
      Sem o Cristo de Amor no coração.

CONFISSÃO

Também eu, mísero espectro das dores
No escafandro das células cativas,
Não encontrei a luz das forças vivas,
Apesar de ingentíssimos labores.

Bem distante das causas positivas,
Na visão dos micróbios destruidores,
Senti somente angústias e estertores,
No turbilhão das sombras negativas.

Foi preciso "morrer" no campo inglório,
Para encontrar esse laboratório
De beleza, verdade e transformismo!

A Ciência sincera é grande e augusta,
Mas só a Fé, na estrada eterna e justa,
Tem a chave do Céu, vencendo o abismo!...

Homem-verme

Desolação. Terror e morticínio.
O homem sôfrego e bruto, de ânsia em ânsia,
Sofre agora a sinistra ressonância
De sua inclinação para o extermínio.

655 É o doloroso e trágico domínio
Do "homo homini lupus" da ignorância,
Exaltando a vaidade sem substância,
Ídolo podre sobre o esterquilínio.

Por toda a parte, escorre o sangue horrível,
660 Ao crepitar de rúbidos incêndios,
Sobre a ideia cristã medrando em germe.

Em quase tudo, o pântano terrível,
De lodo e lama, em sombra e vilipêndios,
Atestando as vitórias do homem-verme!

Gratidão a Leopoldina[21]

665 Sem o vulcão de dor de hórridas lavas,
Beija, Augusto, este solo generoso,
Que te guardou no seio carinhoso
O escafandro das células escravas.

Aqui, buscaste o campo de repouso,
670 Depois das vagas ríspidas e bravas
No mundo áspero e vão, que detestavas,
E onde sorveste o cálice amargoso.

Volta, Augusto, do pó que envolve as tumbas,
Proclama a vida além das catacumbas,
675 Nas maravilhas de seus resplendores.

Ajoelha-te e lembra o último abrigo,
Esquece o travo do tormento antigo
E oscula a destra de teus benfeitores.

---

[21] N.E. à 9. ed., 1972: Poesia recebida em 18 de junho de 1940, em Leopoldina, onde foi sepultado o poeta Augusto dos Anjos.

Civilização em ruínas

Todo o mundo moderno horrendo, em ruínas,
680 Deixa agora escapar o horrendo fruto
De miséria e de dor, de pranto e luto,
Feito de sânie e de cadaverinas.

Em vão, sobre o Calvário áspero e bruto,
Sangrou Jesus em lágrimas divinas,
685 Sob as ofensas torpes e tigrinas
A tentarem-lhe o espírito incorruto.

Saturada de treva, angústia e pena,
A Civilização que se condena
Suicida-se num báratro profundo...

690 Porque na luz dos círculos da Terra,
Nos turbilhões fatídicos da guerra,
Ainda é Caim que impera sobre o mundo.

A Lei

Em reflexões misérrimas, absorto,
Raciocinava: "O último tormento
É regressar à carne e ao sofrimento
Sem o triste fenômeno do aborto!...

Toda a amargura dalma é o desconforto
De retornar ao corpo famulento,
E apagar toda a luz do pensamento
Nas células de um mundo amargo e morto!..."

Mas, uma voz da luz dos grandes mundos,
Em conceitos sublimes e profundos,
Respondeu-me em acentos colossais:

— "Verme que volves dos esterquilínios,
Cessa a miséria de teus raciocínios,
Não insultes as leis universais."

A UM OBSERVADOR MATERIALISTA

Busca o talão dos velhos calendários.
Desde o instante infeliz de Adão e Eva,
Encontrarás teus gritos solitários,
Enfrentando o pavor da mesma treva.

Sempre a dúvida estranha que se ceva
De terríveis problemas multifários,
O mistério da célula primeva,
Os impulsos dos sonhos embrionários.

Para, amigo... Não sigas na consulta:
O detalhe anatômico te insulta,
A molécula morta desafia.

Se não tens coração que aceite a crença,
Espera a mão da morte excelsa, e pensa,
Que a carne volve ao pó, exangue e fria.

ANTE O CALVÁRIO

Da terra do Calvário ardente e adusta,
Entre prantos pungentes, o Cordeiro
Da Verdade e da Luz do mundo inteiro
Vive o martírio de sua alma augusta.

725 Sobre a cruz infamérrima se ajusta
A crueldade do espírito rasteiro
Do homem, que é sempre o tigre carniceiro,
Enquanto grita a turba ignara e injusta.

Depois de vinte séculos ingratos,
730 Multiplicando Herodes e Pilatos,
Correm de novo as lágrimas divinas;

Pois, embora o Direito, o Livro e a Toga,
A Humanidade triste inda se afoga
No sangue escuro das carnificinas.

Atualidade

₇₃₅ Torna Caim ao fausto do proscênio.
A Civilização regressa à taba.
A força primitiva menoscaba
A evolução onímoda do Gênio.

Trevas. Canhões. Apaga-se o milênio.
₇₄₀ A construção dos séculos desaba.
Ressurge o crânio do morubixaba
Na cultura da bomba de hidrogênio.

Mas, acima do império amargo e exangue
Do homem perdido em pântanos de sangue,
₇₄₅ Novo sol banha o pélago profundo.

É Jesus que, através da tempestade,
Traz ao berço da Nova Humanidade
A consciência cósmica do mundo.

Comentários de Elias Barbosa

M. Cavalcanti Proença, no ensaio "O artesanato em Augusto dos Anjos",[22] com que conquistou o prêmio Drault Ernani, no concurso instituído por *Jornal de Letras*, em 1955, fez excelente trabalho de

---

[22] M. Cavalcanti Proença, *Augusto dos Anjos e outros ensaios*. Rio de Janeiro: J. Olympio, 1959, p. 83 a 149.

dissecção na poesia de Augusto dos Anjos, no que concerne aos seus aspectos formais.

Não nos sendo possível transcrever a maior parte dos exemplos citados pelo ilustre crítico, já desencarnado, deixamos de mencionar o número das páginas em que se encontram, limitando-nos a indicar a fonte das citações poéticas e, no caso dos poemas mediúnicos, entre parênteses, o número em algarismos arábicos dos versos que se relacionam com os deixados na Terra, com vistas a ocupar o menor espaço, por si só bastante exíguo.

Depois de acentuar que uma das características de Augusto dos Anjos é o seu "decassilabismo exagerado" e de explicitar os diversos tipos de decassílabos (heroicos, sáficos e *provençal*) de que lançou mão, passa às referências, das quais destacamos ínfima parcela:

Decassílabos — 4-10:

Que o sangue po/dre das carnificinas — "Psicologia de um vencido", 3, 2 (O 1o e o 2o números depois do título do poema correspondem, respectivamente, à estrofe e ao verso).

E a mosca ale/gre da putrefação — "Idealização da Humanidade", 3, 3
Voltando à pá/tria da homogeneidade — "Debaixo do tamarindo", 3, 1
Arrebenta/da pelos aneurismas — "As cismas do destino I", 3, 3

Na produção mediúnica, vejamos os versos: (15) — Perpetu/ando-se em continuidade; (23) — Eu era um á/tomo individuado; (45); (58); (74) — Filhos do pran/to que me espedaçava; (78); (101); (127); (130); (140); (142); (147/148); (149); (154); (183); (198/199); (213); (246/247); (251); (261); (274); (280); (329); (337); (340); (375); (378); (406); (410/411); (432); (458); (461); (464); (477); (522); (552); (555/556); (569); (637); (646); (675); (698); (703/704); (733); (740); poderíamos, ainda, considerar o verso 596 como do tipo 4-10.

Decassílabos — 6-10:

Divide M. C. Proença os heroicos de Augusto dos Anjos em três grupos, "conforme a cesura recaia em tônica de oxítono, paroxítono ou proparoxítono"; em duas ordens:

> Na primeira, ficarão aqueles em que há uma sucessão de átonas até a 6ª sílaba, isto é, em todo o segmento inicial. (Nos sáficos em que a 8ª sílaba não é acentuada, acontece o inverso.) O número de versos dessa ordem se eleva a 111, em *Eu e outras poesias.*
> Na segunda, que compreende 604 versos, ficarão os heroicos em que a tônica da cesura coincide com a de um proparoxítono; nela se podem incluir doze versos que também se enquadram na primeira. Nos demais 2.000 decassílabos, a tônica dos proparoxítonos, muito abundantes, não é a da cesura.
> Uma análise dos versos incluídos na 1ª ordem permite subdividi-la em classes e grupos subordinados.
> Na primeira classe, a tônica de cesura coincide com a de um oxítono, e nela apenas duas vezes aparecem adjetivos em *al* e a sua variante *ar*; nos demais, o poeta empregou substantivos derivados de particípios verbais com o sufixo -ção.
> Para obter vocábulos tão longos, de quatro e até de seis sílabas, era inevitável o apelo à prefixação e mesmo ao duplo radical, uma vez que os sufixos -ção e -*al* contam apenas uma sílaba. Daí ocorrerem os parassintéticos, às vezes com dupla prefixação ou sufixação.
> Nesse conjunto, a dupla sufixação com -*izar* + -ção é a mais frequente, ao lado do uso de prefixos dissilábicos como *retro-*, *ultra-*, *hiper-*, *ante-*, *contra-*. Os vocábulos *generalização* e *contraposição* são repetidos.

Apenas alguns exemplos:

> Nas *eterizações* indefiníveis — "Monólogo de uma sombra", 10, 5

> *Generalizações* grandes e ousadas — "Noite de um visionário", 4, 2

> A *carbonização* dos próprios ossos — "Gemidos de Arte III", 7, 3

> Em *contraposição* e antagonismo — "Mãos", 1, 10

Vejamos, desde já, os exemplos mediúnicos, os principais, sem os parênteses: 85; 124; 162; 351; 405; 520; 529; 573; 621; 688; 735. Para o leitor pouco habituado, citemos o último verso (735):

A *Civilização* regressa à taba.

Continua Proença:

> Na 2ª classe, a cesura de 6ª incide na tônica de um paroxítono e é precedida de cinco sílabas átonas. Também apresenta poucas variações quanto aos recursos utilizados.
> Há um primeiro grupo em que o sufixo *-dade* e a vogal de ligação permitem a obtenção de três sílabas (*idade*) sendo largamente usado na formação de substantivos derivados de adjetivos em *-el*, *-al*, -ário, -ável, *-oso* e respectivas variantes. Apenas duas vezes aparece o sufixo *-ivo*.
>
> A *heterogeneidade* das mudanças — "As cismas do destino", 23, 4
>
> Na *guturalidade* do meu brado — "Sonho de um monista", 3, 2
>
> A *espiritualidade* da matéria — "Poema Negro", 16, 4
>
> Pela *imortalidade* das ideias — "O meu Nirvana", 4, 3
>
> A *ultrainquisitorial* clarividência — "O poeta do hediondo", 2, 3

Por intermédio do lápis de Chico Xavier, eis somente alguns exemplos, deixando ao leitor o prazer de localizá-los no contexto: 24; 42; 132; 217; 242; 287; 360.

Em seguida, o autor cita numerosos exemplos do segundo grupo (que contém advérbios em *-mente*); do terceiro (que é obtido igualmente pela sufixação, desta vez com substantivos em *-ismo*); do quarto grupo (em que ficam substantivos com o sufixo *-mento*); do quinto grupo (que é de substantivos de origem grega, com o radical-sufixo *-logia*); e sexto, constituído de adjetivos, tanto quanto o quinto, pouco numeroso. Finalmente, Proença se reporta à terceira classe, que "é constituída de versos em que há uma sucessão de átonas até a 6ª sílaba, coincidindo a cesura com a tônica de um proparoxítono. Dos doze versos nestas condições, nove possuem no primeiro segmento um superlativo em -íssimo". Transcrevamos somente um exemplo de cada grupo, e dois referentes à terceira classe:

*Profundi*ssimamente hipocondríaco — "Psicologia de um vencido", 2, 1

*Ama*rguradamente se me antolha — "Monólogo de uma sombra", 6, 2

*Do co*smopolitismo das moneras — Idem, 1, 2

*No rudim*entarismo do Desejo — "O lamento das cousas", 4, 3

O *amarele*cimento do papirus — "Monólogo de uma sombra", 3, 5

A *bac*teriologia inventariante — Idem, 14, 2

*De inex*orabilíssimos trabalhos — "Debaixo do tamarindo", 1, 4

Minha singularíssima pessoa — "Budismo moderno", 1, 2

Agora, os exemplos principais, existentes na produção mediúnica: 346; 414; 429; 444; 446; 454; 484; 530; 548; 570; 616; 640.

Decassílabos sáficos:

Da página 103 a 110 de seu admirável ensaio, Proença alinha uma infinidade de exemplos de sáficos, dos quais destacaremos apenas alguns, todos eles precedidos da letra S, principalmente em que há intercalação de dois sáficos emparelhados, entre dois heroicos ou vice-versa:

Em "As cismas do destino", I, 22:

    Era antes uma tosse ubíqua, estranha
S — Igual ao ruído de um calhau redondo
S — Arremessado no apogeu do estrondo,
    Pelos fundibulários da montanha!

Em "Os doentes", VIII, 1:

    Em torno a mim, nesta hora, estriges voam,
S — E o cemitério, em que eu entrei adrede,
S — Dá-me a impressão de um boulevard que fede,
    Pela degradação dos que o povoam.

Vejamos o mesmo processo existente na produção mediúnica: 54 e 55; 69, 71 e 72; 103 e 104; 117 e 118.

Subesdrúxulos:

Abundantíssimo em decassílabos, nos quais a sexta sílaba recai na tônica de proparoxítono, e a que poderíamos chamar subesdrúxulos, a distribuição desses versos nas estrofes, e, às vezes, nos poemas, obedece a determinadas características que interferem no ritmo da poesia de Augusto.
Algumas vezes houve acumulação de versos desse tipo na mesma estrofe, como em:

E no estrume fresquíssimo da gleba
Formigavam, com a símplice sarcode,
O vibrião, o ancilóstomo, a colpode,
E outros irmãos legítimos da ameba!
            ("Noite de um visionário", 13)

Bêbedo, os beiços na ânfora ínfima, harto,
Mergulho, e na ínfima ânfora, harto, sinto

O amargor específico do absinto
E o cheiro animalíssimo do parto!
                ("Mistérios de um fósforo", 6)

Então, do meu espírito, em segredo,
Se escapa, dentre as tênebras, muito alto,
Na síntese acrobática de um salto,
O espectro angulosíssimo do medo!
                (Idem, 16)

Aliás, o mesmo autor, em *Ritmo e poesia*,[23] depois de enfileirar novos exemplos do autor de *Eu*, diz o seguinte, de que o leitor pode se servir para fazer sua própria estatística na poesia mediúnica, não apenas do poeta paraibano, quanto da de Cruz e Souza:

> No "Monólogo de uma sombra", de Augusto dos Anjos, 55 entre 186 decassílabos (30%) são acentuados na 6ª sílaba, que é a tônica do proparoxítono. Em Cruz e Souza, no poema "Antífona", em 12 versos entre 44 (25%) se observa a mesma acentuação; note-se, entretanto, que, nos primeiros vinte versos, há nove cuja tônica em 6ª coincide com a de um proparoxítono.

Passemos aos exemplos mediúnicos, alguns deles apenas para não furtar ao leitor o prazer da pesquisa que ele mesmo possa empreender: 4; 8; 19; 30 e 31; 32; 43 e 44; 98 e 99; 161; 163; 165 e 166; 229 e 230; 234 e 235; 238, 239 e 241; 436; 444; 447; 449 e 450; 737; 739; 742 e 743; 747.

Estrofação:

> Pode-se dizer que a rima emparelhada é permanente na estrutura dos poemas de Augusto dos Anjos. Não há variedade nas combinações utilizadas nos sonetos. O tipo *abba abba ccd eed* é dominante nos sonetos e, como se vê, o emparelhamento é característico. Nas variantes que se

---

[23] M. Cavalcanti Proença, *Ritmo e poesia*. Rio de Janeiro: Edição da Organização Simões, 1955, p. 80 e 81.

apresentam, continua o fenômeno, pois apenas se nota a supressão do emparelhamento da rima final do primeiro quarteto com a inicial do segundo *abba baab*.

A fórmula *abab abab* é pouco frequente e, ainda assim, surge um caso de emparelhamento com a fórmula em *abab baba*.

Nos tercetos, as fórmulas em que não existe emparelhamento são pouco numerosas em *cde, cde* e mesmo raras em *cdc, ede*.

Essa predileção pode ser mais vivamente observada se considerarmos numericamente que, em 843 estrofes que constituem o livro (o autor se refere ao *Eu e outras poesias*), apenas 56 não possuem rimas emparelhadas.

No que concerne à estruturação das estrofes, o autor observa tão somente um exemplo, no poema "Numa forja", em que "o poeta abandona os moldes consagrados tradicionalmente para criar estrofes variadas e, então, a variedade se estende um pouco às rimas que se fazem sem norma simétrica".

Na poesia mediúnica, Augusto obedece ao mesmo processo utilizado quando entre os homens. Na "Voz do Infinito" e "Nas sombras", o esquema rímico é do tipo *abba*; em "Vozes de uma sombra", *aabccb*; em "Análise", idem; "Dentro da noite", idem; "Na imensidade" e "Aos fracos da vontade", idem. Todos os sonetos obedecem ao tipo manejado pelo poeta quando na Terra, e somente "Alter ego" e "A um observador materialista" justificam a observação de Proença, pois que evidenciam o esquema *abab abab*, salientando-se que os tercetos são do tipo que era frequentemente usado pelo poeta, *ccd eed*.

Rima:

Em geral o poeta se compraz nas rimas em -*ia* e -*ava* com abundância de pretéritos imperfeitos, de verbos da primeira e terceira conjugações no indicativo, gerúndios, particípios passados e todas essas rimas de boa vontade que se estão oferecendo, sem trabalho de busca. Aparecem, mesmo, formas que não se ajustam de todo e uma lista bem crescida pode ser enumerada: cachos — baixos; [...] falaz — mais; cave — Davy; beijos — realejos; [...] arroubos — lobos; bemóis — voz; [...] repouso — monstruoso; [...] moça — balouça; bodas — doudas; [...].

Embora o uso imoderado de esdrúxulos, somente 27 vezes empregou rimas dessa tonicidade, conseguindo, em alguns casos, resultados verdadeiramente magistrais:

Disse isto a Sombra. E ouvindo estes vocábulos,
Da luz da lua aos pálidos venábulos.

("Monólogo de uma sombra", 29) [...]

O maior número de rimas de categorias afastadas ocorre com substantivos e verbos em número de 151. Os demais se distribuem assim: substantivo e advérbio: 9; adjetivo e verbo: 59; adjetivo e advérbio: 9; adjetivo e preposição: 1; advérbio e verbo: 5; preposição e verbo: 1.
É claro que deixamos de registrar mais de uma vez as repetições como a de *triste* ou *resiste*, que aparece sete vezes, e bem assim os advérbios em *-mente* rimando sem esforço com nomes verbais em *-ente*.
Se considerarmos o total registrado por nós, ou seja, 234 pares de rimas de categorias afastadas, teremos que apenas 468 dos 3.351 versos do livro de Augusto dos Anjos fogem à vulgaridade fácil da rima, em que se situam os 2.883 restantes.

Na produção mediúnica, destacaremos unicamente aqueles casos mais expressivos, sempre com a preocupação de que o leitor mesmo verifique o quanto há de autêntico na poesia psicografada pelo médium Xavier: 77 e 78; 91 (sobre *abdômen*, cf. Antônio Houaiss, *Augusto dos Anjos — Poesia*, N. Cl., AGIR, 1960, p. 21, nota 30); 119 e 120; 133 a 136; 158 e 159; 185 e 186; 211, 214, 215, 218; 359 e 360; 380 e 381; 421 e 422; 433 e 434; 459 e 460; 562 e 563.

Aliteração:

O recurso implica no emprego de vocábulos aliterantes por si só e lá estão — bêbado, sucessivo, cinocéfalo, sensação, teleológica, foraminífero — ou pequenos conjuntos semânticos do tipo: mentira meteórica

— consiste essencialmente — fadiga feroz — medonha marca — forma falaz — ubérrimo húmus — humana mágoa — garganta estúpida — rígidos rochedos — tenros tinhorões — flâmeo fogo efêmero etc.

Anotemos alguns exemplos apenas dos inúmeros citados às p. 129 a 139, a maioria das aliterações de homorgânicas (*p* e *b*; *t* e *d*; *f* e *v*; *j* e *ch*; *k* e *g*; *j* e *z*), e de aliterações de grupos consonantais homorgânicos (*gr* e *gl*):

Dimin*uição dinâmica, derrota*
("Apocalipse", 1, 3)

Perfu*rava-me o peito a áspera pua*
("Os doentes", V, 4, 1)

Rasg*ue os broncos basaltos negros, cave,*
Sôfr*ego, o solo sáxeo; e, na ânsia ardente*
("O fim das cousas", 2)

Fazia *frio e o frio que fazia*
("Solitário", 2, 1)

Com respeito ao assunto, veja-se Antônio Houaiss (*Op. cit.,* p. 38 e 61, notas 93 e 152, respectivamente).

Sibilação:

O uso de sibilantes marca os versos do poeta, não só pelo uso de vocábulos que contenham o fonema *sê* ou equivalente fonético, mas ainda pelos abundantes superlativos -íssimo, os versos terminados em *s*, e o gosto pelas formas latinas ou latinizadas em *s* — *papirus, senectus, delirium tremens, virus, vit llus, ignis, sapiens, semens.*

Em seguida, o autor cita copiosos exemplos, dividindo-os em seis grupos, a saber:

a) a vogal tônica se apoia num *s* e o som sibilante é obtido com a própria vogal ou ditongos tônicos finais:
Da *miniatura singular de uma aspa*
"As cismas do destino II", 7, 2 [...]

b) a última vogal tônica não é apoiada em *s*, mas a sílaba seguinte se inicia por *ss* ou equivalente (ç, c):
Levan*do, apenas, na tumbal carcaça*
"Solitário", 41, 1 [...]

c) à vogal tônica, nas mesmas condições do grupo *b*, segue-se a consonância *z* ou *s* intervocálico. [...]
Iríamo*s a um país de eternas pazes*
"A Ilha de Cipango", 8, 4 [...]

d) à vogal tônica, apoiada por consoante que não seja *s*, segue-se uma sílaba iniciada por *s* ou equivalente gráfico:
No rangido de todas as enxárcias
"A Nau", 4, 3 [...]

e) a vogal tônica vem precedida de *ss, z* ou equivalentes. Neste caso pode haver coincidência com os casos descritos em *a, b, c* e *d*:
E eu me encolhia todo como um sapo
"As cismas do destino" II, 22, 3 [...]

f) o vocábulo final termina em *s* ou *z*. Incluem-se neste grupo os versos encerrados por oxítonos, terminados ou não em ditongos, e cuja letra final é *s* ou *z*. [...]
A es*cala dos latidos ancestrais*
"Viagem de um vencido", 20, 6 [...]"

Finalmente, o autor demonstra a estatística surpreendente no que se relaciona à sibilação, conforme os grupos: a–188; b–162; c–159; d–96; e–449; f–1.014 e conclui dizendo:

Ao todo 1.559 casos em 2.300 versos. Se considerarmos que na soma estão incluídas apenas as palavras finais dos versos, e que muitas delas condensam vários tipos de sibilação, podemos dizer, sem medo de errar, que, no cicio dos *ss*, Augusto dos Anjos encontrava, consciente ou inconscientemente, uma nota dominante de sua música.

Com vistas ao impositivo de não ocuparmos mais espaço deste já longo estudo, rogamos ao leitor nos dispense de citar os exemplos, mesmo porque as aliterações e, especialmente, as sibilações, nas poesias mediúnicas, saltam aos olhos.

Densidade:

Aí está por que no termo técnico reside uma das forças da poesia de Augusto dos Anjos — a densidade.
Essa densidade é acrescida, no campo formal, pela sinérese violenta, de que há exemplos quase em cada página, e que possibilita aumentar o número de palavras contidas no verso:

Bruto, de errante rio, alto e hórrido urro
"Os doentes", II, 5, 1

A estéril terra e a hialina lâmpada oca
"As cismas do destino II", 22 [...]

Abundantíssimos, em todo o livro, os ditongos crescentes [...]:
Meu raciocínio enorme te condena
"As cismas do destino II", 30, 4

Trazes, por perscrutar (oh! Ciência louca!)
Idem, II, 2,3 [...]

Curioso: Num poeta que contrai violentamente os vocábulos, a ponto de fundir quatro vogais em uma sílaba, como no verso "E a alga critógama e a úsnea e o cogumelo" — que conta uma sílaba em *país* e duas em *raízes* ou *roído*, encontramos hiatos inesperados como estes que não serão os únicos:

Por sobre todo/ o meu raciocínio
　　　"Gemidos de Arte", 6

O amor, poeta, é como a cana azeda
　　　"Versos de amor", 1 [...]

Outro fator de densidade é a frequência extraordinária de consoantes mudas, aumentando a constrição do verso. Tanto é verdade essa constrição que, se tomarmos como sílabas perfeitas as consoantes desacompanhadas de vogal, grande número de versos passarão a ter mais de dez sílabas, distribuídas em segmentos proporcionais, como se vê nestes exemplos colhidos ao acaso, entre os muitos do livro:

7 — 4: *Imperceptivelmente/ em nosso quarto*
　　　"O morcego", 4, 3

4 — 7: *Que força pôde/ adstrita e ambições informes*
　　　"Versos a um cão", 1, 1

7 — 3: *Como as estalactites/ de uma gruta*
　　　"A ideia", 1, 4

3 — 7: *Cai de incógnitas/ criptas misteriosas*
　　　"A ideia", 1, 3

6 — 4: *Realizavam-se os partos/ mais obscuros*
　　　"Idealização da Humanidade futura", 2, 3

4 — 6: *A criptógama/ cápsula se esbroa*
　　　"Budismo moderno", 2, 3

6 — 6: *Do éter em branca luz/ transubstanciado*
　　　"Trevas", 3, 2

5 — 5: *Clara, a atmosfera/ se encherá de aromas*
　　　"Mater", 6, 1 [...]"

Depois de afirmar que nos maiores poetas aparece o suarabácti, citando um exemplo de Gonçalves Dias, conclui M. C. Proença: "Em Augusto dos Anjos, no verso — *A luz descreve zigzags tortos* — o *g* foi contado como sílaba; em outro poema, a rima de *iceberg* e *ergue* mostra que para o poeta o *g* desapoiado de vogal soava como sílaba perfeita".

E, agora, paciente leitor, passemos aos nossos exemplos mediúnicos: 9; 11; 14; 15; 19 (hiato); 34 (De i/deia/ que es/te/ri/li/za e/ de/ sen/si/na); 78; 91; 104 (Té/a/tingir/a e/volução dos seres — caso de aférese); 115; 126 (O/ân/gulo o/b/tu/so e o ân/gulo reto — consideramos *ob* em duas sílabas — o/*bi* (suarabácti), julgando tratar-se de um decassílabo heroico; 137; 138; 164; 176; 177; 178; 186; 187; 209; 267; 289; 290; 293; 294; 309 (Nas/gri/ *lhe*/tas do In/fi/ni/te/si/*mal* — decassílabo medieval dos mais expressivos); 312; 313 (*atentemos para os casos de diérese e sinérese no mesmo verso); 374; 382; 391; 412; 421; 459 (este verso deve ser lido assim: Não/sou/ o ho/mun/c'lo/ da ho/mi/ nal/es/pé/cie* — um sáfico que exigiu a síncope de *homúnculo*); 495; 496; 516; 521; 532; 547; 609 (outro belíssimo exemplo de suarabácti); 630; 637; 658; 733.

Enjambements:

Quando uma unidade sintática se escoa de verso para o seguinte, é contida na 4ª ou 6ª sílaba deste, nunca em 5ª ou 7ª.
Contenção em 4ª:

Não sei que livro, em letras garrafais
Meus olhos liam: /No húmus dos monturos...
"Idealização da Humanidade futura", 2

Sofro aceleradíssimas pancadas
No coração!
"O poeta do hediondo", 1 [...]

Contenção em 6ª:
> *Na austera abóbada alta o fósforo alvo*
> *Das estrelas luzia.*
>> "As cismas do destino I", 2 [...]

Contenção em 8ª:
> É a Subconsciência que se transfigura
> *Em volição conflagradora.*
>> "Guerra", 2 [...]

Finalmente, pode haver escoamento de um verso por todo o seguindo, como em:
> Que um dia, no ano trágico de mil
> E setecentos e cinquenta e cinco
>> "Duas estrofes", 1 [...]

Outras vezes, uma quadra é uma sucessão de *enjambements*, como em "Hino à dor":
> És suprema. Os meus átomos se ufanam
> De pertencer-te, oh! Dor,/ ancoradouro
> Dos desgraçados/ sol do cérebro, ouro
> De que as próprias desgraças se engalam!

ou em "Mistérios de um fósforo":
> Pego de um fósforo. Olho-o. Olho-o ainda. Risco-o
> Depois. E o que depois fica e depois
> Resta é um ou, por outra é mais de um, são dois
> Túmulos dentro de um carvão promíscuo.

São tantos os exemplos, nos poemas mediúnicos, que nos abstemos, de propósito, de qualquer citação, lembrando ao leitor que já na primeira estrofe de "Voz do Infinito" os *enjambements* ou cavalgamentos se precipitam em catadupa, para a nossa própria edificação.

Justaposição de tônicas:

O uso das tônicas internas muitas vezes provoca o alongamento do verso pela sua justaposição; a pontuação permite essa proximidade, e o uso de duas tônicas sucessivas nas cesuras principais estrutura versos em que a 4ª e 5ª, ou a 5ª e a 7ª são acentuadas:

4ª e 5ª — O lodo, apalpa a úlcera cancerosa
"Gemidos de arte I", 9, 3 [...]

6ª e 7ª — Que me fizera em vez de hiena ou lagarta
"Os doentes IX", 2, 2

Por saibros e por cem côncavos vales
"Gemidos de arte III", 3, 2 [...]

6ª, 7ª e 8ª — Abafa o ambiente. O aziago ar morto a morte
"Gemidos de arte III", 2, 2

Das dezenas de exemplos, destacaremos apenas os seguintes: 4; 39; 40; 43; 56; 64; 178; 190; 204; 278; 499; 511; 608; 671; 745.

Licenças:

M. Cavalcanti Proença, além de se deter em algumas palavras como, por exemplo, reptil, reptis (oxítonos), enumera as demais em ordem alfabética: aljâmia, ariéte, báfio, Ésquilo (nome próprio), hetaíra, ômega, periferia.

Na produção mediúnica, dentre outros, eis os principais, encontrados nos seguintes versos: 29; 74; 137; 272; 422; 562; 686.

Aposição:

É a comparação, introduzida sob a forma de aposto ou de vocativo, fenômeno particular dentro do uso da aposição, frequentíssima em todo o livro. Faz sua primeira aparição em "Psicologia de um vencido", o 4º poema do livro e, daí por diante, se torna frequente em poemas e sonetos, como vamos exemplificar:

Já o verme — este operário das ruínas
    "Psicologia de um vencido", 3

Cão! — Alma de inferior rapsodo errante
    "Versos a um cão", 3

O Espaço — esta abstração spenceriana
    "As cismas do destino III", 28

Via Deus — essa mônada esquisita
    "Sonho de um monista", 2

Que a morte — a costureira funerária
    "Asa de corvo", 4

Teus olhos — fontes de perdão — perdoaram
    "A um carneiro morto", 3

Por intermédio de Chico Xavier, os exemplos principais, praticamente todos com vírgula em lugar do travessão: 98; 207; 240; 344; 401; 415; 515; 579; 582; 607; 610; 637.

Depois de percorrer tão extenso caminho, resta-nos apenas indicar modesta trilha bibliográfica que deverá ser perlustrada pelos estudiosos do assunto, considerando-se que o espaço de que dispomos, de há muito se exauriu:
De Castro e Silva, *Augusto dos Anjos — O poeta e o homem,* Belo Horizonte, 1954 (à p. 94, transcrição do soneto "Aos investigadores da verdade", psicografado por um amigo do autor; "que mo ofereceu, e que o dou à publicidade, curiosamente apenas, sem nenhuma responsabilidade

de minha parte, no que toca à verdade literária do poeta, nem à credulidade de sua origem";

Lêdo Ivo, "As diatomáceas da lagoa", *Revista do Livro*, nº 20, ano V — dezembro — 1960, MEC/INL, p. 61 a 66;

M. Cavalcanti Proença, "Nota para um rimário de Augusto dos Anjos", *Revista do Livro*, nº 7, ano II — setembro — 1957, MEC/INL, p. 29 a 39;

Fernando Góes, *Panorama da poesia brasileira — O Pré-Modernismo*, vol. V, Civilização, Rio de Janeiro, 1960, p. 62 a 87;

Fausto Cunha, *A luta literária*, Editora Lidador Ltda., Rio de Janeiro, 1964, p. 79 a 86. (Logo à p. 80, Fausto Cunha se insurge contra os médiuns (*sic*) que psicografaram a obra póstuma do poeta, taxando-a de "estúpida na sua contrafação grosseira". Não será esta uma afirmação gratuita, inteiramente despida de espírito genuinamente crítico, conquanto surja de pena tão privilegiada?)

Finalmente, e seria ultrapassar os limites do abuso prosseguir falando de Augusto dos Anjos, sugerimos ao leitor o reexame do *Eu — Outras Poesias — Poemas Esquecidos*, texto e nota — Antônio Houaiss; Elogio de Augusto dos Anjos — Orris Soares; notas biográficas — Francisco de Assis Barbosa, Livraria São José, Rio de Janeiro, 1965 — realmente uma obra digna do Poeta da Morte.

Auta de Souza

Nascida em 12 de setembro de 1876, em Macaíba (RN), desencarnou em 7 de fevereiro de 1901, aos 24 anos, em Natal. Deixou um único livro, *Horto*, cuja primeira edição, prefaciada por Olavo Bilac, em outubro de 1899, apareceu em 1900 e se esgotou em três meses. A segunda edição, feita em Paris, em 1910, traz uma biografia da autora por H. Castriano. Finalmente, teve uma terceira edição no Rio de Janeiro, em 1936, prefaciada por Alceu de Amoroso Lima. Espírito melancólico, sofredor, muito místico. Seu estilo simples e triste se reproduz perfeitamente nestes versos mediúnicos.

Almas dilaceradas

Quando, em dores, na Terra inda vivia
Caminhando em aspérrimas estradas,
Via presas do pranto e da agonia,
Almas feridas e dilaceradas.

Escutava a miséria que gemia
Dentro da noite de ânsias torturadas,
Treva espessa da senda tão sombria
Das criaturas desesperançadas.

E eu, que era irmã dos grandes sofredores,
Sofria, crendo que tais amargores
Encontrariam termos desejados.

E confiada na crença que tivera,
Cheguei à luz da eterna primavera,
Onde há paz para os pobres desgraçados.

Contrastes

Existe tanta dor desconhecida
Ferindo as almas pelo mundo em fora,
Tanto amargor de espírito que chora
Em cansaços nas lutas pela vida;

E há também os reflexos da aurora
De ventura, que torna a alma florida,
A alegria fulgente e estremecida,
Aureolada de luz confortadora.

Há, porém, tanta dor em demasia,
Sobrepujando instantes de alegria,
Tal desalento e tantas desventuras,

Que o coração dormente, a pleno gozo,
Deve fugir das horas de repouso,
Minorando as alheias amarguras.

MÁGOA

Muitas vezes sonhei na Terra ingrata
O paraíso doce da ventura,
Vendo somente o espinho da amargura
Que as nossas tristes lágrimas desata;

Somente a dor intérmina que mata
A alegria mais lúcida e mais pura,
O veneno da acerba desventura
Que fere em nós a aspiração mais grata.

Se apenas vi, porém, a mágoa intensa
Que rouba a luz, o amor, a paz e a crença,
É que a dor da minh'alma em tudo eu via.

E aumentava minha íntima tristeza
Vendo em tudo, na própria Natureza,
A mesma dor que eu tanto padecia.

Hora extrema

Quando exalei meus últimos alentos
Nesse mundo de mágoas e de dores,
Senti meu ser fugindo aos amargores
Dos meus dias tristonhos, nevoentos.

A tortura dos últimos momentos
Era o fim dos meus sonhos promissores,
Do meu viver sem luz, sem paz, sem flores,
Que se extinguia em atros sofrimentos.

Senti, porém, minh'alma sofredora
Mergulhada nas brisas de uma aurora,
Sem as sombras da dor e da agonia...

Então parti, serena e jubilosa,
Em demanda da estrada esplendorosa
Que nos conduz às plagas da harmonia!

Em paz

Tanto roguei a paz consoladora,
Durante os meus amargos sofrimentos,
Elevando a Jesus meus pensamentos,
Que recebi a paz confortadora!...

Sentindo-me feliz, ditosa agora,
Nessas paragens de deslumbramentos,
Onde terminam todos os tormentos
Que inundam de amargor a alma que chora.

Jesus! doce Jesus meigo e bondoso,
Quanto agradeço a paz que concedestes
Ao meu viver tristonho e doloroso!

E desse lindo oásis encantado,
Canto de luz dos páramos celestes,
Bendigo o vosso amor ilimitado!

EM ÊXTASE

Aos teus pés, meu Jesus, a vida inteira,
Abrasada de amor eu viveria,
Sorvendo a luz no cálix da harmonia,
Em paz serena, eterna e derradeira!...

Por teu amor, Jesus, inda quisera
Volver ao pó da carne dos mortais,
Para cantar a terna primavera
Do teu amor nas lutas terrenais,

Depois da treva espessa da amargura:
Para exaltar as luzes que me deste
Na cariciosa e doce paz celeste,
Meu tesouro de fúlgida ventura;

Para contar tua bondade imensa
Aos meus irmãos, os homens pecadores,
Mergulhados na noite da descrença,
Nos abismos dos males e das dores;

Para falar a todas as criaturas,
Da tua alma esplendente de bondade,
Afastando as amargas desventuras
Do coração da pobre Humanidade!

Aos teus pés, meu Jesus, a vida inteira,
Abrasada de amor eu viveria,
Sorvendo a luz no cálix da harmonia,
Em paz serena, eterna e derradeira!...

Mãe

Ó minha santa mãe! era bem certo
Que entre as preces maternas estendias
As tuas mãos sobre os meus tristes dias,
Quando na Terra — que era o meu deserto.

Nos instantes de dor, bem que eu sentia
As tuas asas de Anjo da Ternura,
Pairando sobre a minha desventura
Feita de prantos e melancolia.

Flor ressequida eu era, e tu o orvalho
Que me nutria, pobre e empalecida;
Era a tua alma a luz da minha vida,
Meu tesouro, meu dúlcido agasalho!...

Ai de mim sem a tua alma bondosa,
Que me dava a promessa da esperança,
Raio de luz, de amor e de bonança,
Na escuridão da vida dolorosa.

E que felicidade doce e pura,
A que senti após a treva e a morte,
Findo o terror da minha negra sorte,
Quando vi teu sorriso de ventura!

Então, senti que as Mães são mensageiras
De Maria, Mãe de anjos e de flores,
E Mãe das nossas Mães cheias de amores,
Nossas meigas e eternas companheiras!...

Prece

Estendei vossa mão bondosa e pura,
Mãe querida dos fracos pecadores,
Aos corações dos pobres sofredores
Mergulhados nos prantos da amargura.

Derramai vossa luz, toda esplendores,
Da imensidade, da radiosa altura,
Da região ditosa da ventura,
Sobre a sombra dos cárceres das dores!

Ó Mãe! excelsa Mãe de anjos celestes,
Mais amor, desse amor que já nos destes,
Queremos nós em cada novo dia;

Vós que mudais em flores os espinhos,
Transformai toda a treva dos caminhos
Em clarões refulgentes de alegria.

Adeus

O sino plange em terna suavidade,
No ambiente balsâmico da igreja;
Entre as naves, no altar, em tudo adeja
O perfume dos goivos da saudade.

Geme a viuvez, lamenta-se a orfandade;
E a alma que regressou do exílio beija
A luz que resplandece, que viceja,
Na catedral azul da imensidade.

"Adeus, Terra das minhas desventuras...
Adeus, amados meus..." — diz nas alturas
A alma liberta, o azul do céu singrando...

— Adeus... — choram as rosas desfolhadas,
— Adeus... — clamam as vozes desoladas
De quem ficou no exílio soluçando...

Almas

Ó solitário das estradas,
Desventurado pensador,
Há no caminho "almas penadas"
Que vão clamando desoladas
A dor e o pranto, o pranto e a dor!...

Vós, que o silêncio amais no mundo,
Em orações ao pé do altar,
Sob as arcadas silenciosas,
Almas feridas, desditosas,
Oram convosco a soluçar.

Ao descansardes, meditando,
À sombra de árvores em flor,
Sabei que às vezes sois seguidos
Pelas angústias dos gemidos,
De almas chagadas no amargor.

Clareie a luz do sol nascente,
Negreje a treva na amplidão,
Gemem na Terra muitos seres
Pelos amargos padeceres
Depois da morte, na aflição.

Dai-lhes dos vossos pensamentos
Consolação que adoce a dor,
Dai um conforto à desventura,
A prece cheia de ternura,
Algo de afeto, algo de amor!...

Almas de virgens

Andam sombras errando abandonadas
Ao pé das lousas e das covas frias,
Almas de pobres freiras desamadas,
Perambulando pelas sacristias.

Almas das que não foram desposadas,
Como bandos de rolas erradias,
Angélicas visões de bem-amadas,
Mortas na aurora rútila dos dias...

Virgens mortas! Tristíssimas oblatas
De um sacrário de luz piedoso e santo,
Que sonhais entre os tálamos celestes,

Entoai nos céus as tristes serenatas
Com as vossas roxas túnicas de pranto,
Cantando à luz do amor que não tivestes!...

CARTA ÍNTIMA

Escuta, meu irmão! Pelo caminho
Da miséria terrestre, há muitas dores;
Muito fel, muita sombra, muito espinho,
Entre falsos prazeres tentadores.

Há feridas que sangram... Há pavores
De órfãos sem lar, sem pão e sem carinho:
Confortemos os pobres sofredores,
Almas saudosas do Celeste Ninho!

Jesus há de sorrir com o teu sorriso,
Quando faças no mundo o bem preciso,
Pelo que sofre em desesperação.

Todo o bem que plantares nessa vida,
Há de esperar tua alma redimida
Nos caminhos de luz e redenção!

Maria

Toda a expressão de ternura
Do mundo de provação,
Nos Céus ditosos procura
A sua excelsa afeição.

Consolo das mães piedosas,
Cheias de mágoa e de pranto,
Sobre quem atira as rosas
Do seu Amor sacrossanto.

Ninguém diz, ninguém traduz
Essa visão da Harmonia,
Visão de paz e de luz,
Paz dos Céus! Ave-Maria!

Mensagem fraterna

Meu irmão: Tuas preces mais singelas
São ouvidas no espaço ilimitado,
Mas sei que às vezes choras, consternado,
Ao silêncio da força que interpelas.

Volve ao teu templo interno abandonado,
— À mais alta de todas as capelas —
E as respostas mais lúcidas e belas
Hão de trazer-te alegre e deslumbrado.

Ouve o teu coração em cada prece.
Deus responde em ti mesmo e te esclarece
Com a força eterna da consolação;

Compreenderás a dor que te domina,
Sob a linguagem pura e peregrina
Da voz de Deus, em luz de redenção.

Vinde!

Todo anseio da crença acalma as dores,
Toda prece é uma luz para quem chora,
A oração é o caminho cor de aurora
Para o sonho dos pobres pecadores!...

Ó corações que a lágrima devora!
Vinde, através dos rudes amargores,
Cantar na luz dos grandes esplendores
Vossa iluminação de cada hora!...

Vinde rememorar no espaço infindo,
Neste Lar de Jesus, ditoso e lindo,
As desventuras para bendizê-las...

Feliz o coração sereno e forte,
Que triunfa da lágrima e da morte,
Palpitando na esfera das estrelas!...

O Senhor vem...

E eis que Ele chega sempre de mansinho.
Haja sol, faça frio ou tempestade;
Veste o manto do amor e da verdade,
E percorre o silêncio do caminho.

Vem ao nosso amargoso torvelinho,
Traz às sombras da vida a claridade,
E os próprios sofrimentos da impiedade
São as bênçãos de luz do seu carinho.

Como o Sol que dá vida sem alarde,
Vem o Senhor que nunca chega tarde,
E protege a miséria mais sombria.

Ele chega. E o amor se perpetua...
É por isso que o homem continua
Ressurgindo da treva a cada dia.

Comentários de Elias Barbosa

Antes de quaisquer considerações de ordem estilística, observemos alguns dados estatísticos como preâmbulo à nossa modesta disquisição.

Percorrendo o *Horto*,[24] as 256 páginas da 4ª edição, analisamos:
37 poemas em redondilha maior;
38 sonetos (36 títulos);
30 poemas em versos decassílabos;
31 poemas de metros variados (desde tetrassílabos a alexandrinos);
Total geral de poemas: 167 (incluindo o caderno de *Inéditos — Primeiros Versos —*, que vai da p. 219 a p. 248).

Além dos citados poemas, consultamos os sonetos "Extinto" e "Reminiscência", que não foram incluídos no *Horto* e que pertenciam a um primeiro livro *Dálias*, segundo informa Luís da Câmara Cascudo, no seu livro *Vida breve de Auta de Souza.*[25]

Por meio das vias medianímicas, Auta de Souza comparece com:
doze sonetos, todos em decassílabos;
dois poemas em versos decassílabos, dispostos em estrofes de quatro versos;
dois poemas de versos octassílabos, dispostos em estrofes de cinco versos;
um poema em redondilha maior (três quadras).
Total de versos: 253.

Se tomarmos por base o *Horto,* que apresenta um total geral de 167 poemas e 165 títulos [porque "*Never More*" (p. 199 e 200) e "Tudo Passa" (p. 209 e 210) se dividem em dois sonetos cada um], verificamos que a autora, no Além, continua preferindo a forma fixa do soneto às demais formas poéticas, de modo geral, adotando a mesma estrutura rítmica e estrófica e, curioso que pareça, com a mesma temática, como se pode inferir do belíssimo estudo do *Horto* feito por Antônio de Pádua, no setor das imagens, chegando a concluir: "Todo o seu livro — pensamento e forma — está impregnado de suave religiosidade".

---

[24] Auta de Souza, *Horto*, 4. ed., Fundação José Augusto, Natal, 1970, com prefácio à 3ª edição de Alceu Amoroso Lima (Tristão de Athayde); prefácio da 1ª edição de Olavo Bilac e uma "Nota", ao final do volume, de seu irmão H. Castriciano, datada de Paris, 4 de agosto de 1910.
[25] Edmundo Lys, "Canto dos Poetas", "Joias do Soneto Feminino". Brasília: Correio Braziliense – (Feminino), 16-2-1969, p. 3.

Detenhamo-nos em alguns elementos estruturais da poesia da "Cotovia Mística das Rimas", como a chamou Francisco Paula:

1. *Esquema rímico* — Dos 38 sonetos do *Horto*, dezenove apresentam o seguinte esquema: *abba-abba-ccd-eed*, e um apenas com esta disposição: *abba-baab-cce-eed* (à p. 132 — "Bendita", escrito em Jardim — 1893). Praticamente são vinte com esquemas semelhantes. Os demais sonetos da obra famosa apresentam o esquema: *abab-abab-ccd-eed*.

Como exemplo do primeiro processo, citaremos um dos poucos sonetos de amor da poetisa norte-riograndense:

Extinto

Não me perguntes se te amei nem quanto
Meus pobres olhos hão por ti chorado.
Ai! não queiras saber se foste amado
Entre sorrisos, se da dor no pranto.

Não queiras não. Eu te adorava tanto,
Que o meu Amor em tempo já passado
Maior era que o mundo e tão sagrado
Como as ondas do mar sereno e santo.

Hoje não te amo mais. Quero desfeito
Todo um passado que me trouxe ao peito
Dores eternas, lágrimas sem fim...

Quanto chorei por ti! Às vezes penso
Que além no Azul talvez o Céu imenso
Em noites sem luar não chore assim!

Do segundo processo, citaremos apenas os dois quartetos de "Bendita" (*Horto*, p. 132):

Bendita sejas, minha mãe, bendito
Seja o teu seio, imaculado e santo,

Onde derrama as gotas de seu pranto
Meu dolorido coração aflito.

Ó minha mãe, ó anjo sacrossanto,
Bendito seja a teu amor, bendito!
Ouve do Céu o amargurado grito
Cheio da dor de quem soluça tanto.

Às páginas 26, 67 e 117, encontram-se os sonetos que contêm os tercetos na disposição cdc-ede. Observemos a parte final do belíssimo soneto "Lídia", dedicado a Esther (p. 67):

Feliz de quem se vai na tua idade,
Murmura aquele que não crê na vida,
E não pensa sequer na mãe querida
Que te contempla cheia de saudade.

Pobre inocente! Se alegrar quem há de
Com tua sorte, rosa empalecida!
Branca açucena inda em botão, caída,
O que irás tu fazer na eternidade?

Foges da terra em busca de venturas?
Mas, meu amor, se conseguires tê-las,
Decerto, não será nas sepulturas.

Fica entre nós, irmã das andorinhas:
Deus fez do Céu a pátria das estrelas,
Do olhar das mães o Céu das criancinhas.

Ora, vejamos bem que os sonetos mediúnicos guardam as mesmas características estruturais: "Vinde!" e "Mensagem Fraterna" pertencem ao *esquema II*; "Em Paz", ao *esquema III*; e os demais, ao *esquema I*.

2. Temática — Não nos sendo possível fazer transcrições, remetemos o leitor às páginas 234, 244 e 247 do *Horto*, a fim de que observe o quanto estão entrosados os poemas de ontem com o soneto "Mágoa" de hoje.

"Almas virgens", a nosso ver, um dos mais belos sonetos da língua portuguesa, preenche todos os requisitos do espírito que perpassa pelo *Horto*, tão bem sintetizado por Alceu Amoroso Lima no prefácio da obra:

> E esse sentimento de absoluta pureza é o que mais encanta nos seus poemas. Auta de Souza viveu em estado de graça e os seus versos o revelam de modo evidente. Daí o grande lugar que ocupa em nossa poesia cristã, em cuja cordilheira sempre há de ser um dos altos mais puros e mais solitários (p. 11).

⁂

Finalmente, algumas quadras da "Cotovia Tristíssima do Norte", para entendermos o porquê do conjunto de três quadras, intitulado "Maria":

> Se eu fosse rapaz, pequena,
> E me casasse algum dia,
> Só amava uma morena
> Que se chamasse Maria.

⁂

> O nome traz alegrias
> Sem uma gota de fel,
> O coração das Marias
> É todo cheio de mel.

⁂

> "Mentira" — alguém me dizia —
> O nome engana também;
> Eu conheço uma Maria
> Que não quer bem a ninguém.

Quem dera que eu fosse lírio,
Ó minha Virgem Maria!
Ao menos, esse martírio
Durava somente um dia.

Quando eu morrer, vou assim:
Sustendo meu coração...
Saudade da terra? Sim!
Saudade da vida? Não!

(Trovas XX, XXI, XXII, XXIV e XXV, p. 207 e 208.)

B. Lopes

Nasceu Bernardino da Costa Lopes em Boa Esperança, município de Rio Bonito (RJ), em 19 de janeiro de 1859, falecendo em 1916, no Rio de Janeiro, quando funcionário do Correio-Geral. Notabilizou-se no gênero descritivo, ficando célebre com o seu livro *Cromos* (1881).

Miragens celestes

I

Sublimes atmosferas,
Luminosas, rarefeitas,
Sem as medidas estreitas
Das horas que marcam eras.

E as almas puras, eleitas,
Quais flores das primaveras,
Buscando vão as esferas
Das alegrias perfeitas.

Vão todas, espaço em fora,
Como lírios cor da aurora,
Modeladas pela dor.

E onde passam sorridentes
Abrem-se rosas virentes,
Rosas de paz e de amor.

II

Uma campina de flores
Em pleno espaço infinito,

Onde desperta um precito
De um pesadelo de dores.

Envergara o sambenito
Dos pedintes sofredores,
Vivera entre os amargores
De um sofrimento bendito.

E nessa etérea campina
Recebe a esmola divina,
Nesse batismo de luz;

Recebendo entre outros gozos,
Dos lábios de anjos formosos,
O ósculo de Jesus.

CROMOS

I

Na alcova desguarnecida,
Sobre uma enxerga, a doente
Soluça como quem sente
O fim nevoento da vida.

Beija-lhe a filha inocente,
Minúscula, embevecida,
Mirando-a enternecida,
Dizendo-lhe docemente:

— "Não chores mais mamãezinha:
Vou dar minha bonequinha
À santa lá do altar;

E com esta minha promessa,
Ela há de vir bem depressa
Para a senhora sarar."

II

O mendigo desprezado
Olha as estrelas e chora,

Pois sente que se enamora
Do firmamento estrelado.

Ao seu Jesus bem-amado,
Cheio de lágrimas, ora,
E pede, suplica, implora
Perdão para o seu pecado.

Veem-se raios formosos,
Dimanando luminosos,
Do clarão da sua fé;

E lá dos céus abençoa
Sua alma singela e boa,
O Jesus que ele não vê.

Comentários de Elias Barbosa

Figurando entre os parnasianos e simbolistas, nada melhor que o soneto de Brasil dos Reis, incluído no seu livro *Belopeanos* e citado no livro *Um poeta singular, B. Lopes*, (1949), de Renato de Lacerda, para que possamos compreender o boêmio mais pitoresco e mais produtivo que tivemos, antes de Patrocínio, no dizer de Andrade Muricy:[26]

Para cantar fidalgas e princesas,
gentes de prol, donzéis e espadachins,
teve B. Lopes raras sutilezas
e a alma inspirou nos lírios e jasmins.

Nos seus versos perpassam dogaresas,
condessas e fidalgos galopins,
rainhas, damas de insólitas nobrezas,
farfalhando veludos e cetins.

---

[26] Andrade Muricy. *B. Lopes — Poesia* — N. Cl., nº 63. Rio de Janeiro: Agir, 1962, p. 10.

Seu verso, então, relembra as eras priscas:
o amor de um pajem pela sua dama
ou o amor sensual das odaliscas.

Mas, se foi nobre o poeta em seus Brasões,
Nos Cromos a alma sobre nós derrama
e enche de enlevo os nossos corações.

※

Diz Mello Nóbrega, em "Evocação de B. Lopes",[27] sobre o autor de *Cromos*: "B. Lopes criara, entre nós, novo gênero poético: os pequenos poemas pictóricos, inspirados em ambientes da roça, interiores pobres, cenas de família, festas populares, a lembrar as figuras litografadas e recortadas que fizeram o encanto de nossa pequena burguesia, em cartões-postais e calendários de parede, no fim do século passado e começo deste — os cromos". À página 117, transcreve uma série de versos "ocos de sentido e faltos de bom gosto".

※

Os sonetilhos mediúnicos, dentro do esquema rímico que era habitual ao poeta — *abba-abba-ccd-eed* — guardam muita semelhança com os seguintes, deixados na obra terrena:

Na alcova sombria e quente,
Pobre demais, se não erro,
Repousa um moço doente
Sobre uma cama de ferro.

Pede-lhe baixo, inclinada,
Sua mulher — que adormeça,
Em cuja perna curvada
Ele reclina a cabeça.

Vem uma loira figura
Com a colher da tintura,
Que ele recusa, num ai!

---
[27] Mello Nóbrega, *Revista do Livro*, nº 12, ano III — dezembro — 1958 — "Evocação de B. Lopes", p. 116.

Mas o solícito anjinho
Diz-lhe com riso e carinho:
— Bebe que é doce, papai!

(*Apud* Andrade Muricy, *op. cit.*, p. 24, soneto XXV.)

O casebre esburacado
É pobre como senzala;
Tem mesmo o fogo na sala
E a picumã no telhado.

Habita-o o casal de pretos...
Vê-se no canto metido
Um oratório encardido
E atrás da porta uns gravetos.

Reina o silêncio. Anoitece.
Reza a mulher, de mãos postas
O dia a um santo oferece...

Entre as ingás bem dispostas
O proletário aparece
Com a ferramenta nas costas.

(Idem, p. 25, soneto XXXVIII.)

Batista Cepelos

Poeta paulista, desencarnou no Rio de Janeiro, em 1915, atribuindo-se a suicídio o encontro do seu corpo entre pedras de uma rocha, na rua Pedro Américo. Esta versão parece confirmar-se agora nestes sonetos. Olavo Bilac, ao prefaciar-lhe *Os bandeirantes*, exalta-lhe o estro espontâneo, original e simples.

Sonetos

I

Eu fui pedir à Natureza, um dia,
Que me desse um consolo a tantas dores;
Desalentado e triste, pressenti-a
Cansada e triste como os sofredores.

Encaminhei-me à porta da Agonia,
Corroído por chagas interiores,
Buscando a morte que me aparecia
Como o termo anelado aos dissabores,

Desvendando esse trágico segredo
Que a alma decifra, pávida de medo,
Com ansiedade e temores dos galés...

Mas ah! que atroz remorso me persegue!
Choro, soluço, clamo e ele me segue
Nesse abismo que se abre ante os meus pés.

II

Ninguém ouve na Terra esse lamento
Da minha dor imensa, incompreendida,

Nas pavorosas trevas desta vida
Em que eu julgava achar o Esquecimento.

Tenebrosa, essa noite indefinida,
Cheia de tempestade e sofrimento,
No país do Pavor e do Tormento
Onde chora a minh'alma enceguecida.

Onde o não-ser, a paz calma e serena,
Que me traria o bálsamo a esta pena
Interminável, rude, dolorosa?

Ninguém! Uma só voz não me responde!
Sinto somente a treva que me esconde
Na vastidão da noite tormentosa...

III

Sirva-vos de escarmento a dor que trago
Na minh'alma infeliz e sofredora,
Este padecimento com que pago
O desvio da estrada salvadora.

Aqui somente ampara-me esse vago
Pressentimento de uma nova aurora,
Quando terei os bens, o brando afago
Da Luz, que está na dor depuradora.

Agora, sim! depois de tantos anos
De tormentos, em meio aos desenganos,
Espero o sol de novas alvoradas

De existências de pranto e de miséria,
Para beber no cálix da matéria
As essências das dores renegadas!

Comentários de Elias Barbosa

Elemento sem dúvida empobrecedor do fluxo poético, o uso de comparações em vez das próprias imagens, encontramos na obra terrena de Batista Cepelos o uso abusivo de tal recurso estilístico, além do *enjambement* de que se servia com mão de mestre.

Se ontem, no famoso soneto "O fundador de S. Paulo", comparou a imensa populaça a ondear "como um rio"; a riqueza na praça circulando "como um sangue", não obstante a belíssima imagem

E, maculando o olhar azul do firmamento,
Erguem-se as chaminés, golfejando fumaça

— e "Nas ondas de uns cabelos...", reportando-se aos "revoltos cabelos" "como um rio Negro" rolando "no vale em flor do teu brando regaço"

E, num sonho feliz, como um mar profundo,
A minh'alma desliza, a minh'alma desliza,
Como as Naus de Colombo, à procura de um Mundo...

— e em "A Revolta do Homem"
Os ídolos, no chão, voavam como estilhaços;

— é natural que mediunicamente se sirva do mesmo processo estilístico ao longo dos três sonetos que transmitiu, tríptico de peregrina beleza, nos quais cintilam imagens como a do "brando afago/da Luz, que está na dor depuradora" e de "beber no cálix da matéria/ as essências das dores renegadas!"

Belmiro Braga

Nasceu em 7 de janeiro de 1870, em Juiz de Fora (MG), e aí desencarnou em 1937. Iniciou-se na vida comercial e foi, depois, notário público. Poeta, comediógrafo e jornalista nato. Popularizou-se, sobretudo, pela singeleza e espontaneidade da sua musa. Era membro de realce da Academia Mineira de Letras, da qual foi um dos fundadores. Chamaram-lhe "Rouxinol Mineiro".

Rimas de outro mundo

I

Cheguei feliz ao meu porto,
Estou mais moço e mais forte,
Encontrei paz e conforto
Na vida, depois da morte.
Eis as rimas de outro norte,
Que escreve o poeta morto.

II

Com a ignorância proterva,
Que a morte é o fim, o homem pensa,
Julgando no talo de erva
A paisagem linda e imensa.
Ah! feliz o que conserva
As luzes doces da crença.

III

Quanta gente corre, corre,
Ansiosa atrás do prazer,

Sonha e chora, luta e morre
Sem jamais o conhecer.
Não há ninguém que se forre,
Sobre a Terra, ao padecer.

IV

Fecha a bolsa da ambição,
Não corras atrás da sorte,
Venera a mão que te exorte
Nos dias de provação.
Tem coragem, meu irmão,
Ninguém se acaba com a morte.

V

No mundo vale quem tem
Um cifrão de prata ou de ouro;
Mas, da morte ao sorvedouro,
Jamais escapa ninguém!
No Céu só vale o tesouro
Daquele que fez o bem.

VI

Que tua alma em preces arda
No fogo da devoção.
Deus é Pai que nunca tarda
No caminho da aflição.
Nas mágoas do mundo, guarda
A fé do teu coração.

VII

Entre a fé e o fanatismo,
Muito espírito se engana:

A primeira ampara e irmana,
O segundo é o dogmatismo,
Goela aberta de um abismo
Na estrada da vida humana.

VIII

A Terra, para quem sente,
Inda é torre de Babel,
Onde a prática desmente
As ilusões do papel:
Muita boca sorridente,
Corações de lodo e fel.

IX

Suporta a dor que te cobre
Na estrada espinhosa e má,
Quem é rico, quem é nobre,
A essa estrada voltará.
É uma ventura ser pobre,
Com a bênção que Deus nos dá.

X

Na vida sempre supus,
Sem muita filosofia,
Que, em prol do Reino da Luz,
Basta, na Terra sombria,
Que o homem siga a Jesus,
Que a mulher siga a Maria.

Bilhetes

Se tens o leve agasalho
Do santo calor da crença,
Exemplifica o trabalho
Sem cuidar da recompensa.

Não peças aprovação
Do mundo pobre e enganado,
Recorda que o mundo vão
É grande necessitado.

Vais procurar a ventura?
Toma cuidado: os caminhos
São crivados de amargura,
Atapetados de espinhos.

Acalma-te na aflição,
Modera-te na alegria,
Não prendas o coração
Nos laços da fantasia.

No curso de aquisições,
Não vivas correndo a esmo;
Esquece as inquietações,
Toma posse de ti mesmo.

Recorda que tua vida
É sempre uma grande escola;
Muita fronte encanecida
É fronte de criançola.

Não perguntes ao passado
Pela sombra, pela dor,
O caminho é ilimitado,
Eterna a fonte do amor.

Olha o monte luminoso,
Que símbolo sacrossanto!...
Quem desce é riso enganoso,
Quem sobe é suor e pranto.

Não te aflijas. A bonança
É flor de sabedoria,
Não te esqueças que a esperança
É a bênção de cada dia.

No impulso que te conduz,
Age sempre com bondade,
Todo esforço com Jesus
É vida na eternidade.

Quadras

Ai de quem busca o deserto
De torturas da descrença:
Morrer é sentir de perto
A vida profunda e imensa.

Depois da miséria humana
Sobre a Terra transitória,
Lastimo quanto se engana
O ouro da falsa glória.

Dinheiro do mundo vão,
Mentiras da vaidade,
Não trazem ao coração
A luz da felicidade.

Bem pobre é a cabeça tonta
Dos perversos e usurários,
Que morrem fazendo conta
Nas cruzes de seus rosários.

É ditosa no caminho,
Alegre como ninguém,
A mão terna do carinho
Que vive espalhando o bem.

Angústias, derrotas, danos,
Tudo isso tenho visto.
Só não vejo desenganos
Na estrada de Jesus Cristo.

Comentários de Elias Barbosa

Justifica-se, a cada dia que passa, a afirmativa de Fernando Góes (*Pan.* V, p. 98) sobre o autor de *Redondilhas*:

> Espontaneidade e simplicidade são, talvez, seus dois traços principais, traços que aliados à emoção fizeram com que mais de um crítico aproximasse sua poesia do lirismo de João de Deus. Compararam-no, também, a Campoamor. Mas pouco se lhe davam tais aproximações, que do que ele gostava, mesmo, o que o envaidecia era de ser chamado 'o trovador de Vargem Grande'...

Na produção mediúnica, identificamos a mesma "espontaneidade e simplicidade" da poesia terrena, além da mestria do "Rimas de outro mundo", em sextilhas de esquema rímico *ababba*.

Ontem, o poeta escrevia assim:

> Do berço à tumba há um caminho
> que todos têm de transpor:
> De passo a passo: um espinho,
> De légua em légua — uma flor.

> Quantos mortos trago vivos
> no fundo do coração
> e dentro em mim quantos vivos
> há muito mortos estão!...

Hoje, fiel ao esquema rígido de rimar os quatro versos das trovas, o poeta volta referindo-se praticamente aos mesmos temas — Jesus e Maria, espinhos, apego ao dinheiro (como em "Diálogo Sinistro"), enviando bilhetes como na célebre "Resposta à notícia de um contrato de casamento":

> À notícia bato palmas
> E mando um conselho aos dois:
> Primeiro casem as almas
> E os corpos casem depois,
>
> Que eu tenho os olhos cansados
> De ver (umas mil talvez)
> Dentro de corpos casados
> Almas em plena viuvez.

Bittencourt Sampaio

Sergipano, nascido na cidade de Laranjeiras, em 1º de fevereiro de 1834, desencarnou no Rio de Janeiro em 10 de outubro de 1895. Foi político ativo, deputado por sua província em duas legislaturas e presidente da província do Espírito Santo. Diretor da Biblioteca Nacional e jornalista de mérito.

A fonte de onde respigamos estes dados aponta *Poesias* (1859) e *Flores Silvestres* (1860), mas omite a maior das suas obras, que é *A divina epopeia*, ou seja, o *Evangelho de João*, em magníficos versos brancos, tais como estes. Mas... é que Bittencourt Sampaio foi, no último quartel da vida terrena, um dos mais brilhantes e destemerosos paladinos da Revelação Espírita. E, como tal, ainda hoje se manifesta, por dar-nos obras como *Jesus perante a Cristandade*, verdadeiro poema em prosa. *Reformador*, de 1937 (p. 494), publicou-lhe a biografia.

À Virgem

Vós sois no mundo a estrela da esperança,
A salvação dos náufragos da vida;
A custódia das almas sofredoras,
Consolação e paz dos desterrados
Do venturoso aprisco das ovelhas
De Jesus Cristo, o Filho muito amado!
Fanal radioso aos pobres degredados,
Anjo guiador dos homens desgarrados
Do Evangelho de luz do Filho vosso.
Virgem formosa e pura da bondade,
Providência dos fracos pecadores,
Astro de amor na noite dos abismos,
Clarão que sobre as trevas da cegueira
Expulsa a escuridão das consciências!
Virgem da piedade e da pureza,
Estendei vossos braços tutelares
À Humanidade inteira, que padece,
Espíritos na treva das angústias,
No tenebroso báratro das dores,
Mergulhados nas tredas tempestades
Do mal, que lhes ensombra a mente e a vista;
Cegos desventurados, caminhando
Em busca de outras noites mais escuras.
Legião de penitentes voluntários,

Afastados do amor e da verdade,
Fugitivos da luz que os esclarece!
Anjo da caridade e da virtude,
Estendei vossas asas luminosas
Sobre tanta miséria e tantos prantos.
Dai fortaleza àqueles que fraquejam,
Apiedai-vos dos frágeis caminhantes,
Iluminai os cérebros descrentes,
Fortalecei a fé dos vacilantes,
Clareai as sendas obscurecidas
Dos que se vão nos pântanos dos vícios!...
Existem almas míseras que choram
Amarradas ao potro das torturas,
E corações farpeados de amarguras...
Enxugai-lhes as lágrimas penosas!
Virgem imaculada de ternura,
Abençoai os mansos e os humildes
Que acima de ouropéis enganadores
Põem o amor de Jesus, eterno e puro!
Dulcificai as mágoas que laceram
Pobres almas aflitas na voragem
Das provações mais rudes e amargosas.
Estendei, Virgem pura, o vosso manto
Constelado de todas as virtudes,
Sobre a nudez de tantos sofrimentos
Que despedaçam almas exiladas
No orbe da expiação que regenera...
Ele será a luz resplandecente
Sobre a miséria dos padecimentos,
Afastando amarguras, concedendo
Claridades a estradas pedregosas...
Conforto às almas tristes deste mundo,
Porto de segurança aos viajantes,
Clarão de sol nas trevas mais espessas,
Farol brilhante iluminando os trilhos

De todos os viajores que caminham
Pela mão de Jesus, doce e bondosa;
O pão miraculoso, repartido
Entre os esfomeados e os sedentos
De paz, que os acalente e os conforte!
Virgem, Mãe de Jesus, anjo de amor,
Vinde a nós que na luta fraquejamos,
Ajudai-nos a fim de que a vençamos...
Vinde, piedosa Virgem de bondade,
Cremos em vós, na vossa alma divina!
Vinde!... dai-nos mais força e mais coragem,
Derramai sobre nós o eflúvio santo
Do vosso amor, que ampara e que redime...
Vinde a nós! nossas almas vos esperam,
Almas de filhos míseros que sofrem,
Atendei nossas súplicas, Senhora,
Providência da pobre Humanidade!...

À Maria

Eis-nos, Senhora, a pobre caravana
Em fervorosas súplicas, reunida,
Implorando a piedade, a paz e a vida,
De vossa caridade soberana.

Fortalecei-nos a alma dolorida
Na redenção da iniquidade humana,
Com o bálsamo da crença que promana
Das luzes da bondade esclarecida.

Providência de todos os aflitos,
Ouvi dos Céus, ditosos e infinitos,
Nossas sinceras preces ao Senhor...

Que a nossa caravana da Verdade
Colabore no Bem da Humanidade,
Neste banquete místico do amor.

ÀS FILHAS DA TERRA

Do Seu trono de luzes e de rosas,
A Rainha dos Anjos, meiga e pura,
Estende os braços para a desventura,
Que campeia nas sendas espinhosas.

Ela conhece as lágrimas penosas
E recebe a oração da alma insegura,
Inundando de amor e de ternura
As feridas cruéis e dolorosas.

Filhas da Terra, mães, irmãs, esposas,
No turbilhão dos homens e das coisas,
Imitai-A na dor do vosso trilho!...

Não conserveis do mundo o brilho e as palmas,
E encontrareis, em vossas próprias almas,
A alegria do reino de Seu Filho!

À Virgem

Do teu trono de róseas alvoradas,
Estende, mãe bendita, as mãos radiosas
Sobre a angústia das sendas escabrosas
Onde choram as mães atormentadas.

Mãe de todas as mães infortunadas,
Com tua alma de lírios e de rosas,
Mitiga a dor das almas desditosas
Entre as sombras de míseras estradas.

Anjo consolador dos desterrados,
Conforta os corações encarcerados
Nas algemas do mundo amargo e aflito.

Ao teu olhar, as lágrimas da guerra
E os quadros de amargor, que andam na Terra,
São caminhos de luz para o Infinito.

Comentários de Elias Barbosa

Mediunicamente, o poeta que foi médium receitista e, depois de desencarnado, incansável tarefeiro espírita-cristão, comparece como que atendendo à observação do crítico Edgar Cavalheiro (*Panorama da Poesia Brasileira — O Romantismo*, vol. II, Civilização, 1959, p. 159):

A carreira literária de Bittencourt Sampaio apresenta duas fases perfeitamente distintas: a acadêmica, representada por *Flores silvestres*, e a posterior, de que é exemplo *A divina epopeia* — tradução em versos brancos do quarto evangelho. Como bem observa Sílvio Romero, o lugar de Bittencourt Sampaio, no quadro do romantismo brasileiro, é garantido pelo primeiro dos livros, no qual em composições onde predominam o lirismo local, tradicionalista, campesino, popular, ele traz, realmente, algumas notas originais para a lírica brasileira. Destaca-se o poeta pela melodia do verso e pela intenção da sua poesia, em que perpassam a raça, o sertão, matutos, tabaréus, em tentativas por vezes felizes de criar uma arte nacionalista, dentro da mais pura tradição romântica.

Atentemos para alguns passos do Canto XVI de *A divina epopeia* (FEB, Rio de Janeiro, 1914, p. 141 a 144):

> Mas eu quero dizer-vos a verdade:
> Convém-vos que eu me vá, porque, não indo,
> Esse Consolador não há de vir-vos;
> Porém, se eu for, enviá-lo-ei à Terra.
> E quando ele vier, há de, arguindo-o,
> O mundo convencer quanto ao pecado,
> Quanto à justiça e quanto ao julgamento.
> Quanto ao pecado, porque em mim não creram;
> Quanto à justiça, porque me vou em breve
> Para meu Pai e vós com os vossos olhos
> Já não me haveis de ver; quanto, por último,
> Ao julgamento, porque já o Príncipe
> Do mundo está julgado.
>
> Eu tenho ainda
> Muitas coisas na Terra que dizer-vos;
> Mas suportá-las não podeis agora.
> Quando, porém, vier aquele Espírito
> Da Verdade, que o Pai há de enviar-vos,
> Ele ensinar-vos-á toda a Verdade,

Porque não falará de si, mas tudo
Dirá que tenha ouvido e ainda as coisas
Que virão a dar-se para o futuro.
E glória me dará, porquanto ele há de
Receber do que é meu e anunciá-lo.
As coisas de meu Pai também são minhas.
Por isso é que eu vos digo assim, que ele há de
Receber do que é meu e anunciá-lo.

E disseram então os seus discípulos:
— Já nos falas agora abertamente
E não usas conosco de parábolas.
Vemos que sabes tu todas as coisas.
Sem perguntar-te alguém, logo respondes.
Por isto cremos que de Deus saíste.
Respondeu-lhes Jesus:
— Credes agora?
O tempo vai chegar, e já é vindo,
Em que sereis vós todos espalhados,
Cada um para seu lado, e só no mundo
Vós me haveis de deixar; mas eu sozinho
Não sou, porque meu Pai não me abandona.
Estas coisas, porém, vos digo agora,
Para que em mim tenhais a paz de espírito.
Tereis, sim, aflições, dores bastantes;
Mas confiai, porque eu venci o mundo.

Cármen Cinira

Nome literário de Cinira do Carmo Bordini Cardoso: nasceu no Rio de Janeiro, em 1902, e faleceu em 30 de agosto de 1933. Sua espontaneidade poética era tão grande que ela própria acreditava serem os seus versos de origem mediúnica. Glorificou o amor, a renúncia, o sacrifício e a humildade, em obras como: *Crisálida, Grinalda de Violetas, Sensibilidade*.

Minha luz

Eu era, Dor, a alma rubra e inquieta,
A pomba predileta
Do prazer, da ilusão e da alegria...
Meu coração, alegre cotovia,
Saudava alvoroçado
O segredo da noite e a luz clara do dia,
Quando chegaste de mansinho,
Pisando sutilmente o meu caminho...

E eu te enxerguei, despreocupada,
Em meu engano, em minha fantasia:
Primeiramente,
Foste, austera e inclemente,
A um dos belos tesouros que eu possuía
E mo roubaste para sempre...
Em fúria iconoclasta,
Como o simum que arrasta
As cidades repletas de tesouros
Confundindo-as no pó,
Foste aos meus ídolos mais caros,
Destruindo-os sem dó.

Prosseguiste, ó divina estatuária,
Na tua obra silente e solitária,
E quebraste
Minhas cítaras de ouro,

Meus mármores de Paros,
Meus cofres de alabastros,
Minhas bonecas de biscuí,
Minhas estatuetas singulares...
E humilhaste
Meus sonhos de mulher e de menina,
Que eu pusera nos astros
Em meio às melodias estelares!

Mas, desde que chegaste,
Foste a sombra divina
Que acompanhou meus passos ao sepulcro...

Tudo sofri,
Ó Dor, por te querer,
Porque depois que vieste
Qual pássaro celeste
Para abrir rosas de sangue no meu peito,
Encheste a minha vida
De um estupendo prazer, quase perfeito!

Aos poucos me ensinaste a abandonar
Meus prazeres fictícios,
Trocando-os pela luz dos sacrifícios!
Por tudo eu te bendigo, ó Dor depuradora,
Porque representaste em meu destino,
De alma sofredora,
O fanal peregrino
Que me guiou constantemente
Através das estradas espinhosas
Para as manhãs radiosas
Da Luz Resplandecente...

Sê, pois, bendita, ó Dor linda e gloriosa,
Pois da volúpia estranha dos teus braços,
Vim pelas mãos da morte complacente
Para a vida sublime dos Espaços!...

Aos Espíritos consoladores

Donde éreis vós, ó formas imprecisas
De arcanjos tutelares,
Cujas vozes suaves como brisas
Trouxeram-me nas dores,
No auge do meu sofrer, nos meus penares,
A irradiação de brando refrigério?!...

Frontes aureoladas de esplendores,
Seres cheios de amor e de mistério,
Cujas mãos compassivas
Ungiram meu coração resignado
Com o bálsamo do olvido do passado,
E com os místicos olores
Das meigas sempre-vivas
Da fé mais luminosa e mais ardente...

Seríeis o fantasma imaginário
Da mórbida exaltação dalma do crente?
Não, porque sois os cireneus piedosos
Dos que vão em demanda do Calvário
Da Redenção, nos sofrimentos rudes;
Vindes das mais remotas altitudes
De sublimados mundos luminosos!...

Seres do Amor, jamais traduziria
O cântico de luz

Que trouxestes ao leito da agonia
Que eu transpus,
Cheia de desenganos e gemidos!...
Verto ainda os meus prantos comovidos
Lembrando-me do vosso Stradivárius,
Repetindo as cadências dos hinários
Dos orbes da Ventura e da Harmonia,
Onde habitais, glorificando o Amor
Que dalma faz um ninho de alegria
E um foco de esplendor!

Em que sol deslumbrante, em qual esfera
Viveis a vossa eterna primavera?
Ó irmãos consoladores,
Que vindes confortar os pecadores
Penitentes da vida transitória,

Dai-me um pouco de luz da vossa glória,
Estendei-me uma única migalha
Da vossa paz, que nutre e que agasalha
Os corações iguais ao meu!...

Tenho sede do amor que enfeita o Céu!
Espíritos da luz radiosa e infinda,
Minh'alma é fraca e pobre ainda;
Todavia, imortal,
Quero ter dessa luz resplandecente,
E quero embriagar-me inteiramente
Com os vinhos da alegria celestial.

CIGARRA MORTA

Chamam-me agora aí
Cigarra morta,
E não podia haver melhor definição,
Porque caí estonteada à porta
Do castelo em ruínas,
Do desencanto e da desilusão!...

Minhas futilidades pequeninas...
Meus grandes desenganos...
Eu mesma inda não sei
Se é ventura morrer na flor dos anos...
Sei apenas que choro
O tempo que perdi,
Cantando em demasia a carne inutilmente;
E vivo aqui, somente,
De quanto idealizei
De belo, de perfeito, grande e santo,
Que inda hei de realizar
Com a rima do meu verso e a gota do meu pranto.

Dá-me força, Senhor,
Para concretizar meu anseio de amor:
Evita-me a saudade
Da minha improdutiva mocidade!

Eu não quero sentir,
Como cigarra que era,
A falta das canículas doiradas
Sob a luz de ridente primavera.
Já que tombei cansada de cantar,
Calando amargamente,
Perdoa, Deus de Amor, o meu pecado:
Que eu olvide a cigarra do passado,
Para ser uma abelha previdente.

Era uma vez...

Era uma vez Cármen Cinira,
Um coração
Cheio de sonho e flor, que mal se abrira
Nos jardins encantados da ilusão...
Estraçalhou-se para sempre
Na voragem
Das trevas, dos abrolhos!...

Era uma vez Cármen Cinira...
Uma suposta imagem
Da perene alegria,
Mas que trouxe em seus olhos,
Eternamente,
Essa amarga expressão de alma doente,
Cheia de pranto e de melancolia!...
Cármen Cinira! Cármen Cinira!
Que é da minha cigarra cantadeira?
Embalde te procuro.
Por que cantaste assim a vida inteira,
Cigarra distraída do futuro?

Perturbada,
Aturdida,
Busco a mim mesma aqui nestoutra vida...
Onde estou, onde estou?
Minha vida terrena se acabou
E sinto outra existência revelada!

Não sei por que me sinto amargurada...
Sinto que a luz me guia
Para a paz, para um mundo de alegria.
Mas, ó imortalidade,
Se na Terra eu te via
Como a aurora divina da verdade,
Não julguei que inda a morte me abriria
Esse cenário deslumbrante
De outros sóis e de outros seres,
E vejo agora
Que não amei bastante,
E não cumpri à risca os meus deveres!

A fagulha de crença
Que eu possuía,
Devia transformar numa fornalha imensa
De fé consoladora,
E incendiar-me para ser luzeiro.

Mas, ó Senhor da paz confortadora,
Eu vi chegar o dia derradeiro
Em minha dor, na máscara de festa,
E a morte me apanhou
Como se apanha uma ave na floresta.
Experimento a grande liberdade!
Todavia, Senhor, ampara-me e protege
Minha triste humildade!

Eu te agradeço a paz que já me deste,
Mas eis que ainda te imploro comovida,
Porque me sinto em fraca segurança;
Deixa que eu guarde ainda nesta vida
Meu escrínio de estrelas da Esperança.

À JUVENTUDE

Juventude linda e ardente,
Mocidade querida que eu exorto,
Meu coração de carne, esse está morto,
Mas minh'alma que é eterna está presente.
Zelai pelo plantio, ó juventude,
Das flores perfumadas da virtude,
Porque depois dos sonhos terminados
Em nossos ermos e últimos caminhos,
Ai! como nos ferem os espinhos
Das belas rosas rubras dos pecados!

O VIAJOR E A FÉ

— "Donde vens, viajor triste e cansado?"
— "Venho da terra estéril da ilusão."
— "Que trazes?"
— "A miséria do pecado,
De alma ferida e morto o coração.
Ah! quem me dera a bênção da esperança,
Quem me dera consolo à desventura!"

Mas a fé generosa, humilde e mansa,
Deu-lhe o braço e falou-lhe com doçura:
— "Vem ao Mestre que ampara os pobrezinhos,
Que esclarece e conforta os sofredores!...
Pois com o mundo uma flor tem mil espinhos,
Mas com Jesus um espinho tem mil flores!"

O SINAL

Quando chegamos do País do Gozo,
Nossa alma sem repouso
Traz o sinal das trevas do pecado.

Nossa alegria é um riso envenenado.
A palavra disfarça o coração
E a nossa dor é desesperação.

Tudo é sombra. A verdade não tem voz.
Muita vez, tudo é queda dentro em nós.

Mas os que vêm do Mundo dos Deveres
Guardam a luz de místicos prazeres.
Não têm palmas da Terra impenitente...
Como tudo, porém, é diferente!...

Sua alegria é um fruto adocicado,
Sua palavra é um livro iluminado,
Sua dor alivia as outras dores.

Trazem o amor de todos os amores,
Revelando na vida transitória
O sinal do Calvário aberto em glória!

Na noite de Natal

Noite de paz e amor! Repicam sinos,
Doces, harmoniosos, cristalinos,
Cantando a excelsitude do Natal!...
A estrela de Belém volta, de novo,
A brilhar, ante os júbilos do povo,
Sob a crença imortal.

De cada lar ditoso se irradia
A glória da amizade e da harmonia,
Em festiva oração;
Une-se o noivo à noiva bem-amada,
Beija o filho a mãezinha idolatrada,
O irmão abraça o irmão.

Dentro da noite, há corações ao lume
E há sempre um bolo, em vagas de perfume,
Sob claro dossel...
Nascem canções e flores de mansinho,
Em édenes fechados de carinho,
De esperança e de mel.

Mas, lá fora, a tristeza continua...
Há quem chora sozinho, em plena rua,
Ao pé da multidão;

Há quem clama piedade e passa ao vento,
Ralado de tortura e sofrimento,
Sem a graça de um pão.

Há quem contempla o céu maravilhoso,
Rogando à morte a bênção do repouso
Em terrível pesar!
Ah! como é triste a imensa caravana,
Que segue, aflita, sob a treva humana
Sem consolo e sem lar...

Tu, que aceitaste a luz renovadora
Do Rei que se humilhou na manjedoura
Para amar e servir,
Volve o olhar compassivo à senda escura,
Vem amparar os filhos da amargura,
Que não podem sorrir.

Desce do pedestal que te levanta
E estende a mão miraculosa e santa
Ao desalento atroz;
Para unir-nos no Amor, fraternalmente,
Desceu Jesus do Céu Resplandecente
E imolou-se por nós.

Vem medicar quem geme na calçada!...
Oferece à criança abandonada
Um velho cobertor;
Traze a quem sofre a lúcida fatia
Do teu prato de sonho e de alegria,
Temperado de amor.

Visita as chagas negras da mansarda
Onde a miséria súplice te aguarda
Em nome de Jesus.

285   Há muita crença enferma, quase morta,
Que só pede um sorriso brando à porta,
Para tornar à luz.

Natal!... Prossegue o Mestre, de viagem,
Em vão buscando um quarto de estalagem,
Um ninho pobre, em vão!...
E encontra sempre a cruz, ao fim da estrada,
Por não achar socorro, nem pousada
Em nosso coração.

Comentários de Elias Barbosa

Em versos de grande beleza, de metros vários, servindo-se do *enjambement* com mestria e de rimas ricas, dá-nos a autora espiritual (em *Minha Luz*) uma das mais belas lições sobre o papel do sofrimento, usando possivelmente a mais expressiva imagem da língua portuguesa para designar a Dor — "sombra divina"...

"Aos Espíritos Consoladores" é o cântico de exaltação aos Benfeitores da Vida Maior, que não cessam de auxiliar os sofredores de toda a ordem, que se encontrem no plano físico ou extrafísico.

Note-se que o decassílabo sáfico imperfeito (com o icto sobre a 4ª sílaba) — "Do desen*can*/to e da desilusão" — sugere-nos, de imediato, a visão "do castelo em ruínas".

Oportuna a introdução de alexandrinos entre tetra e hexassílabos (em *Cigarra morta*).

A esmagadora maioria dos desencarnados, principalmente constituída de espíritas-cristãos, são unânimes em lamentar o não cumprimento integral do dever quando perlustram os caminhos da vida física. André Luiz, na obra *Missionários da luz*, ditada pelo Espírito André Luiz e psicografada pelo médium Francisco Cândido Xavier (FEB, 4. ed., 1949, p. 169), trata desse assunto e nomeia aqueles que realizam o máximo ao próprio alcance de "completistas". À pergunta de André Luiz — "que significa a palavra *completista*?" —, o benfeitor espiritual Manassés respondeu:

> — É o título que designa os raros irmãos que aproveitaram todas as possibilidades construtivas que o corpo terrestre lhes oferecia. Em geral, quase todos nós, em regressando à esfera carnal, perdemos oportunidades muito importantes no desperdício das forças fisiológicas. Perambulamos por lá, fazendo alguma coisa de útil para nós e para outrem, mas, por vezes, desprezamos cinquenta, sessenta, setenta por cento e, frequentemente, até mais, de nossas possibilidades. Em muitas ocasiões, prevalece ainda, contra nós, a agravante de termos movimentado as energias sagradas da vida em atividades inferiores que degradam a inteligência e embrutecem o coração. Aqueles, porém, que mobilizam a máquina física, à maneira do operário fidelíssimo, conquistam direitos muito expressivos em nossos planos. O *completista*, na qualidade de trabalhador leal e produtivo, pode escolher, à vontade, o corpo futuro, quando lhe apraz o regresso à crosta em missões de amor e iluminação, ou recebe veículo enobrecido para o prosseguimento de suas tarefas, a caminho de círculos mais elevados de trabalho.

Versos 194 e 195. Não houve qualquer prejuízo no uso de rimas imperfeitas *exorto/morto*.

Verso 215. Lançando mão do diálogo, a autora encerra o poema com o mais belo exemplo de inversão — "uma flor tem mil espinhos,/um espinho tem mil flores".

Verso 220. Mais uma vez, Cármen Cinira se serve do decassílabo sáfico imperfeito para explicitar a carga semântica dos vocábulos atingidos pelo icto.

Verso 248. Atentemos para os diversos exemplos de *enjambements*.

Verso 280. Expressiva imagem — "lúcida fatia/do prato de sonho e de alegria".

Verso 285. Em edições anteriores, a palavra *crença* vinha sendo grafada, erroneamente, *criança*.

Para terminar, da lavra terrestre de Cármen Cinira, o seu célebre soneto "Ser Mulher":

> Ser mulher não é ter nas formas de escultura,
> No traço do perfil, no corpo fascinante,
> A beleza que um dia o tempo transfigura
> E um olhar deslumbrado atrai a cada instante.
>
> Ser mulher não é só ter a graça empolgante,
> O feitiço absorvente, a lascívia e a ternura;
> Ser mulher não é ter na carne provocante
> A volúpia infernal que arrasta e desfigura...
>
> Ser mulher é ter na alma essa imortal beleza
> De quem sabe pensar com toda a sutileza
> E no próprio ideal rara virtude alcança...
>
> É ter, simples e pura, os sentimentos francos...
> E, ainda no fulgor dos seus cabelos brancos,
> Sonhar como mulher, sentir como criança!

(*Apud* José Schiavo, *Os 150 mais célebres sonetos da língua portuguesa*. Rio de Janeiro: Edições de Ouro, 1969, p. 67.)

Casimiro Cunha

Poeta vassourense, nasceu em 14 de abril de 1880 e desencarnou em 1914. Pobre, ademais espírita confesso, não teve maior projeção no cenáculo literário do seu tempo, malgrado a suavidade da sua musa e inatos talentos literários. Há, na sua existência terrena, uma triste particularidade a assinalar, qual a de haver perdido uma vista aos 14 anos, por acidente, para de todo cegar da outra aos 16. Órfão de pai aos sete anos, apenas frequentou escolas primárias. Era um espírito jovial e forte no infortúnio, que ele sabia aproveitar no enobrecimento da sua fé. Se tivesse tido maior cultura, atingiria as maiores culminâncias do firmamento literário.

Na eterna luz

Quando parti deste mundo
Em busca da Imensidade,
A alma ansiosa da Verdade,
Do azul imenso dos céus,
Fugi do pesar profundo,
Lamentando os sofrimentos,
As mágoas, os desalentos,
Confiado no amor de Deus.

Mal, porém, abrira os olhos
Em meio de luzes puras,
Nas radiantes alturas,
Em célico resplendor,
Compreendi que os abrolhos
Que a Terra me oferecera,
Eram mesmo a primavera
Do meu sonho todo em flor.

Disseram-me então: — "Ó crente
Que chegais a estas plagas,
Fugindo das grandes vagas
Do mar revolto das lutas,
Aportai serenamente
Nesta estância do Senhor,
Pois aqui existe o amor
Nestas almas impolutas!

Aqui existe a pureza,
A meiga flor da Bondade,
O aroma da Caridade
Perfumando os corações;
Não se conhece a torpeza
Da lâmina — hipocrisia,
Que mata toda a alegria,
Provocando maldições.

Aqueles que já sofreram
No dever nobilitante,
Cujo peito sempre amante
Só conheceu dissabores;
Aqueles que conheceram
As feridas dolorosas,
Dessas mágoas escabrosas
De um triste mundo de dores,

Encontram nestas moradas
Tão formosas, resplendentes,
Os clarões resplandecentes
De afetos imorredouros!
As almas imaculadas
São flores das boas-vindas,
Luminosas, sempre lindas,
Ofertando-lhes tesouros:

Os tesouros peregrinos,
Formados de amor e luz
Do Mestre Amado — Jesus,
Arauto do Onipotente;
Os reflexos divinos
Quais lírios iluminados,
Alvos, belos, deificados,
Penetrarão sua mente.

Acordai, pois, ó vivente,
Contemplai-vos nesta vida,
Que vossa alma ensandecida
Procure a luz que avigora.
O Senhor sempre clemente,
Concede-vos neste instante
A bênção dulcificante
Do seu amor — doce aurora.

Sacudi o pó da estrada
Que trilhastes na amargura,
Pois agora na ventura
Fruireis consolações;
Nesta esfera iluminada,
Que aportais neste momento,
Não vereis o sofrimento
Retalhando os corações.

Só vereis clarões de luz
A despontar nestas almas,
Tornadas em belas palmas
Das mansões do Criador!
Bendizei, pois, a Jesus,
O Mestre da Caridade,
O Luzeiro da Bondade,
O grande Mestre do Amor!"

Então, eu vi que na Terra
Em meio da iniquidade,
Na tremenda tempestade
Das dores e expiações,
A nossa alma que erra,
Tão longe das grandes luzes,
Só aproveita das cruzes,
Das amargas provações.

Venturoso, abençoei
A dor que amaldiçoara,
Que renegar eu tentara
Como os míseros ateus,
E feliz então busquei
As bênçãos, flores brilhantes,
Alvoradas fulgurantes
Do amor imenso de Deus.

Anjinhos

Ó mães que chorais na vida
Os vossos ternos anjinhos,
Que quais meigos passarinhos
Cindiram o espaço azul,
Deixando-vos sem conforto,
O peito dilacerado,
O coração desolado,
A alma tristonha e exul,

Reconhecei que na Terra
Só se conhecem as dores,
Os prantos, os amargores,
As frias noites sem luz;
E os vossos filhinhos ternos,
Quais centelhas luminosas,
São as flores mais formosas
Das moradas de Jesus.

São mensageiros felizes
Nas radiantes alturas,
Em meio das luzes puras,
De outras rútilas esferas,
Resplandecendo imortais
Nos espaços deslumbrantes,

Quais reflexos brilhantes
Das celinas primaveras.

Visitam os vossos lares
Como gênios protetores,
Ofertando-vos as flores
Do seu afeto eternal;
Osculam-vos ternamente,
Insuflando-vos coragem,
Ao transpordes a voragem
Do abismo negro do mal;

Alegrai-vos, pois, ao verdes
Quando partem sorridentes,
Venturosos, inocentes,
Como fúlgidos clarões;
Eles farão despertar
As alvoradas formosas,
De luzes esplendorosas
Dentro em vossos corações.

Ascensão

Perguntai à flor virente,
De pétalas multicores,
Que com mágicos olores
Perfumam vosso ambiente,

O que fazem cá no mundo,
Tão viçosas, perfumadas,
Pelas sendas desoladas
Deste abismo tão profundo.

Como sorrisos dos Céus,
Essas flores perfumosas
Responderiam formosas:
— "Nós marchamos para Deus!"

À ave que poetiza
Com seus cânticos maviosos
Vossos campos dadivosos
Em beleza que harmoniza,
Se perguntásseis também,
Ela vos retrucaria:
— "Caminhamos na alegria,
Para a Luz e para o Bem."

Tudo pois, em ascensão,
Marcha ao progresso incessante,
À alvorada rutilante
Da sublime perfeição.

Segui pois, irmãos terrenos,
Nessas trilhas luminosas,
Caminhai sempre serenos,
Entre lírios, entre rosas;

Entre os lírios da Bondade,
Entre as rosas da Ternura,
Espargindo a caridade,
Consolando a desventura.

Só assim caminharemos
Nessa eterna evolução,
E no Bem conquistaremos
A suprema perfeição.

QUADRAS

Ser cego e nada ver
Na triste noite escura,
E ver depois a luz
Da aurora de ventura;

Chorar na escuridão
Em dores mergulhado,
E após o sofrimento
Ter gozo ilimitado;

Sorver dentro da treva
O fel das amarguras,
Depois, buscar o amor
Nas lúcidas alturas;

É possuir tesouros
De paz, de vida e luz,
No sacrossanto abrigo
Do afeto de Jesus.

Supremacia da caridade

A fé é a força potente
Que desponta na alma crente,
Elevando-a aos altos Céus:
Ela é chama abrasadora,
Reluzente, redentora,
Que nos eleva até Deus.

A esperança é flor virente,
Alva estrela resplendente,
Que ilumina os corações,
Que conduz as criaturas
Às almejadas venturas
Entre célicos clarões.

A caridade é o amor,
É o sol que Nosso Senhor
Fez raiar claro e fecundo;
Alegrando nesta vida
A existência dolorida
Dos que sofrem neste mundo!

A fé é um clarão divino,
Refulgente, peregrino,

Que irrompe, trazendo a luz;
A caridade é a expressão
Da personificação
Do Mestre Amado — Jesus!

A esperança é qual lume,
Ou capitoso perfume
Que nos alenta na dor;
A caridade é uma aurora
Que resplende a toda hora,
Nada empana o seu fulgor.

Seja, pois, abençoada
Essa fúlgida alvorada
A raiar eternamente!
Caridade salvadora,
Pura bênção redentora
Do Senhor Onipotente.

Versos

Vivi na mansão das sombras,
    Desterrado;
Na noite das trevas densas,
    Sepultado.

Entrei no sepulcro escuro,
    Nascendo;
E dele fugi feliz,
    Morrendo.

É que a vida material
    É a prisão,
Onde a alma é encarcerada
    Na aflição;

E a vida da alma é a nossa
    Liberdade,
Onde as luzes recebemos
    Da Verdade.

Símbolo

Sobre a lama de um monturo
Um branco lírio sorria,
Alvo, belo, delicado,
Perfumando a luz do dia.

Vendo essa flor cariciosa
No pantanal sujo e imundo,
Via o símbolo do Bem
Entre os males deste mundo.

Pois entre as trevas e as dores
Da vida de provações,
Pode existir a bondade
Irradiando clarões.

E o coração que cultiva
A caridade e o amor,
É a flor cheia de aromas,
Cheia de viço e frescor.

Que mesmo dentro da treva
Do mundo ingrato, sem luz,
É lírio resplandecente
Do puro amor de Jesus.

Pensamentos espíritas

Dobram sinos a finados,
Com mágoa e desolação...
Porque não sabem que a morte
É a nossa libertação.

Toda a esperança da fé,
Que vive com a caridade,
É realizada no mundo
Da eterna felicidade.

A palavra que reténs
É tua serva querida,
Mas aquela que te foge
É dona da tua vida.

Todo suicida presume
Que a morte é o fim do amargor,
Sem saber que o desespero
É porta para outra dor.

Quem sofre resignado,
Após a morte descansa;
Quem luta, sem naufragar,
Verá decerto a bonança.

Quem tem a flor da humildade,
Medrando no coração,
Tem o jardim das virtudes
Da suprema perfeição.

Volve ao Céu todo piedoso,
Coração que andas ferido!...
Deus cura todas as chagas
Do mal que tens padecido.

Sombra e luz

Vem a noite, volta o dia,
Cresce o broto, nasce a flor,
Vai a dor, surge a alegria
Dourando a manhã do Amor.

Assim, depois da amargura
Que a vida terrena traz,
A alma encontra na Altura
A luz, a ventura e a paz.

O beijo da morte

Para quem viveu na Terra
Em meio dos sofredores
E somente frias dores
No mundo ingrato colheu,
O frio beijo da morte
É o beijo da liberdade,
É um raio de claridade
Que vem da altura do Céu.

A vida terrena é a noite
Que precede as madrugadas
Das regiões aureoladas
De amor, de verdade e luz:
Sem paradoxo, portanto,
O gozo é o próprio martírio,
Que se fez excelso lírio
Na devoção de Jesus.

A morte é a deusa celeste
Da vida, da plenitude,
Que a alegria da Virtude
Faz, linda, desabrochar;
Seu beijo é um raio de luz
Do dealbar das alturas,
Que na noite de amarguras
As almas vem despertar.

O ENGANO

Às vezes diz a Ciência
Que a crença é engano profundo,
Esperando uma outra vida
Noutros planos, noutro mundo...

E diz arrogante à Fé:

— "Estás louca! A morte apenas
É o sono eterno e tranquilo
Depois das lutas terrenas."

Ao que ela replica, humilde:

— "Mais tarde, Ciência amiga,
Serás o sósia da Fé,
Andarás ao lado meu.
Se for sono, dormiremos,
Mas se não for, pois não é,
De quem será esse engano?
Será meu ou será teu?"

FLORES SILVESTRES

Já viste, filho, a floresta
Varrida pelas tormentas?
Partem-se troncos anosos,
Caem copas opulentas.

Mil árvores grandiosas
Esfacelam-se nos ares,
Tombam gigantes da selva,
Venerandos, seculares.

Mas as florinhas silvestres
São apenas baloiçadas,
Continuando graciosas
A tapetar as estradas.

Zune o vento? geme a selva?
Não sabe a pequena flor,
Que perfumando o caminho
Compõe um hino de amor.

Flores silvestres!... Imagem
Dos bons e dos pequeninos,
Que sobre o mundo derramam
As graças dos dons divinos.

Na selva da vida humana
Caem grandes, poderosos:
Arcas repletas de ouro,
E frontes ébrias de gozos.

Mas os humildes da Terra,
Dentro da fé que os conduz,
Não caem... São refletores
Da bondade de Jesus.

Flores silvestres da Vida,
Não sabem se há tempestade
De ambições e se há no mundo
Leis de ódio e iniquidade.

Nos dias mais tormentosos,
Sê, filho, como esta flor:
Chore o homem, grite o mundo,
Palmilha a estrada do amor.

Ao meu caro Quintão[28]

Quintão, eu sei da saudade
Que te aperta o coração,
Dos nossos dias passados,
Que tão distantes se vão.

Vassouras!... belas paisagens
Cheias de vida e de cor,
Um céu azul e estrelado
Cobrindo uns ninhos de amor.

Árvores fartas e verdes
Pela alfombra dos caminhos,
A ermida branca e suave
De ternos, doces carinhos.

O nosso amigo Moreira
E a sua barbearia,
Onde uma vez me encontraste
Na minha noite sombria.

---

[28] N.E. da 9. ed., 1972: Esta poesia singela e, por assim dizer, intimamente pessoal, foi recebida em circunstâncias imprevistas e timbra episódios velhos de mais de 30 anos, que o médium não podia conhecer, atento mesmo a sua banalidade. *Singelos* e *Aves implumes* são títulos de dois pequenos volumes de versos publicados em começos do século. Carlota é o nome da esposa do poeta cego, também cegada de uma vista, por acidente, depois de casada.

Detalhes cariciosos
Da vida singela e calma,
Vida de encantos divinos
Que eu via com os olhos dalma.

Meus pobres versos — "Singelos",
"Aves implumes" da dor,
Que traduziam no mundo
O meu pungente amargor.

A minha pobre Carlota,
A companheira querida,
O raio de claridade
Da noite da minha vida.

Os artigos do Bezerra
De outros tempos, no *O País*,
O mestre da Velha Guarda,
Unida, forte e feliz.

A tua doce amizade
À luz do Consolador,
Teu coração generoso
De amigo, irmão e mentor.

Ah! Quintão, hoje os meus olhos
Embebedam-se de luz,
Pelas estradas sublimes
Da santa paz de Jesus!

Mas não sei onde a saudade
É mais forte nos seus véus,
Se pelas sombras da Terra,
Se pelas luzes dos Céus.

Espiritismo

Espiritismo é uma luz
Gloriosa, divina e forte,
Que clareia toda a vida
E ilumina além da morte.

É uma fonte generosa
De compreensão compassiva,
Derramando em toda parte
O conforto d'Água Viva.

É o templo da Caridade
Em que a Virtude oficia,
E onde a bênção da Bondade
É flor de eterna alegria.

É árvore verde e farta
Nos caminhos da esperança,
Toda aberta em flor e fruto
De verdade e de bonança.

É a claridade bendita
Do bem que aniquila o mal,
O chamamento sublime
Da Vida Espiritual.

Se buscas o Espiritismo,
Norteia-te em sua luz:
Espiritismo é uma escola,
E o Mestre Amado é Jesus.

Aos companheiros da Doutrina

Examinada de perto,
A luz da nossa Doutrina
É sempre a lição que ensina
A paz do caminho certo.

Necessário é discernir
A mistura, a ganga, o véu;
Muita vez a água do céu
Torna-se em lama, ao cair.

O mal vem de ouvidos moucos
Ou de olhos nevoados,
Há sempre muitos chamados;
Escolhidos? muito poucos.

Verdade é que o coração,
Que abrace a nossa Doutrina,
Penetra numa oficina
De esforço, luta e ação.

Já não deve andar a esmo
Nas estradas da ilusão,
Mas buscando a perfeição
Na perfeição de si mesmo.

Portanto, é nossa divisa
Oração e Vigilância,
No bem que é bem substância
Da crença que diviniza.

No Evangelho de Jesus,
Feliz quem pode guardar
A força de realizar
Os grandes feitos da Luz.

✥

Que no altar do coração
Tenhamos o amor profundo
Daquele que é a Luz do Mundo,
— Eis meu desejo de irmão.

Comentários de Elias Barbosa

Diz Manuel Quintão em *Cinzas do meu cinzeiro* (Edição da Livraria da Federação Espírita do Paraná, Curitiba, s/d, p. 186 e 187), entre outras coisas, a respeito de Casimiro Cunha:

> Em Vassouras conhecemos Casimiro Cunha, esse mesmo que agora nos fala e se identifica em *Parnaso de além-túmulo*, ao lado de maiorais da rima, que ele amava e recitava com o fogo da sua quase adolescência. Neófito na crença, no verso e na vida, ademais, cego...
> Mas cego de quem, ao apresentar o seu primeiro livro — *Singelos* — afirmamos que "*fechara os olhos na terra para melhor entrever as belezas do céu*".

Versos 14 e 15. As rimas imperfeitas *oferecera/primavera* eram comuns ao poeta.

✥

Verso 100. Imagem das mais belas — os meigos passarinhos cindindo o espaço azul.

Verso 104. *Exul* — A forma êxul (paroxítona) tem sido usada pelos maiores poetas da língua portuguesa, à maneira do que fez Casimiro Cunha.

✥

Verso 149. Em quadras primorosas, como sempre se servindo da redondilha maior, metro em que o poeta se especializou, no Além, dentro do esquema rímico *abba*, as imagens ressumam aqui e ali, mas esta da ave poetizar os campos com seus cantos maviosos é das mais expressivas.

Verso 175. Em antíteses primorosas, o poeta nos mostra, por meio de hexassílabos bem estruturados, a vida nos seus aspectos ântumo e póstumo.

Verso 235. Imagem forte esta da alma encarcerada na aflição. Autêntica obra-prima este poema.

Verso 244. Metáfora sinestésica das mais ricas — o branco lírio perfumando a luz do dia. A propósito, cf. Antônio Pádua, *Notas de Estilística*, p. 24 a 32.

Vê-se que o poeta se prepara (*Pensamentos Espíritas*) ante o futuro, a fim de compor as obras primorosas que indubitavelmente são *Cartilha da Natureza*, *Gotas de Luz* e *Cartas do Evangelho*.

Verso 291. Como sempre, as antíteses são utilizadas pelo poeta com mão de mestre.

Verso 336. Hoje, com as descobertas científicas, principalmente no campo da antimatéria, num mundo cibernético, de satélites artificiais e de viagens astronáuticas, a pergunta é por demais pertinente.

Verso 345. Sobre *florinhas*, cf. Mário Barreto, *Através do dicionário e da gramática*, Edição da Organização Simões, Rio de Janeiro, 1954, 3ª edição, p. 200. Vale a pena transcrever a nota de rodapé à palavra *florzinha*: "...e todo se enche de umas *florezinhas* brancas". M. Bernardes, *Armas da castidade*, na miscelânea de *Vários Tratados*, t. II, p. 367, 1962. *Florezinhas* ao lado de *florinhas*: "Ao sopé da cruz rústica plantada na serra, viçam as *florinhas*" (Camilo, *O demônio de ouro*, vol. I, cap. XXXII, p. 223).

Antes de tudo, recordemos a nota que a editora inseriu ao final do volume, conforme se viu nas edições anteriores do *Parnaso de além-túmulo* (p. 421 da 8ª edição):

> Esta poesia ('Ao meu caro Quintão') singela e, por assim dizer, intimamente pessoal, foi recebida em circunstâncias imprevistas e timbra episódios velhos de mais de trinta anos, que o médium não podia conhecer, atento mesmo a sua banalidade. *Singelos* e *Aves implumes* são títulos de dois pequenos volumes de versos publicados em começos do século [1912]. *Carlota é o nome da esposa do poeta cego, também cegada de uma vista, por acidente, depois de casada.*

Verso 416. Sem dúvida, esta última quadra pode ser incluída entre as mais belas trovas de todos os tempos, ao lado das produções de um Adelmar Tavares, de um Antônio Sales ou de um Djalma Andrade.

Verso 440. A última quadra nos faz lembrar da questão 625 de *O Livro dos Espíritos*, de Allan Kardec, para qual remetemos o leitor.

Verso 460. Belo exemplo de anadiplose (*a perfeição/Na perfeição*).
Verso 463. "No *bem* que é *bem* substância" — excelente exemplo de antanáclase.

Casimiro de Abreu

Poeta fluminense, desencarnou em 18 de outubro de 1860, na Fazenda de Indaiaçu, no então município de Barra de São João, hoje denominado Casimiro de Abreu, com 21 anos, acometido de tuberculose pulmonar. Figura literária das mais típicas do seu tempo, o autor malogrado de *Primaveras* ainda aqui se afirma no seu profundo quão suave nativismo lírico. Suas composições possuem "um saboroso estilo colorido, sensível e personalíssimo" — disse Ronald de Carvalho.

À MINHA TERRA

Que terno sonho dourado
Das minhas horas fagueiras,
No recanto das palmeiras
Do meu querido Brasil!
A vida era um dia lindo
Num vergel cheio de flores,
Cheio de aroma e esplendores
Sob um céu primaveril.

A infância, um lago tranquilo
Onde começa a existência,
Onde os cisnes da inocência
Bebem o néctar do amor.
A mocidade era um hino
De melodias suaves,
Formadas de trinos de aves
E de perfumes de flor.

O dia, manhã ridente,
Numa canção de alvorada;
A noite toda estrelada
Após o doce arrebol;
E na paisagem querida,
Os ramos das laranjeiras
E das frondosas mangueiras
Douradas à luz do Sol!

Oh! que clarão dentro dalma,
Constantemente cismando,
O pensamento sonhando
E o coração a cantar,
Na delicada harmonia
Que nascia da beleza,
Do verde da Natureza,
Do verde do lindo mar!

Oh! que poema a existência
De infância e de mocidade,
De ternura e de saudade,
De tristeza e de prazer;
Igual a um canto sublime,
Como uma estrofe inspirada
Na noite e na madrugada,
Na tarde e no amanhecer.

De tudo me lembro e quanto!
A transparência dos lagos,
As carícias, os afagos
E os beijos de minha mãe!
Dos trinos dos pintassilgos,
Da melodia das fontes,
As nuvens nos horizontes
Perdidos no azul do além.

Quando eu cruzava as campinas,
Sem sombras de sofrimento,
Descalço, com o peito ao vento,
Num tempo doce e feliz!
Os pessegueiros floridos,
As frondes cheias de amora,
O manto de luz da aurora,
Os pios das juritis!

Se a morte aniquila o corpo,
Não aniquila a lembrança:
Jamais se extingue a esperança,
Nunca se extingue o sonhar!
E à minha terra querida,
Recortada de palmeiras,
Espero em horas fagueiras
Um dia poder voltar.

A Terra

(Aos pessimistas)

Se há noite escura na Terra,
Onde rugem tempestades,
Se há tristezas, se há saudades,
Amargura e dissabor,
Também há dias dourados
De sol e de melodias,
Esperanças e alegrias,
Canções de eterno fulgor!

A Terra é um mundo ditoso,
Um paraíso de amores,
Jardim de risos e flores
Rolando no céu azul.
Um hino de força e vida
Palpita em suas entranhas,
Retumba pelas montanhas,
Ecoa de Norte a Sul.

Os sonhos da mocidade,
As galas da Natureza,
Livro de excelsa beleza
Com páginas de esplendor,

Onde as histórias são cantos
De gárrulos passarinhos,
Onde as gravuras são ninhos
Estampados no verdor;

Onde há reis que são poetas,
E trovadores alados,
Heróis ternos, namorados,
Gargantas de ouro a cantar,
Saudando a aurora que surge
Como ninfa luminosa,
A olhar-se toda orgulhosa
No espelho do grande mar!

Onde as princesas são flores,
Que se beijam luzidias,
Perfumando as pradarias
Com seu hálito de amor;
Desabrochando às centenas,
Na estrada onde o homem passa,
Oferecendo-lhe graça,
Sorrindo, cheias de olor.

O dia todo é alvorada
De doces encantamentos;
A noite, deslumbramentos
Da Lua, em seus brancos véus!
A tarde oscula as estrelas,
Os astros o Sol nascente,
O Sol o prado ridente,
O prado perfuma os céus!...

Quem vive num éden desses,
É sempre risonho e forte,
Jamais almeja que a morte
Na vida o venha tragar;

Sabe encontrar a ventura
Nesse jardim de pujanças,
E enche-se de esperanças
Para sofrer e lutar.

Se há noite escura na Terra,
Abarrotada de dores,
De lágrimas e amargores,
De triste e rude carpir,
Também há dias dourados
De juventude e esplendores,
De aromas, risos e flores,
De áureos sonhos no porvir!...

LEMBRANÇAS

No sacrário das lembranças;
Revejo-te, trigueirinha,
De negras e longas tranças,
Moreninha.

Teus lindos pés descalçados,
Pisando de manhãzinha
A verde relva dos prados,
Moreninha.

Os primorosos cabelos
Enfeitados, à tardinha,
De miosótis singelos,
Moreninha.

De olhar sedutor e insonte,
Quando o teu passo ia e vinha
Em busca da água da fonte,
Moreninha.

Teu vulto de camponesa
Era o porte de rainha,
Rainha da Natureza,
Moreninha.

Inda ouço os sons primeiros
Da tua voz na modinha
Modulada nos terreiros,
Moreninha.

Lavando a roupa às braçadas,
Nos fios d'água fresquinha,
Sob as mangueiras copadas,
Moreninha.

Os teus risos adorados,
Desferidos à noitinha,
Nos bandos de namorados,
Moreninha.

A tua oração ditosa,
Nas missas da capelinha,
Tão faceira! tão formosa!
Moreninha.

A placidez do teu rosto
Com teus modos de avezinha,
Fitando a luz do sol posto,
Moreninha.

O teu samburá de flores
Que levavas à igrejinha,
Enchendo a nave de odores,
Moreninha.

O vestidinho de chita,
De rosas estampadinha,
Fazendo-te mais bonita,
Moreninha.

O nosso idílio encantado,
Quando te achavas sozinha,

Sob o luar prateado,
Moreninha.

Que terna recordação
De minh'alma se avizinha!
De saudade, de paixão,
Moreninha.

Ai! Ai! meu Deus, quem me dera
Rever-te, doce rainha,
Rainha da Primavera,
Moreninha.

Recordando

189 Meu Deus, deixai que eu me esqueça
Da minha vida de agora,
Que apenas o meu passado
Eu possa alegre rever;
Deixai que me identifique
Com os raios da luz de outrora,
Daquela risonha aurora
Do meu passado viver.

Que eu sinta de novo a vida
Na infância linda e ditosa,
Na alegria inalterável
Do lugar onde nasci;
Quero rever novamente
A paisagem luminosa,
Sentir a emoção grandiosa
De tudo o que já senti!...

Ah! que eu possa hoje olvidar
Imensidades, esferas,
Concepções mais perfeitas
No progresso que alcancei;
Que das ruínas, dos escombros,
Minh'alma retire as heras,

E contemple as primaveras
Da vida que já deixei.

Quero aspirar os perfumes
Dos cendais cheios de flores,
Na fresca sombra dos vales,
Sob a luz do céu de anil!
Rever o sítio encantado
Da minha estância de amores,
Meus sonhos encantadores,
Minha terra, meu Brasil!

Escutar os sinos calmos
Sob a alvura das capelas,
Enchendo as longes devesas,
De convites à oração;
Sentar-me no prado agreste,
Beijar as flores singelas,
Mirar a luz das estrelas,
Ouvir a voz da amplidão!

Correr sob o sol nascente
Até que chegue o luar,
Procurando os passarinhos
E as borboletas tafuis;
Que esperança, que ventura!
Viver, sofrer e amar
A campina, o Sol, o mar,
Campos verdes, céus azuis...

Ser homem e ser criança,
Toucar-se a alma das galas
Da poesia inexprimível,
Da alvorada e do arrebol...
Oh! Natureza da Terra,

Que tesouros não exalas,
Na carícia dessas falas
Do passarinho e do Sol!

Eu gozo de quando em quando,
Revendo essa claridade,
Da existência transcorrida
Guardada no coração;
E dos cimos desta vida,
Na excelsa Imortalidade,
Verto prantos de saudade
À luz da recordação.

Comentários de Elias Barbosa

Com muita propriedade, o Prof. Sousa da Silveira[29] afirma: "O estilo de Casimiro encanta: suave, espontâneo, simples, conciso, claro, adequado à ternura dos seus sentimentos de amor e de saudade, à tradução de uma dor profunda, mas, quase sempre, serena".

E Nilo Bruzzi,[30] depois de deixar claro que sobre a "maravilha da poesia de Casimiro de Abreu" jamais cairá a poeira da velhice, cita-lhe a seguinte estrofe:

> As cachoeiras chorarão sentidas
> Porque cedo morri,
> E eu sonho no sepulcro os meus amores
> Na terra onde nasci!

E prossegue:

Não envelhece nunca o que é dito com bondade e singeleza. E todos nós temos a mesma infância exterior, a mesma adolescência, a mesma

---

[29] Sousa da Silveira, *Casimiro de Abreu — Poesia* — N. Cl., nº 23. Rio de Janeiro: Agir, 1958, p. 7.
[30] Nilo Bruzzi, *Casimiro de Abreu*. Rio de Janeiro: Editora Aurora, 1949, p. 159 a 161.

juventude — porque a desigualdade material desses períodos não destrói a similitude das sensações, que são o que nos fica na lembrança a vida toda. Quando cada rapaz, de todos os tempos, evoca os seus oito anos de idade, ele não pode fugir de se recordar, como:

Oh! que saudades que tenho
Da aurora da minha vida,
Da minha infância querida
Que os anos não trazem mais!
Que amor, que sonhos, que flores,
Naquelas tardes fagueiras
À sombra das bananeiras,
Debaixo dos laranjais!

Naqueles tempos ditosos
Ia colher as pitangas,
Trepava a tirar as mangas,
Brincava à beira do mar;
Rezava às Ave-Marias,
Achava o céu sempre lindo,
Adormecia sorrindo
E despertava a cantar!

O segredo aí está da poesia de Casimiro de Abreu. Ela não é regional, é nacional. Todo o país se retrata nela, todos os mais remotos arraiais, de qualquer banda, têm os assanhaços, as juritis, os sabiás, os passarinhos que ele evoca, as moitas de bananeiras, os laranjais em flor, os córregos encachoeirados, as montanhas e as planícies, as matas e os roçados, as pitangas, as mangas, o sino da igreja batendo às Ave-Marias, tudo, enfim, que ele pinta nos versos comovidos. Não há menino pobre ou rico que não tenha subido nas árvores e brincado na água, no período da vida em que não é nem rico nem pobre — é apenas menino.

Não nos sendo possível fazer um estudo detalhado de todos os poemas mediúnicos, em relação à obra deixada na Terra, analisemos algumas palavras estruturantes do poeta, servindo-nos das observações que o Prof. Sousa da Silveira fez das *Obras de Casimiro de Abreu.*[31] A nosso ver, ninguém melhor que o autor das *Lições de português* para se referir aos vocábulos que se multiplicam nos poemas do vate desencarnado.

> Verso 6. *Vergel* — Quero dormir à sombra dos coqueiros,
> As folhas por dossel;
> E ver se apanho a borboleta branca,
> Que voa no vergel!

("Meu Lar") — *Nota 28*: "*Vergel.* Uma das palavras queridas de Casimiro". (p. 74 a 76)

> Nosso Sol é de fogo, o campo é verde,
> O mar é manso, nosso céu azul!
> — Ai! por que deixas este pátrio ninho
> Pelas friezas dos vergéis do sul?

("A voz do Rio", p. 129 a 131.)

> Corre, brisa, pressurosa
> Sobre esses plainos de anil,
> Vai brincar pelas campinas,
> Pelos vergéis do Brasil!

("Suspiros", p. 104 a 106.)

> E os meigos perfumes
> Que solta o vergel;
> As noites brilhantes,
> etc.

("Poesia e Amor", p. 137 a 140.)

---

[31] *Obras de Casimiro de Abreu, apuração e revisão do texto, escorço biográfico, notas e índices por Sousa da Silveira.* São Paulo: Companhia Editora Nacional, 1940.

Na primavera tudo é riso e festa,
Brotam aromas do vergel florido,
E o ramo verde de manhã colhido
Enfeita a fronte da aldeã modesta.
                ("Primaveras", p. 151 a 155.)

Oh! sonha! — Feliz a idade
Das rosas da virgindade,
Dos sonhos do coração!
— Puro vergel de açucenas
Ou lago d'águas serenas
Que estremece à viração!
                ("Sonhos de Virgem", p. 191 a 193.)

Eu lhe iria mostrar nos hinos d'alma
Outro mundo, outro céu, outros vergéis;
Nossa vida seria um doce afago,
Nós — dois cisnes vogando em manso lago,
— Amor — nossos batéis!
                ("Sempre Sonhos!...", p. 201 a 204.)

Vive e canta e ama esta natura,
A pátria, o céu azul, o mar sereno,
   A veiga que seduz;
E possa, meu poeta, essa existência
Ser um lindo vergel todo banhado
De aromas e de luz!
                ("A J. J. C. Macedo-Júnior", p. 281 a 288.)

E louco a sigo por desertos mares,
Por doces veigas, por um céu de azul;
Pouso com ela nos gentis palmares
À beira d'água, nos vergéis do sul!...
                (LXXII..., p. 342 a 347.)

Verso 44. Mãe — Terceira estrofe de "Meu Lar":
O país estrangeiro mais belezas
   Do que a pátria, não tem;
E este mundo não val um só dos beijos
   Tão doces duma mãe!

— *Nota 12*:

Mãe. Em rima com *tem*. Para aqueles dos portugueses que pronunciam *tãi*, essa rima é perfeita. Para Casimiro seria uma rima puramente literária, sem nenhum significado fonético, resultante apenas de vê-la o poeta em autores portugueses. Pode ser também que ele tivesse adquirido a pronúncia *tãi*, visto que, quando escreveu a poesia, já estava em Portugal havia três anos ou mais (p. 76).

Ao menos, nesse momento
Em que o letargo nos vem
Na hora do passamento,
No suspirar da agonia
Terei a fronte já fria
No colo de minha mãe!
        ("No leito", p. 365 a 371.)

....
E as puras gotas de orvalho
Que a rosa no seio tem,
Não sabeis vós que elas são
Os prantos de nossa mãe
Que caem silenciosos,
   etc.
        ("A vida", p. 374 a 378.)

Verso 56. *Juriti* — Do poema "Juriti", (p. 91 a 93), apenas a primeira estrofe:

> Na minha terra, no bulir do mato,
>   A juriti suspira;
> E como o arrulo dos gentis amores,
> São os meus cantos de secretas dores
>   No chorar da lira."
> ....
> "A natureza se desperta rindo,
> Um hino imenso a criação modula,
> Canta a calhandra, a juriti arrula,
> O mar é calmo porque o céu é lindo.

("Primaveras", p. 151 a 155. Veja-se a nota 15, na qual Sousa da Silveira demonstra ser infundada a crítica a Casimiro por situar "lado a lado a calhandra, que não é nossa, e a juruti, que o é".)

Verso 132. *Moreninha* — Primeira das "Brasilianas", na edição de 1859 das *Primaveras*, transcrevamos apenas a primeira e a quinta estrofes do famoso "Moreninha" (p. 121 a 125):

> Moreninha, Moreninha,
> Tu és do campo a rainha,
> Tu és senhora de mim;
> Tu matas todos d'amores,
> Faceira, vendendo as flores
> Que colhes no teu jardim.
> ....
> Depois segui-te calado
> Como pássaro esfaimado
> Vai seguindo a juriti;
> Mas tão pura ias brincando,
> Pelas pedrinhas saltando,
> Que eu tive pena de ti!

De "Juramento" (p. 159 a 161), datado do Rio de Janeiro, 1857, ano em que foi lançado *O livro dos espíritos*, em Paris, a última estrofe:

> O juramento está feito,
> Foi dito co'a mão no peito
> Apontando ao coração:
> E agora — por vida minha,
> Tu verás, oh! moreninha,
> Tu verás se o cumpro ou não!...

> (Cf. a nota do professor Sousa da Silveira.)

Verso 189. "Meus oito anos", datado de Lisboa, 1857, corresponde, do ponto de vista estrutural e temático, à prova da autenticidade do "Recordando". Que o leitor comprove por si mesmo, às p. 94 a 96 das *Obras de Casimiro* de *Abreu*.

Verso 216. *Anil* — Além da estrofe citada em nota anterior deste capítulo (no 6), ouçamos a opinião do autor de *Trechos Seletos*, à *p. 346, nota 56*: "anil: *água azul, mar. Os que injustamente reprovaram a Casimiro este emprego de anil*, que diriam de Virgílio (*Eneida*, I, 35), usando *sal* com a significação de *mar*"?

> Vix et conspectu Siculae telluris in altum
> Vela dabant laeti et spumas salis aere ruebant

Castro Alves

    Poeta baiano, desencarnou em 6 de julho de 1871, com 24 anos. Mocidade radiosa, o autor consagrado de *Espumas Flutuantes* exerceu nas rodas literárias do seu tempo a mais justa e calorosa das projeções. Nesta poesia sente-se o crepitar da lira que modulou — *O livro e a América*.

Marchemos!

Há mistérios peregrinos
No mistério dos destinos
Que nos mandam renascer:
Da luz do Criador nascemos,
Múltiplas vidas vivemos,
Para à mesma luz volver.

Buscamos na Humanidade
As verdades da Verdade,
Sedentos de paz e amor;
E em meio dos mortos-vivos
Somos míseros cativos
Da iniquidade e da dor.

É a luta eterna e bendita,
Em que o Espírito se agita
Na trama da evolução;
Oficina onde a alma presa
Forja a luz, forja a grandeza
Da sublime perfeição.

É a gota d'água caindo
No arbusto que vai subindo,
Pleno de seiva e verdor;
O fragmento do estrume,
Que se transforma em perfume
Na corola de uma flor.

A flor que, terna, expirando,
Cai ao solo fecundando
O chão duro que produz,
Deixando um aroma leve
Na aragem que passa breve,
Nas madrugadas de luz.

É a rija bigorna, o malho,
Pelas fainas do trabalho,
A enxada fazendo o pão;
O escopro dos escultores
Transformando a pedra em flores,
Em Carraras de eleição.

É a dor que através dos anos,
Dos algozes, dos tiranos,
Anjos puríssimos faz,
Transmutando os Neros rudes
Em arautos de virtudes,
Em mensageiros de paz.

Tudo evolui, tudo sonha
Na imortal ânsia risonha
De mais subir, mais galgar;
A vida é luz, esplendor,
Deus somente é o seu amor,
O Universo é o seu altar.

Na Terra, às vezes se acendem
Radiosos faróis que esplendem
Dentro das trevas mortais;
Suas rútilas passagens
Deixam fulgores, imagens,
Em reflexos perenais.

É o sofrimento do Cristo,
Portentoso, jamais visto,
No sacrifício da cruz,
Sintetizando a piedade,
E cujo amor à Verdade
Nenhuma pena traduz.

É Sócrates e a cicuta,
É César trazendo a luta,
Tirânico e lutador;
É Cellini com sua arte,
Ou o sabre de Bonaparte,
O grande conquistador.

É Anchieta dominando,
A ensinar catequizando
O selvagem infeliz;
É a lição da humildade,
De extremosa caridade
Do pobrezinho de Assis.

Oh! bendito quem ensina,
Quem luta, quem ilumina,
Quem o bem e a luz semeia
Nas fainas do evolutir:
Terá a ventura que anseia
Nas sendas do progredir.

Uma excelsa voz ressoa,
No Universo inteiro ecoa:
"Para a frente caminhai!
O amor é a luz que se alcança,
Tende fé, tende esperança,
Para o Infinito marchai!".

A MORTE

No extremo polo da vida
Diz a Morte: "Humanidade,
Sou a espada da Verdade
E a Têmis do mundo sou;
Sou balança do destino,
O fiel desconhecido,
Lanço Cômodo no olvido
E aureolo a fronte de Hugo!

O cronômetro dos séculos
Não me torna envelhecida;
Sou morte — origem da vida,
Prêmio ou gládio vingador.
Sou anjo dos desgraçados
Que seguem na Terra errantes,
Desnorteados viajantes
Dos Niágaras da dor!

Também sou braço potente
Dos déspotas e opressores,
Que trazem os sofredores
No jugo da escravidão;
Aos bons, sou compensação,
Consolo e alívio aos precitos,
E nos maus aumento os gritos
De dores e maldição.

Sepultura do presente,
Do porvir sou plenitude,
Da alegria sou saúde
E do remorso o amargor.
Sou águia libertadora
Que abre, sobre as descrenças,
O manto das trevas densas,
E sobre a crença o esplendor.

Desde as eras mais remotas
Coso láureas e mortalhas,
E sobre a dor das batalhas
Minha asa sempre pairou;
Meu verbo é a lei da Justiça,
Meu sonho é a evolução;
Meu braço — a revolução,
Austerlitz e Waterloo.

Homem, ouve-me; se às vezes
Simbolizo a guilhotina,
Minha mão abre a cortina
Que torna o mistério em luz;
E por trabalhar com Deus,
Na absoluta equidade,
Sou prisão ou liberdade,
Nova aurora ou nova cruz.

Se o cristal que imita o céu
Da consciência tranquila
É o luzeiro que cintila
Na noite do teu viver,
Oásis — dou-te o repouso,
Estrela — estendo-te lume,
Flor — oferto-te perfume,
Luz da vida — dou-te o ser!

Mas, também, se a tirania
Arvora-se em lei na Terra,
Eu mando a noite da guerra
Fazer o sol do porvir;
Arremesso a minha espada,
Ateio fogo aos canhões,
Faço cair as nações
Como fiz Roma cair.

Foi assim que fiz um dia,
Ao ver o trono imperfeito
Estrangulando o Direito;
Busquei Danton, Mirabeau...
E junto ao vulto de Têmis
Tomei o carro de Jove,
E fiz o Oitenta e Nove
Quando a França me ajudou.

Então, implacavelmente,
Fiz a Europa ensanguentada
Ajoelhar-se humilhada,
Diante de tanto horror.
Das cidades fiz ossuários,
Dos campos Saaras ardentes,
Trucidei réus inocentes,
Apaguei a luz do amor,

Até que um dia o Criador,
Sempre amoroso e clemente,
Que jamais teve presente,
Nem passado nem porvir,
Bradou do cume dos céus
Num grito piedoso e forte:
'Não prossigas! Basta, Morte,
Agora é reconstruir'.

Portanto, homem, se tens
Por bússola o Bem na vida,
Olha o Sol de fronte erguida,
Espera-me com fervor.
Abrir-te-ei meus tesouros,
Serei tua doce amante,
Cujo seio palpitante
Guardar-te-á — paz e amor.

Se às vezes se te afigura
Que sou a foice impiedosa,
Horrenda, fria, orgulhosa,
Que espedaça os teus heróis,
Verás que sou a mão terna
Que rasga abismos profundos,
E mostra biliões de mundos,
E mostra biliões de sóis.

Conduzo seres aos Céus,
À luz da realidade;
Sou ave da liberdade
Que ao lodo da escravidão
Venho arrancar os espíritos,
Elevando-os às alturas:
Dou corpos às sepulturas,
Dou almas para a amplidão!".

A Morte é transformação,
Tudo em seu seio revive:
Esparta, Tebas, Nínive,
Em queda descomunal,
Revivem na velha Europa;
E como faz às cidades,
Remodela humanidades
No progresso universal.

Comentários de Elias Barbosa

De todos os trabalhos publicados por ocasião do centenário de nascimento do Poeta dos Escravos, foi, talvez, o de Mário Chamie, intitulado "Metábole" e publicado na primeira página do Suplemento Literário de *O Estado de São Paulo*, de 4-7-71 (Ano 15, no 727), o que mais de substancial trouxe sobre a poética de Castro Alves, razão por que nos serviremos dele para a análise de todos os poemas do vate condoreiro psicografados pelo médium Francisco Xavier até a presente data.

Inicia Mário Chamie o seu erudito estudo:

> Algumas palavras são o alicerce estruturante da obra poética de Castro Alves. Não são as famosas palavras-chaves nem os "sortilégios do verbo" de Matila C. Chyka. Mais do que estas, as do poeta baiano se constituem em minúsculos núcleos sêmicos, a partir dos quais o seu texto se expande e se organiza em ondas e vagalhões pericêntricos.
> As palavras estruturantes de Castro Alves são as seguintes: *céu, chão, sal, flor, lua, mar, raio, pó, ar, mãe, voo, rio, cruz, Deus, fé, luz, dor, véu, paz, voz, mão, rei, pé, som, lar, grão, pai, pão, seio, cão*. Trinta monossílabos *poéticos*.
> Esses trinta pequenos vocábulos, por incrível que pareça, são o suporte e a coluna-mestra da sua tão decantada e nem sempre compreendida grandiloquência.

Após demonstrar que os críticos anteriores deixaram de perceber "os trinta pequeninos monossílabos" e os que estudaram a linguística de *Espumas Flutuantes*, Túlio Hostílio Montenegro e Jamil Almansur Haddad, mais não fizeram que um estudo estatístico. Aliás, vale a pena transcrever aquilo que de semelhante estudo de Haddad diz Mário Chamie:

> Por ele, chegamos a saber, entre outras coisas, que nas *Espumas Flutuantes* 42,7% das palavras são de uma sílaba, 30,1% de duas, 18,6% de três, 6,4% de quatro e 1,2% de cinco sílabas. Cada 1.000 palavras das *Espumas Flutuantes* contém 1.913 sílabas.

Voltando a se referir aos trinta monossílabos, insiste Chamie:

> Se assim é, por que razões e em que condições a trintena léxica adquire força geratriz e matricial de uma linguagem? De que modo ela se constitui num verdadeiro filtro de toda a articulação estético-biográfica, social e política do vate condoreiro?
> Numa visada instantânea, as razões e condições são estas:
> a) a trintena não é uma soma de monossílabos isolados;
> b) a trintena é um sistema estruturante em que cada monossílabo atrai o seu contrário, formando parelhas *primárias* de oposição e complementaridade; parelhas *secundárias* de oposição e complementaridade; e parelhas *cruzadas* livres. Reunindo os trinta monossílabos em seis grupos básicos de cinco, conforme a análise e o levantamento a que procedemos ao longo de toda a obra do poeta, será fácil explicar o sistema. Os grupos e o esquema de suas permutações atrativas são estes:

1	2	3	4	5	6
céu ↔	sol ↔	lua ↔	raio ↔	ar ↔	voo
↕	↕	↕	↕	↕	↕
chão ↔	flor ↔	mar ↔	pó ↔	grão ↔	rio
↕	↕	↕	↕	↕	↕
cruz ↔	fé ↔	dor ↔	paz ↔	mão ↔	pé
↕	↕	↕	↕	↕	↕
Deus ↔	luz ↔	véu ↔	voz ↔	rei ↔	som
↕	↕	↕	↕	↕	↕
lar ↔	mãe ↔	pai ↔	pão ↔	seio ↔	cão

Vale dizer: as parelhas primárias são as que obedecem a uma associação vertical e, portanto, paradigmática dos monossílabos considerados em seus grupos isolados. Assim, no grupo número 1, por exemplo, *céu* pode se opor a *chão*, *chão* a *cruz*, *cruz* a *Deus*, *Deus* a *lar*, compondo as parelhas: *céu/chão*, *chão/cruz*, *cruz/Deus*, *Deus/lar*. E esses monossílabos podem também se complementar, no sentido de *chão* se explicar em *céu*, de *cruz* em *Deus*, ou de *Deus* em *lar*, eliminando a oposição dos termos. Já as parelhas secundárias são as que ocorrem em sucessão horizontal e, portanto, sintagmática dos monossílabos, considerados numa sequência linear do grupo 1 ao grupo 6. Tomando, ainda, a primeira sequência, lograríamos as parelhas de oposição: *céu* vs. *sol*, *sol* vs. *lua*, *lua* vs. *raio*, *raio* vs. *ar*, *ar* vs. *voo*; ou as parelhas complementares: *céu-sol*, *sol-lua*, *lua-raio*, *raio-ar*, *ar-voo*. Isto, para ficar num primeiro plano de combinações, já que, na associação vertical, *céu* poderia se opor ou complementar-se com *lar*, *lar* com *chão*, *chão* com *Deus* etc., na mesma medida em que, na sucessão horizontal, *raio* poderia opor-se ou complementar-se com *sol*, *sol* com *voo* etc.
As parelhas cruzadas são aquelas que obedecem às regras de permutação livre, até o número máximo possível de combinações entre as trinta palavrinhas. Quer dizer: cada palavra isolada, horizontal e/ou verticalmente, é passível de combinação com as restantes 29 dos seis grupos;
c) estatisticamente, não existe na obra de Castro Alves nenhum poema em que não esteja marcada a presença *explícita* de um monossílabo, de uma ou de duas ou mais parelhas, sejam opostas, sejam complementares. Consideramos sua obra poética os quatro livros: *Espumas Flutuantes*, *Os Escravos*, *A cachoeira de Paulo Afonso* e *Poesias Avulsas*, ficando de lado o drama *Gonzaga ou a Revolução de Minas* e a coletânea de *Traduções e paráfrases*. Os quatro livros somam 167 poemas.

Em nota de rodapé, lemos o seguinte:

Dos 167 poemas, apenas duas anotações poéticas de Castro Alves não contêm nenhum dos trinta monossílabos. São elas: "A Meu Irmão Guilherme de Castro Alves" (*in Espumas Flutuantes*) e "Numa página" (*in Poesias Avulsas*).

Um estudo de frequência — continua o ensaísta:

Demonstrará que há uma escala hierárquica de comparecimento das parelhas nessa soma, comparecendo *céu/chão* mais do que *chão/cruz*, *chão/cruz* mais do que *sol/flor* e daí para diante;
d) uma vez presentes os termos de uma parelha, o procedimento estruturante de Castro Alves cumpre uma expansão formadora que irá sempre de um núcleo sêmico unitário até um conjunto imagético global, passando por momentos intermédios de formação;
e) os momentos intermédios são dois: a *metáfora* e a *hipérbole* (para livre orientação do leitor, lembramos que para Aristóteles a *metáfora* consiste "no transportar para uma coisa o nome de outra". Lembramos também que consideramos *hipérbole* aquela *figura* pela qual exageramos, "para mais ou para menos, as quantidades do objeto", sem tornar o texto ininteligível) que, interpostas entre o núcleo sêmico unitário e o conjunto imagético global, dão origem e consistência à *metábole* (metáfora + hipérbole), que é a linguagem mesma de Castro Alves;
f) o quadro crítico do procedimento estruturante do poeta apresenta esta invariável configuração esquemática:

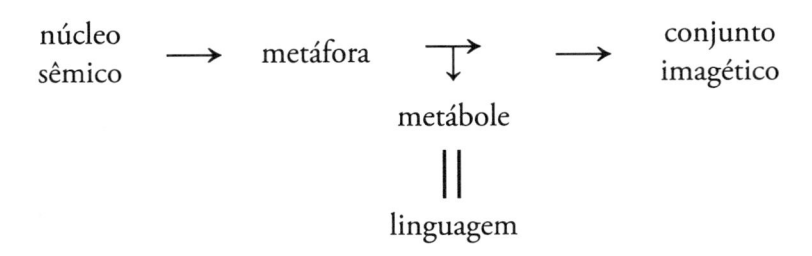

$$\begin{array}{c} \text{núcleo sêmico} \longrightarrow \text{metáfora} \stackrel{\longrightarrow}{\downarrow} \longrightarrow \text{conjunto imagético} \\ \text{metábole} \\ \| \\ \text{linguagem} \end{array}$$

Traduzindo o esquema, temos: núcleo sêmico (ou, se quisermos, lexema) é cada um dos monossílabos em si mesmos; metáfora é a combinação simples de um ou mais monossílabos (ou um semema), em linha de associação, de sucessão ou cruzada; hipérbole é a combinação composta (ou um semantema) de um ou mais monossílabos, nas três linhas; o conjunto imagético é o segmento (ou frasema) — verso — que comporta as duas formas de combinação, garantindo-lhe a coerência imagética; metábole é o resultado final (dictema) do processo de expansão verbal que é a passagem de um *núcleo* a um *conjunto*, por meio da fusão *metáfora-hipérbole*; e linguagem é o código que confere unidade comunicativa à organização geral das metáboles de que se compõe o texto poético de Castro Alves.

Depois de se referir ao uso do adjetivo *errante* e ao conceito de *marcha* e *trajetória* "em que o *céu* se identifica com o futuro e com os novos valores humanos aspirados; e em que o *chão* se identifica com o presente injusto e condenável", acentua Mário Chamie:

> Nessa dupla identidade está todo o sentido da decantada poesia participante de Castro Alves. Está o visionarismo romântico da sua generosa e livresca ideia de revolução. Em que consiste esta? Quais os meios de fazê-la implantada e vitoriosa? Para o poeta, revolucionar é educar; a revolução consiste na educação. O meio para implantá-la e obtê-la não são as armas, nem a ação organizada que leve às grandes rupturas e às instaurações de novas eras. O meio é o livro. O livro é "germe — que faz a palma", é "chuva — que faz o mar", é o templo das ideias aberto "às multidões/Pra o batismo luminoso/Das grandes revoluções", é, enfim, "ginete dos pensamentos/ — Arauto da grande luz!" [...] Quando raiar a Luz, a Humanidade que é Lázaro, aos olhos do poeta, ressurgirá do *seio* da História. Enquanto isso não acontece, devemos esperar, e a única coisa a fazer é disseminar a luz, estimular a sua marcha e a sua trajetória, tomando o modelo e o paradigma de *heróis e sábios* que, elevando-se da planície aos cumes andinos e celestes, submeteram as causas específicas à ideia maior da Causa Universal. Nesse sentido, Castro Alves cultivou os seus dois elencos. Um, de seus heróis e sábios: Napoleão, Goethe, Homero, Robespierre, Juarez, Hugo, os Jesuítas etc. Outro, de suas causas mais caras: a América, a injustiça, a tirania, a livre imprensa e, acima de tudo, a escravidão.

Na parte final do excelente estudo, Mário Chamie faz uma análise de um dos treze poemas dos 32 que compõem *Os Escravos*, no qual aparece a parelha horizontal e complementar *sol/raio* em junção com a parelha cruzada *raio/luz*, que infelizmente não podemos transcrever, devido à exiguidade de espaço, cabendo ao leitor, para a sua edificação literária, a consulta na fonte.

Percorrendo a produção de Castro Alves por intermédio de Francisco Cândido Xavier, encontramos os seguintes núcleos sêmicos, que passamos a colocar em parelhas, conforme o estudo de Mário Chamie:

1	2	3	4	5	6
céu	sol	lua[31]	...	ar[31]	...
chão	flor	...	pó[34]	...	...
cruz	fé	dor	paz	mão	pé[33]
Deus	luz	...	voz	rei[32]	...
...	...	pai[35]	pão	seio	...

Ora, se dos quatro livros estudados por Chamie, apenas o primeiro — *Espumas Flutuantes* — contém: 54 poemas; 522 estrofes e 2.703 versos — e em dois poemas (um deles apontado pelo autor) não aparece qualquer dos monossílabos estruturantes, e somente uma vez surge o núcleo sêmico grão, é natural que na produção de Castro Alves por intermédio de Chico Xavier faltem aqueles lexemas apontados acima, justamente porque, até agora, o médium de Emmanuel psicografou: sete poemas, 74 estrofes e 528 versos de Castro Alves; mas, como poderá o próprio leitor observar, em todos os poemas mediúnicos existem pelo menos quatro

---

[32] "Ante os novos tempos", *Reformador*, 1970, p. 157.
[33] "Apelo à mocidade espírita-cristã", *Correio Fraterno*, FEB, 1970, p. 12 a 15.
[34] "Brasil", psicografado ao final do 2o *Pinga-Fogo*, ante as câmeras da TV Tupi, Canal 4 de São Paulo, a 20-12-71.
[35] "Esperanto", *Reformador*, 1947, p. 177.

dos trinta monossílabos que provam, de modo categórico, tratar-se do Espírito do vate condoreiro.

Numa série de três artigos, intitulados "Chico Xavier e Castro Alves", publicados em *O Liberal*, de Americana, estado de São Paulo, respectivamente de 30-12-71, 8-1 e 15-1-72, Walter José Faé faz excelente análise da produção mediúnica de Chico Xavier em relação à poética de Castro Alves. No segundo desses estudos, chamamos a atenção para algumas *palavras-temas* verificadas pelo estudioso paulista, dentre outras: a expressão metafórica *sombra* (encontrada quarenta vezes nas poesias completas de Castro Alves); *lodo*; *porvir*; *augusto*; os verbos *rugir* e *brilhar*, além dos monossílabos apontados por Mário Chamie.

Deixando que o prezado leitor verifique nos poemas constantes deste livro os núcleos sêmicos isolados, as metáforas, o conjunto imagético, o processo metabólico e, tanto quanto possível, o jogo permutacional da trintena, passamos, em seguida, a relacionar alguns trabalhos de suma importância, que se referem à obra do vate baiano, antes e depois da sua desencarnação: Eugênio Gomes, *Castro Alves — Poesia*, N. Cl., no 44, AGIR, Rio de Janeiro, 1960; Hans Jürgen W. Horch, *Bibliografia de Castro Alves*, MEC/INL, Rio de Janeiro, 1960; Jamil Almansur Haddad (organização e prefácio), *Poemas de Amor*, de Castro Alves, Civilização, Rio de Janeiro, 1957; *Poesias Completas* de Castro Alves, Introdução de Jamil Almansur Haddad, organização, revisão e notas de Frederico José da Silva Ramos, 2ª edição, Edição Saraiva, São Paulo, 1960; Antônio de Pádua, *Notas de Estilística*, p. 42 a 45; Fausto Cunha, "Castro Alves e o Realismo Romântico", *Revista do Livro*, no 23 e 24, ano VI, julho-dezembro — 1961, MEC/INL, p. 7 a 22; e, finalmente, mas não em último lugar, Hildon Rocha, "Confronto entre Castro Alves e Álvares de Azevedo", *Cultura*, nº 2, Ano I, abril a junho de 1971, p. 40 a 53, em cujo item 7 o autor demonstra algo singular que a nós, espíritas, se afigura tratar-se de mediunidade psicográfica que irrompera em Castro Alves, meses antes da sua desencarnação.

Nota: Os núcleos sêmicos isolados *Deus, luz, céu, sol e dor*, também se encontram em "O livro divino", Poetas Redivivos, FEB. Cap. 19.

Cornélio Bastos

Professor, poeta e jornalista. Nascido na capital de São Paulo, em 26 de setembro de 1844 e desencarnado em Campos em 31 de janeiro de 1909. Foi grande abolicionista e espírita militante.

NÃO TEMAS

Somente com Jesus a alma cansada
Volve à praia do amor no mar da vida,
O viajor errante encontra a estrada,
Que o reconduz à terra estremecida.

A esperança, adiada e emurchecida,
Refloresce ao clarão de outra alvorada;
Todo o trabalho e dor da humana lida
São luzes da vitória desejada.

Sem Jesus, cresce a treva entre os escombros;
Ama a cruz que te pesa sobre os ombros,
Vence o deserto áspero e inclemente.

A aflição inda é grande em cada dia?
Não desprezes a Doce Companhia,
Vai com Jesus! não temas! crê somente!

Comentários de Elias Barbosa

O autor consegue, com rara felicidade, sintetizar em apenas quatorze versos o papel sublime de Jesus em nossas vidas, sem cujo amparo nós, os viajores da eternidade, jamais lograremos volver à pátria do amor ou encontrar a estrada que nos leve a nós mesmos, muita vez com a treva a crescer entre os escombros de nossos próprios sonhos.

O uso do imperativo, a partir do décimo verso, sugere-nos a necessidade de crer somente, já que, por enquanto, poucos são aqueles que se elevaram tanto espiritualmente a ponto de amarem a cruz que lhes pesa nos ombros, de modo a vencerem o deserto áspero de aflições e dificuldades que nós mesmos criamos e do qual nos nutrimos, em atividades de autorregeneração, como que nos penitenciando de complexos de culpas enraizados na profundeza do inconsciente.

Cruz e Souza

Catarinense. Funcionário público, encarnou em 1861 e desprendeu-se em 1898, no estado de Minas Gerais. Poeta de emotividade delicada, soube, mercê de um simbolismo inconfundível, marcar sua individualidade literária. Sua vida foi toda dores.

Ansiedade

Todo esse anseio que tortura o peito,
Estrangulando a voz exausta e rouca,
Que em cada canto estruge e em cada boca
Faz o soluço do ideal desfeito;

Ansiedade fatal de que se touca
A alma do homem mau e do perfeito,
Sobe da Terra pelo espaço eleito,
Numa imensa espiral, estranha e louca,

Formando a rede eterna e incompreendida,
Das ilusões, dos risos, das quimeras,
Das dores e da lágrima incontida;

Essa ansiedade é a mão de Deus nas eras,
Sustentando o fulgor da luz da Vida,
No turbilhão de todas as esferas!...

Heróis

Esses seres que passam pelas dores,
Às geenas do pranto acorrentados,
Aluviões de peitos sofredores,
No turbilhão dos grandes desgraçados;

Corações a sangrar, ermos de amores,
Revestidos de acúleos acerados,
Nutrindo a luz dos sonhos superiores
Nos ideais maiores esfaimados;

Esses pobres que o mundo considera
Os humanos farrapos dos vencidos,
Prisioneiros da angústia e da quimera,

São os heróis das lutas torturantes,
Que são, sendo na Terra os esquecidos,
Coroados nas Luzes Deslumbrantes!

Aos torturados

Torturados da vida, um passo adiante,
Nos desertos dos áridos caminhos,
Abandonados, trêmulos, sozinhos,
Infelizes na dor a cada instante!

Sobre a luz que vos guia, bruxuleante,
E além dos trilhos de ásperos espinhos,
Fulgem no Além os deslumbrantes ninhos,
Mundos de amor no claro azul distante...

Chorai! que a imensidade inteira chora,
Sonhando a mesma luz e a mesma aurora
Que idealizais chorando nas algemas!

Vibrai no mesmo anseio em que palpita
A alma universal, sonhando, aflita,
As perfeições eternas e supremas!

A SEPULTURA

Como a orquídea de arminho quando nasce,
Sobre a lama ascorosa refulgindo,
A brancura das pétalas abrindo,
Como se a neve alvíssima a orvalhasse;

Qual essa flor fragrante, como a face
Dum querubim angélico sorrindo,
Do monturo Pestífero emergindo,
Luz que sobre negrumes se avistasse;

Assim também do túmulo asqueroso,
Evola-se a essência luminosa
Da alma que busca o céu maravilhoso;

E como o lodo é o berço vil de flores,
A sepultura fria e tenebrosa
É o berço de almas — senda de esplendores.

Anjos da Paz

Ó luminosas formas alvadias
Que desceis dos espaços constelados
Para lenir a dor dos desgraçados
Que sofrem nas terrenas gemonias!

Vindes de ignotas luzes erradias,
De lindos firmamentos estrelados,
Céus distantes que vemos, dominados
De esperanças, anseios e alegrias.

Anjos da Paz, radiosas formas claras,
Doces visões de etéricos carraras
De que o espaço fúlgido se estrela!...

Clarificai as noites mais escuras
Que pesam sobre a terra de amarguras,
Com a alvorada da Paz, ditosa e bela...

ALMA LIVRE[36]

Um soluço divino de alegria
Percorre a todo Espírito liberto
Das pesadas cadeias do deserto,
Desse mundo de sombra e de agonia.

A alma livre contempla o novo dia,
Longe das dores do passado incerto,
Mergulhada no esplêndido concerto
De outros mundos, que a luz acaricia!

Alma liberta, redimida e pura,
Vê a aurora depois da noite escura,
Numa visão mirífica, superna...

Penetra o mundo da imortalidade,
Entre canções de luz e liberdade,
Forçando as portas da Beleza Eterna.

---

[36] N.E. da 9. ed., 1972: Este e outros sonetos de Cruz e Souza foram por ele mesmo traduzidos magistralmente em Esperanto, e as traduções ditadas ao médium Francisco Valdomiro Lorenz, que no-las remeteu. Por supormos fato inédito, deixamo-lo aqui registrado. Essas traduções mediúnicas de versos em Esperanto foram publicadas em elegante volume, sob o título *Voĉoj de poetoj el la Spirita Mondo*.

"Gloria victis"

Glória a todas as almas obscuras
Que caíram exânimes na estrada,
Onde a pobre esperança abandonada
Morre chorando sob as desventuras.

Glória à pobre criatura desprezada,
Glória aos milhões de todas as criaturas,
Sob a noite das grandes amarguras,
Sem conhecer a luz de uma alvorada.

Gloria Victis! Hosana aos desgraçados
Que tombaram sem vida, aniquilados,
Nos sofrimentos purificadores;

Que o Céu é a pátria eterna dos vencidos,
Onde aportam ditosos, redimidos,
Como heróis dos deveres e das dores!

Nossa mensagem

Essa mensagem de esperança e vida
Que endereçamos da imortalidade,
É a lição luminosa da Verdade
Que a Humanidade espera comovida.

Guardai a voz da Terra Prometida,
Nos exílios do pranto e da saudade;
Conservai essa vaga claridade
Da luz da eternidade indefinida.

Todo o nosso trabalho objetiva
Dar-vos a fé, a crença persuasiva
Nos caminhos da prova dolorosa.

Sabei vencer entre as vicissitudes,
Como arautos de todas as virtudes,
Sobre as ressurreições da alma gloriosa.

ORAÇÃO AOS LIBERTOS

Alma embriagada do imortal falerno,
Segue cantando, no horizonte claro,
O teu destino esplendoroso e raro,
Cheio das luzes do porvir eterno.

Mas não te esqueças desse mundo avaro,
O escuro abismo, o tormentoso Averno,
Sem as doces carícias do galerno
Das esperanças — sacrossanto amparo.

Volve os teus olhos ternos, compassivos,
Para os pobres Espíritos cativos
Às grilhetas do corpo miserando!

Abre os sacrários da Felicidade,
Mas lembra-te do orbe da impiedade,
Onde venceste a carne soluçando.

Céu

Há um céu para o Espírito que luta
No oceano dos prantos salvadores,
Céu repleto de vida e de fulgores,
Que coroa de luz a alma impoluta.

A canção da vitória ali se escuta,
Da alma livre das penas e das dores,
Que faz da vida a rede de esplendores,
Na paz quase integral e absoluta.

Considerai, ó pobres caminheiros,
Que na Terra viveis como estrangeiros,
De alma ofegante e coração aflito:

Considerai, fitando a imensa altura,
Os deslumbrantes orbes da ventura
Por entre os sóis suspensos no Infinito!

Aos tristes

Alma triste e infeliz que se tortura
No tormento que punge e dilacera,
Para quem nunca trouxe a Primavera
Dos seus pomos dourados de ventura;

Sou teu irmão, e intrépido quisera
Trazer-te a luz que esplende pela Altura,
Afastando essa dor que te amargura
Nas ansiedades de uma longa espera.

Mas há quem guarde as gotas do teu pranto
No tesouro sublime e sacrossanto
Dos arcanos de luz da Divindade!

Há quem te faça ver as cores do íris
Da fagueira esperança, até partires
Nas asas brancas da Felicidade.

BELEZA DA MORTE

Há no estertor da morte uma beleza
Transcendente, ignota, luminosa.
Beleza sossegada e silenciosa,
Da luz branca da Paz, trêmula e acesa...

É o augusto momento em que a alma, presa
Às cadeias da carne tenebrosa,
Abandona a prisão, dorida e ansiosa,
Sentindo a vida de outra natureza.

Um mistério divino há nesse instante,
No qual o corpo morre e a alma vibrante
Foge da noite das melancolias!...

No silêncio de cada moribundo,
Há a promessa de vida em outro mundo,
Na mais sagrada das hierarquias.

Mensageiro

Abri minh'alma para os sofredores
Na vastidão serena dos Espaços,
Eu que na Terra tive sempre os braços
Presos à cruz tantálica das dores.

Epopeias de Sons e de Esplendores,
E os prazeres mais pobres, mais escassos,
E o mistério dos célicos abraços,
Dos Perfumes, das Preces e das Cores;

Tudo isso não vejo e vejo apenas
O turbilhão das lágrimas terrenas
— Taça imensa de gotas amargosas!

Da piedade e do amor eu trago o círio,
Para afastar as trevas do martírio
Do silêncio das noites tenebrosas.

SE QUERES

Se queres a ventura doce, etérea,
De outro mundo de luz, indefinido,
Serás na Terra o filho incompreendido
Do Tormento casado com a Miséria.

Viverás na mansão triste, funérea,
Do Soluço, do Pranto, do Gemido;
Dos prazeres mundanos esquecido,
Outro Job pelas chagas da matéria.

Serás em toda a Terra o feio aborto
Das amarguras e do desconforto,
Encarcerado nas sinistras grades;

Mas um dia abrirás as portas de ouro
E encontrarás o fúlgido tesouro,
De benditas e eternas claridades.

À DOR

Dor, és tu que resgatas, que redimes
Os grandes réus, os míseros culpados,
Os calcetas dos erros, dos pecados,
Que surgem do pretérito de crimes.

Sob os teus pulsos, fortes e sublimes,
Sofri na Terra junto aos condenados,
Seres escarnecidos, torturados,
Entre as prisões da Lágrima que exprimes!

Da perfeição és o sagrado Verbo,
Ó portadora do tormento acerbo,
Aferidora da Justiça Extrema...

Bendita a hora em que me pus à espera
De ser, em vez do réprobo que eu era,
O missionário dessa Dor suprema!

Noutras eras

Também marchei pelas estradas flóreas,
Cheias de risos e de pedrarias;
Onde todas as horas dos meus dias
Eram hinos de esplêndidas vitórias.

Tive um passado fúlgido de glórias,
De maravilhas de ouro e de alegrias,
Sem reparar, porém, noutras sombrias
Sendas tristes, das dores meritórias.

E abusei dos deveres soberanos
Sucumbindo aos terríveis desenganos
Do destino cruel, fatal e avaro;

Para encontrar-me a sós no mesmo horto
Que deixara, sem luz e sem conforto,
Sentindo as dores desse desamparo.

SOFRE

Toda a dor que na vida padeceres,
Todo o fel que tragares, todo o pranto,
Ser-te-ão como trevas, e, entretanto,
Serás pobre de luz se não sofreres.

É que dos sofrimentos nasce o canto
De alegria dos mundos e dos seres,
Pois que a dor é a saúde dos prazeres,
O hino da luz, misterioso e santo.

Doma o teu coração, e, no silêncio,
Foge à revolta, humilha-o, dobra-o, vence-o,
Chorando a mesma dor que o mundo chora;

Abre a tua consciência para as luzes
E, no mundo que o mal encheu de cruzes,
Do Bem encontrarás a eterna aurora.

Exaltação

Harmonias do Som, vibrai nos ares,
Nos horizontes, nas atmosferas;
Exaltai minhas dores de outras eras,
Meus passados, recônditos pesares.

Desdobrai-vos luzeiros estelares,
Sobre o aroma das novas primaveras;
Cantem no mundo todas as quimeras,
Aves e flores, amplidões e mares!

Vibrai comigo, multidões de seres,
Na concretização desses prazeres
Do meu sonho de luzes e universos...

Exaltai-vos na vida de minh'alma,
E na grandeza infinda que se espalma
Sobre a glória sublime dos meus versos!

Vozes

Há sobre os prantos, há sobre as humanas
Vozes que se lamentam nas torturas,
Outras vozes mais doces e mais puras,
Como um coro dulcíssimo de hosanas.

As primeiras são feitas de amarguras,
As segundas, de bênçãos soberanas,
Sobre as dores sagradas ou profanas
Que pululam nas sendas mais escuras.

Sobe da Terra a queixa soluçando,
Silenciosa, muda, suplicando,
Remontando aos Espaços constelados;

Desce dos Céus a voz amiga e mansa,
Fortificando a vida da Esperança
— Patrimônio dos seres desgraçados.

Soneto

Nos labirintos dessa eternidade
Que nós vivemos luminosa e pura,
A alma vive na intérmina procura
Do filão de ouro da felicidade.

Quanto mais sofre, tanto mais se apura
No pensamento excelso da Verdade,
Vendo na auréola da Imortalidade
A alvorada risonha da ventura.

E ao fim de cada noite tormentosa,
Que é a existência na prova dolorosa,
Canta e vibra num dia de bonança.

Em torno da Verdade a alma gravita
Buscando a Perfeição pura, infinita,
Nessa jornada eterna da Esperança.

GLÓRIA DA DOR

Para aquém dessas cruzes esquecidas
Nas sepulturas ermas e desertas,
Há o turbilhão frenético das vidas
Sobre as estradas ásperas, incertas...

Inda há sânie das úlceras abertas
No coração das almas combalidas,
Gozadores de outrora entre as refertas
Das ilusões que tombam fenecidas.

Só uma glória mirífica perdura
Concretizando os sonhos da criatura
Cheia de crenças e de cicatrizes:

É a vitória da Dor que aperfeiçoa,
Luminosa e divina, humilde e boa,
Glória da Dor, que é pão dos infelizes.

Quanta vez

Quanta vez eu fitei essas fronteiras,
Horizontes, estrelas, firmamentos,
Presa de sonhos e estremecimentos
De esperança, nas horas derradeiras!...

Ah! meus longínquos arrebatamentos,
Amarguras e dores e canseiras,
Que vos fostes nas lágrimas ligeiras,
Como folhas levadas pelos ventos...

Quanta vez, abafando os meus soluços,
Como o errado viajor que cai de bruços
Sobre a íngreme estrada da agonia,

Ensináveis-me a ler a bíblia santa
Desta vida imortal que se levanta
Numa alvorada eterna de alegria!

Ide e pregai

Vós que tendes as rosas da bonança
Enlaçadas na fé mais doce e pura,
Ide e pregai, na noite da amargura,
O evangelho do amor e da esperança.

Toda luz da verdade que se alcança
É um reduto de paz firme e segura:
Dai dessa paz a toda criatura,
Sobre a qual vossa vida já descansa.

Espalhai os clarões da vossa crença
Na pedregosa estrada dessa imensa
Turba de irmãos famintos, torturados!

Conduzi a mensagem luminosa
Da caridade, lúcida e piedosa,
Redentora de todos os pecados.

CARIDADE

Caridade é a mão terna e compassiva
Que ampara os bons e aos maus ama e perdoa,
Misericórdia, a qual para ser boa,
De bens paradisíacos se priva.

Mão radiosa, que traz a verde oliva
Da paz, que acaricia e que abençoa,
Voz da eterna verdade que ressoa
Por toda a parte, promissora e ativa.

A caridade é o símbolo da chave
Que abre as portas do céu claro e suave,
Das consciências libertas da impureza;

É a vibração do espírito divino,
Em seu labor fecundo e peregrino,
Manifestando as glórias da Beleza!...

RENÚNCIA

Renuncia a ti mesmo! Renuncia
À mundana e efêmera vaidade:
Que em ti sintas a dúlcida piedade
Que as desgraças alheias alivia.

Do homem, esquece a lúrida maldade,
Prosseguindo na estrada luzidia.
E denodadamente engendra e cria
Teu próprio mundo de felicidade!

Parte o teu coração em mil fragmentos,
Ofertando-os ao mundo que te odeia,
Com a bondade mais pródiga e mais pura.

Não olvides em meio dos tormentos:
— Renunciar em bem da dor alheia,
É ter no Além castelos de ventura.

Tudo vaidade

Na Terra a morte é o trágico resumo
De vanglórias, de orgulhos e de raças;
Tudo no mundo passa, como passas,
Entre as aluviões de cinza e fumo.

Todo o sonho carnal vaga sem rumo,
Só o diamante do espírito sem jaças
Fica indene de todas as desgraças,
De que a morte voraz faz seu consumo.

Nesse mundo de lutas fratricidas,
A vida se alimenta de outras vidas,
Num contínuo combate pavoroso;

Só a Morte abre a porta das mudanças
E concretiza as puras esperanças
Nos países seráficos do gozo!

OUVI-ME

Ó vós que ides marchando, almas sedentas
De paz, de amor, de luz, sob as maiores
Desventuras do mundo, sob as dores
De misérias, batalhas e tormentas...

Também senti as emoções violentas
Que palpitam nos peitos sonhadores,
E sustentei, varado de amargores,
Surdas batalhas, rudes e incruentas.

Também vivi as lágrimas obscuras,
Iguais às vossas, míseras criaturas,
Que tombais nos caminhos sem dizê-las!

Exultai, que uma vida eterna e grande,
Além da morte, esplêndida se expande
No coração sublime das estrelas!...

Felizes os que têm Deus

Entre esse mundo de apodrecimento
E a vida de alma livre, de alma pura,
Ainda se encontra a imensidade escura
Das fronteiras de cinza e esquecimento.

Só o pensador que sofre e anda à procura
Da verdade e da luz no sentimento,
Pode guardar esse deslumbramento
Da Fé — fonte de mística ventura.

Feliz o que tem Deus nessa batalha
Da miséria terrena, que estraçalha
Todo o anseio de amor ou de bonança!...

Venturoso o que vai por entre as dores
Atravessando o oceano de amargores,
No bergantim sagrado da Esperança.

GLÓRIA AOS HUMILDES

Ai da ambição do mundo, ai da vaidade
Que se mergulham sob a noite escura,
Noite de dor que além da sepultura
Nos afasta da vida e da verdade.

Só o caminho divino da humildade
Pode ofertar a luz radiosa e pura,
Que vem salvar a mísera criatura
Confundida no abismo da impiedade.

Pobres da Terra, seres infelizes,
Cheios de prantos e de cicatrizes,
Levantai vosso olhar sereno e forte.

Não maldigais a ulceração da algema,
E esperai a vitória alta e suprema,
Que Jesus vos prepara além da morte.

Aos trabalhadores do Evangelho

Há uma falange de trabalhadores,
Espalhada nas sendas do Infinito,
Desde as sombras do mundo amargo e aflito
Aos espaços de eternos resplendores.

É a caravana de batalhadores
Que, no esforço do amor puro e bendito,
Rompe algemas de trevas e granito,
Aliviando os seres sofredores.

Vós que sois, sobre a Terra, os companheiros
Dessa falange lúcida de obreiros,
Guardai-lhe a sacrossanta claridade;

Não vos importe o espinho ingrato e acerbo,
Na palavra e nos atos, sede o Verbo
De afirmações da Luz e da Verdade.

Comentários de Elias Barbosa

Façamos nossas as palavras de Tasso da Silveira,[37] a propósito da dificuldade de se fazer uma análise estilística do Cisne Negro:

> Não há espaço nesta pequena introdução crítica para uma eficiente análise estilística da poesia de Cruz e Souza. O problema da expressão em Cruz e Souza é excessivamente complexo. Aliás, não cremos que em poetas desta natureza e deste porte se possa fecundamente separar expressão de conteúdo. Mesmo porque, já o dissemos antes, "forma" é "fundo" *aparecendo*. Talvez a demonstração total desta tese audaciosa pudesse fazer-se de maneira exaustiva em estudo longo e minucioso da obra do Poeta Negro.

Com efeito, torna-se-nos impossível penetrar qual desejaríamos a produção mediúnica de Cruz e Souza, mas anotemos apenas alguns pontos que reputamos importantes, deixando à perspicácia do leitor o restante, principalmente no que tange à evidência do conteúdo metafórico, da musicalidade inconfundível, da riqueza verbal e — por que não incluir na análise? — da temática.

Nossas citações se referem às *Poesias completas de Cruz e Souza — Broquéis — Faróis — Últimos Sonetos* — edição rigorosamente revista, com introdução de Tasso da Silveira.[38]

Referindo-se ao soneto "Piedade", assim se expressa Tasso da Silveira, em nota de rodapé (N. Cl., nº 4, p. 67):

> Neste soneto, como em muitos outros do livro derradeiro de Cruz e Souza, acentua-se o caráter apostolar que sua poesia assumiu quando lhe veio a maturidade. Ouvem-se, nela, timbres evangélicos, o que ainda uma vez testemunha quão fundo vão as raízes do simbolismo do húmus vivo da fé — subconsciente ou consciente.
> Vê-se, no entanto, como ainda se mesclava essa fé secreta ou explícita ao amargo sentimento do mundo que as filosofias negativistas haviam desencadeado. O poeta sente a necessidade de consolar compassivamente a dor do mundo. Mas tal consolo, ele o aplica como bálsamo enganoso a uma chaga que lhe parece incurável.

---

[37] Tasso da Silveira, *Cruz e Souza – Poesia –*, N. Cl., nº 4, 2. ed. Rio de Janeiro: Agir, 1960, p. 11.
[38] Rio de Janeiro: Livraria Editora Zélio Valverde, 1944.

À p. 68, Tasso da Silveira alude, inicialmente, ao soneto "Caminho da glória":

> É um dos gritos mais altos, de sofrimento e de sonho, saídos d'alma do Poeta Negro. "Caminho da glória": da glória simplesmente literária? Visivelmente, não. Também da glória moral e espiritual, visto que por ele vão, não apenas os que cantaram nobremente, os que se embebedaram do sinistro vinho — o vinho do sonho —, mas ainda os que se ensanguentaram na "tremenda guerra" e nela se revirginaram.

Em seguida, sobre o soneto "Vida obscura" expende Tasso da Silveira as seguintes considerações:

> Não há narcisismo neste soneto, como à primeira vista parece. Não é a si mesmo, mas a um companheiro da jornada dolorosa, que o poeta contempla. No entanto, como totalmente se aplicam à figura, à vida, ao drama de Cruz os quatorze versos admiráveis! Poderia a peça vir como epígrafe a uma completa biografia do Poeta Negro.

Por que, perguntará o leitor, transcrições tão extensas? Tão somente para nos cientificarmos de que a produção mediúnica do poeta ostenta aquelas mesmas características apontadas pelo insigne crítico brasileiro, inclusive noutro passo, a respeito de "Almas indecisas", quando diz:

> Ainda aqui o luminoso caráter apostolar do verbo do Poeta Negro. Curioso é que nessa visão das almas necessitadas de consolo e amparo é da contemplação de si mesmo que parte o poeta: o narcisismo de Cruz e Souza, pela sua transmutação perene em caridade e heroísmo, é *sui generis* na história da poesia universal (*Op. cit.*, p. 75).

Uma vez recambiado ao mundo espiritual, após existência de humilhação e sofrimento com vistas ao seu burilamento espiritual e ressarcimento de dívidas cármicas, Cruz e Souza prosseguiu na tarefa apostolar a que dera começo na Terra, chegando, ele mesmo, a traduzir para o esperanto os próprios sonetos que escreveu por intermédio do médium Xavier, como se depreende da seguinte nota da editora que vinha à p. 421 da 8ª edição do *Parnaso de além-túmulo*, referente ao soneto "Alma livre":

> Este e outros sonetos de Cruz e Souza foram por ele mesmo traduzidos magistralmente em esperanto, e as traduções ditadas ao médium Francisco Valdomiro Lorenz, que no-las remeteu. Por supormos fato inédito, deixamo-lo aqui registrado. Essas traduções mediúnicas de versos em esperanto foram publicadas em elegante volume, sob o título *Vocoj de Poetoj el la Spirita Mondo*.

Por que Cruz e Souza se preocupou em traduzir para o esperanto os seus belíssimos sonetos? Naturalmente pelo desejo imenso de disseminar as verdades do Espírito, em todos os recantos do planeta, ele que merecera de Roger Bastide, uma das mais altas expressões da inteligência dentre os seus pares da crítica internacional, a consagração definitiva, como se deduz destas palavras de Andrade Muricy:[39]

> O professor francês Roger Bastide, da Universidade de São Paulo, consagrou-lhe, em *A poesia afro-brasileira*, quatro largos estudos, onde o compara a Baudelaire e Mallarmé, e lhe indica, no movimento simbolista universal, lugar de primeira plana. Refere-se à atitude "mística" do Poeta Negro, àquilo que chama o "que há de mais original e talvez intraduzível em Cruz e Souza e que lhe dá situação à parte na grande tríade harmoniosa: Mallarmé, Stefan George e Cruz e Souza". Cruz e Souza é dos maiores poetas do simbolismo universal, e, na opinião de V. García Calderón, o maior poeta sul-americano.

Aliás, o próprio Cruz e Souza, não somente em seus magníficos sonetos, mas em páginas de prosa, deixou patenteada essa vocação apostolar, essa necessidade interior de superar as dificuldades para cumprir determinada missão da qual tem conhecimento apenas inconscientemente.

---

[39] Andrade Muricy, *Movimento Simbolista Brasileiro*. Rio de Janeiro: MEC/INL, vol. I, 1952, p. 104.

Das *Obras completas de Cruz e Souza*, II — Prosa — "Evocações", p. 425 a 452, "O Emparedado", destaquemos apenas estes dois tópicos ligeiros:

> Ah! benditos os Reveladores da Dor Infinita! Ah! soberanos e invulneráveis aqueles que, na Arte, nesse extremo requinte de volúpia, sabem transcendentalizar a Dor, tirar da Dor a grande significação eloquente e não amesquinhá-la e desvirginá-la!
> A verdadeira, a suprema força d'Arte está em caminhar firme, resoluto, inabalável, sereno através de toda a perturbação e confusão ambiente, isolado do mundo mental criado, assinalando com intensidade e eloquência o mistério, a predestinação do temperamento. (*Apud* Andrade Muricy, *Op. cit.*, p. 158 e 159.)

Não nos sendo possível, nem de leve, penetrar o mundo de Cruz e Souza para uma análise estilística que demandaria páginas e páginas, transcrevamos para gáudio de todos nós, respectivamente, "Um Ser", o último soneto escrito pelo poeta, "já em vésperas da Morte", e que foi publicado no jornal *Conceição do Sêrro*, de 16 de outubro de 1904 (cf. nota 31 de Alphonsus de Guimaraens Filho, p. 578 e 579 das *Poesias*, de Alphonsus de Guimaraens), e "Eternidade Retrospectiva", verdadeira profissão de fé reencarnacionista do poeta-missionário.

Primeiramente, "Um Ser":

> Um ser na placidez da Luz habita,
> Entre os mistérios inefáveis mora.
> Sente florir nas lágrimas que chora
> A alma serena, celestial, bendita.
>
> Um ser pertence à música infinita
> Das Esferas, pertence à luz sonora
> Das estrelas do Azul e hora por hora
> Na Natureza virginal palpita.
>
> Um ser desdenha das fatais poeiras,

Dos miseráveis ouropéis mundanos
E de todas as frívolas cegueiras...

Ele passa, atravessa entre os humanos,
Como a vida das vidas forasteiras,
Fecundada nos próprios desenganos.

(*Poesias Completas*, p. 204.)

Em seguida e, para terminar, "Eternidade retrospectiva":

Eu me recordo de já ter vivido,
Mudo e só por olímpicas Esferas,
Onde era tudo velhas primaveras
E tudo um vago aroma indefinido.

Fundas regiões do Pranto e do Gemido,
Onde as almas mais graves, mais austeras
Erravam como trêmulas quimeras
Num sentimento estranho e comovido.

A estrelas longínquas e veladas
Recordavam violáceas madrugadas,
Um clarão muito leve de saudade.

Eu me recordo de imaginativos
Luares liriais, contemplativos
Por onde eu já vivi na Eternidade!

(*Idem*, p. 199.)

Edmundo Xavier de Barros

Edmundo Xavier de Barros, filho de Pacífico Antônio Xavier de Barros, nasceu em 1861, no estado de Goiás. Desencarnou no Distrito Federal, como capitão da arma de Cavalaria, em 17 de janeiro de 1905. Foi poeta e desenhista notável.

Vida

Nem a paz, nem o fim! A vida, a vida apenas
É tudo que encontrei e é tudo que me espera!
O ouro, a fama, o prazer e as ilusões terrenas
São lodo, fumo e cinza ao fundo da cratera.

Esvaiu-se a vaidade!... Os júbilos e as penas,
A alegria que exalta e a dor que regenera,
Em cenário diverso aprimorando as cenas,
Continuam, porém, vibrando noutra esfera.

Morte, desvenda à Terra os planos que descobres,
Fala de tua luz aos mais vis e aos mais nobres,
Renova o coração do mundo impenitente!

Dize aos homens sem Deus, nos círculos escuros,
Que além do gelo atroz que te reveste os muros,
Há vida... sempre a vida... a vida eternamente...

Diante da Terra

Fugindo embora à paz de eternos dons divinos,
Sem furtar-se, porém, à luta que aprimora,
O homem é o semeador dos seus próprios destinos,
Ave triste da noite, esquivando-se à aurora...

Em derredor da Terra, estrelas cantam hinos,
Glorificando a luz onde a Verdade mora,
Mas no plano da carne os impulsos tigrinos
Fazem a ostentação da miséria que chora!

Necessário vencer nos vórtices medonhos,
Santificar a dor, as lágrimas e os sonhos,
Do inferno atravessar o abismo ígneo e fundo,

Para ver a extensão da noite estranha e densa,
Que os servos da maldade e os filhos da descrença
Estenderam, sem Deus, sobre a fronte do mundo!...

Comentários de Elias Barbosa

Servindo-se das mesmas construções hipotácticas ou fortemente subordinadas que lhe caracterizaram a produção poética, máxime no célebre soneto "Análise da Lágrima", volta Edmundo Xavier de Barros a nos dizer que, além do sepulcro, a vida continua em suas multifárias manifestações.

Observemos como o poeta lança mão da hipotaxe no soneto a que nos referimos, que traz a seguinte epígrafe de Richepin: *Oh! larmes! laissez-moi rire.*

> Nenhuma estrela em pleno azul cintila
> Tanto, nem gema alguma tão preciosa
> Existe, como a pérola que oscila
> Num doce olhar de esposa ou mãe piedosa.
>
> Deus, que, insuflando luz à imunda argila,
> Aos olhos pôs a cruva mais graciosa,
> Quisesse então da lágrima despi-la,
> Também não dera, creio, orvalho à rosa.
>
> Na lágrima que tem maior doçura
> Ponho a saudade; a dor em outra esmago-a,
> O mundo as vê no amor e na amargura:
>
> Se, pois, esta pequena gota é d'água,
> Ou 'sal comum sofrendo vã mistura'
> Que importa a mim?... que importa a humana mágoa?...

(*Apud Parnaso goyano*, 1ª parte de *Páginas Goyanas*, 1917, de Gastão de Deus Victor Rodrigues, *in* Gilberto Mendonça Teles, *A poesia em Goiás — Estudo/Antologia*, Universidade Federal de Goiás, 1964, p. 284.)

Verso 18. Atente-se para a beleza da imagem — ave triste da noite. Com efeito, desde milênios, o homem, conquanto inconscientemente saiba que é o artífice de seu próprio destino, foge à claridade que dimana da consciência tranquila para se acomodar à treva a que dá origem e da qual se nutre, indiferente à beleza e à majestade do Universo. Em belíssimos versos alexandrinos, o autor vem lembrar-nos de que se faz necessária a provação, e de que a dor, somente a dor, será suscetível de arrancar-nos a capa de sombra que nos identifica com os que vivem dentro da "noite estranha e densa" e nos desvendando os olhos para a visão mirífica que, em essência, ostenta a fronte do mundo.

Emílio de Menezes

Poeta brasileiro, nascido em Curitiba (PR), em 1866, e desencarnado no Rio de Janeiro em 1918. Musa vivacíssima e fulgurante, sem deixar de ser profunda, era sobretudo ativamente humorística. Legou-nos *Poemas da morte*, 1901, e *Poesias*, 1909, além de *Mortalhas*, versos satíricos postumamente colecionados. Distinguiu-se pela altaneza dos temas, quanto pela opulência das rimas.

Eu mesmo

Eu mesmo estou a ignorar se posso
Chamar-me ainda o Emílio de Menezes,
Procurando tomar o tempo vosso,
Recitando epigramas descorteses.

5 Como hei de versejar? Rimas em osso
São difíceis... contudo, de outras vezes,
Eu sabia rezar o Padre-Nosso
E unir meus versos como irmãos siameses.

Como hei de aparecer? O que é impossível
É ser um santarrão inconcebível,
Trazendo as luzes do Evangelho às gentes...

12 Sou o Emílio, distante da garrafa,
Mas que não se entristece e nem se abafa,
Longe das anedotas indecentes.

Aos meus amigos da Terra

Amigos, tolerai o meu assunto,
(Sempre vivi do sofrimento alheio)
17   Relevai, que as promessas de um defunto
São coisa inda invulgar no vosso meio.

Apesar do meu cérebro bestunto,
O elo que nos unia, conservei-o,
Como a quase saudade do presunto,
Que nutre um corpo empanturrado e feio.

Espero-vos aqui com as minhas festas,
Nas quais, porém, o vinho não explode,
25   Nem há cheiro de carnes ou cebolas.

Evitai as comidas indigestas,
Pois na hora do "salva-se quem pode",
28   Muita gente nem fica de ceroulas...

Comentários de Elias Barbosa

A fim de penetrarmos a mensagem existente nos dois sonetos que trazem a marca inconfundível do mestre de ontem, atentemos para duas passagens da obra *Emílio de Menezes, o último boêmio*, de Raimundo de Menezes.[40] A primeira delas se encontra à p. 214:

---

[40] Coleção Saraiva, nº 13, 2. ed. refundida. São Paulo: Edição Saraiva, s/d.

Poucos dias antes de morrer, recebeu Emílio a visita do poeta Alberto de Oliveira.

Descreveu o grande parnasiano a seu irmão Bernardo, como se dera esse encontro:

— Coitado do Emílio, é um caso perdido. Acertei bem com a casa. Bati. Abriram-me a porta. Fizeram-me entrar para o quarto. Emílio reconheceu-me logo: Alberto! Estava deitado de barriga para cima. Dei-lhe um beijo na testa: — Então, querido amigo, disseram-me que estavas pior do que me parece; estás até com uma boa fisionomia...

— Achas? Pois olha, Alberto, quando chegaste eu estava a rir-me sozinho, pensando no logro que vou pregar nos bandidos dos vermes.

— Qual é o logro, Emílio?

— É que eles estão a esperar-me, contando que vou lhes dar um banquete de banhas, daquelas minhas banhas tradicionais. Mas terão de contentar-se é com um banquete de ossos, Alberto.

E Emílio, que estava deitado de barriga para cima, coberto de alto a baixo com uma colcha azul, puxou esta para baixo até à cintura e disse:

— Estás vendo, Alberto? É só osso! As banhas foram-se.

E era isto mesmo...

A segunda passagem encontra-se à p. 196 e explica a razão por que o autor de *Os deuses em ceroulas* escreveu "Aos meus amigos da Terra":

Em março de 17, no dia 14, Emílio, tendo vindo, mais uma vez, a São Paulo, foi homenageado por um grupo de intelectuais, que lhe ofereceu um almoço alegre na *Rotisserie Sportman*, por iniciativa do Sr. Osvald de Andrade.

Ao final do ágape, o boêmio, de improviso, recitou um soneto, agradecendo a comedoria:

Esta ideia do almoço, eu por mim já sabia,
Não podia deixar de ser obra do Oswaldo,
Pois o que mais lhe ameiga e abranda a fantasia
É o gozo do pirão, é a boia, é o grude, é o caldo.

Entre um novo serão e uma nova iguaria
Fica, de senso falho, e bom senso baldo.
Ele ingere um tatu, rosnando a Ave-Maria,
E, deglutindo um bife, invoca São Geraldo.

Já que a mesa me traz a estupenda vantagem
De ver-vos a meu lado, alegres, fartos, sãos,
Mastiguei e digiro, a gosto, esta homenagem.

Mas, olhem! Tudo tem na vida o seu senão:
Depois de tanto cibo e tanta beberagem,
Não vá da ideia o pai morrer de indigestão.

Aliás, "apenas a título de curiosidade" e para o que "o leitor perspicaz dirá se são ou não apócrifos", Raimundo de Menezes, à p. 239, transcreve os dois sonetos do *Parnaso de além-túmulo*, com que "Emílio, lá do Além, resolveu gracejar com os que por aqui ficaram, através do médium Chico Xavier".

Agrippino Grieco, que lhe dedica oito páginas em sua *Evolução da poesia brasileira*,[41] assim conclui as suas lúcidas notas sobre o terrível poeta satírico:

> Conheci-o nos últimos dias de vida. O homem já perdera as gorduras e estava com o bigode murcho a despencar-se numa face de cadáver. Pois mesmo assim, levando ao nariz um frasquinho de sais, Emílio de Menezes ainda fazia jogralidades. Assemelhava-se nisso a Gregório de Matos, com quem oferecerá outros pontos de contato, dignos de aguçar a curiosidade dos críticos futuros.
> E, quase na agonia, vítima de um mal intermitente, Emílio de Menezes teve, para um amigo, que o visitava, esta frase humorística:
> — Ah! meu caro, estou morrendo a prestações...
> Sim, senhores. Era um cidadão diabólico esse poeta que um dia pretendeu cantar misticamente os três olhares de Maria Santíssima. Dei-

---

[41] Agrippino Grieco, *Evolução da poesia brasileira*, 3. ed., revista. Rio de Janeiro: J. Olympio, 1947, p. 80.

xou centenas de desafetos. Se fosse possível, ter-lhe-iam, depois de morto, atravessado a língua com um alfinete de ouro, como uma dama romana fez a Cícero...

Atentemos para os martelos, nos seguintes versos: 3-4-5-6; 12-13; 17; 19; 21; 25; 26-27-28 — que correspondem à estatística de M. Cavalcanti Proença:[42] 307 martelos em 840 versos de Emílio de Menezes.

---

[42] M. Cavalcanti Proença, *Ritmo e poesia, p. 87 e 88*.

Fagundes Varela

Este é o sempre laureado cantor de *"O Evangelho nas Selvas"*, a voz sonora e doce do "Cântico do Calvário". Fluminense, desencarnou com 34 anos, em 1875 — depois de uma existência tormentosa.

Imortalidade

Senhor! Senhor! que os verbos luminosos
Do amor, da perfeição, da liberdade,
Inflamem minhas vozes neste instante!
Que o meu grito bem alto se levante,
Conduzindo a mensagem benfazeja
Das esperanças para a Humanidade!
Senhor! Senhor! que paire sobre o mundo
A luz do teu poder inigualável,
Que os lírios te saúdem perfumando
Os arrebóis, as noites, as auroras;

Hinos de amor, que os pássaros te elevem
Dos seus ninhos de plácida harmonia;
Que as fontes no seu doce murmúrio
Te bendigam com terna suavidade;
Que todo o ser no mundo se descubra
Perante a tua excelsa majestade,
Saturado do amor onipotente
Que promana abundante do teu seio!...

Senhor! que a minha voz altissonante
Se propague entre os homens; que a verdade
Resplandeça na terra da amargura!

Ó Pai! tu que removes o impossível,
Que transmudas em rosas os espinhos,
E que espancas a treva dos caminhos
Com a luz que afirma a tua onipotência,
Permite que minh'alma seja ouvida
Na vastidão do mundo do desterro;
Que os meus irmãos da Terra me recebam
Como o ausente invisível, redivivo!...

Irmãos, eis-me de novo ao vosso lado!
Venho de esferas lúcidas, radiosas,
Atravessei estradas tenebrosas
E sendas deslumbrantes e estelíferas,
Empunhando o saltério da esperança.

Pude transpor abismos de ouro e rosas,
Sendas de sonho e báratros escuros,
Planetas como naus sem palinuros
Nos oceanos do éter infinito!
Contemplei Vias Lácteas assombrosas,
Visões de sóis eternos, confundidas
Entre estrelas igníferas, distantes;
Vi astros portentosos, desferindo
Harmonias de amor e claridades,
E humanidades entre humanidades
Povoando o Universo esplendoroso...

Descansei sobre as ilhas de repouso,
Em lindos arquipélagos distantes,
Habitei os palácios encantados,
Em retiros de amor calmo e sereno,
Onde o solo é formado de ouro e neve,
Onde a treva e onde a noite são apenas
Recordações de mundos obscuros!
Onde as flores do afeto imperecível

Não se emurchecem como sobre a Terra...
Lá, nesses orbes lúcidos, divinos,
O amor, somente o amor, nutre e dá vida.

Somente o amor é a vibração de tudo!
Vi céus por sobre céus inumeráveis,
Mundos de dor e mundos de alegria,
Em luminosidades e harmonias
Aos beijos arcangélicos da luz,
Que é mensagem de Deus por toda a parte!
E apenas conheci um pormenor,
Um detalhe minúsculo, um fragmento
Da Criação infinita e resplendente!

Ah! Morte!... A Morte é o anjo luminoso
Da liberdade franca, jubilosa,
Quando a esperamos tristes e abatidos;
Quando nos traz imácula e sublime
A chama da esperança dentro dalma,
Amando-se da vida os bens mais nobres,
Se o mundo abafa em nós toda a alegria,
Roubando-nos afetos e consolos,
Martirizando o coração dorido
Na cruz dos sofrimentos mais austeros.

A morte corrobora as nossas crenças,
As nossas esperanças mais profundas,
Rompendo o véu que encobre à nossa vista
O eterno panorama do Universo,
E aponta-nos o céu, a imensidade,
Onde as almas ditosas se engrandecem,
Outras almas guiando em labirintos
Para a luz, para a vida e para o amor!

Que representa a Terra, ante a grandeza
De tantos sóis e orbes luminosos?

É somente uma estância pequenina
Onde a dor e onde a lágrima divina
Modelam almas para a perfeição;

É apenas um degrau na imensidade,
Onde se regenera no tormento
Quem se afasta da luz e da verdade;
Ela é somente o exílio temporário,
Onde se sofre a angústia da distância
Dos que amamos com alma e com fervor.

Morte! que te abençoem sofredores,
Que te bendiga o espírito abatido,
Já que és a terna mão libertadora
Dos escravos da carne, dos escravos
Das aflições, das dores, da tortura!
Bendigo-te por tudo o que me deste:
Pela beleza da imortalidade,
Pela visão dos céus resplandecentes,
Pelos beijos dos seres bem-amados.

Senhor! Senhor! que a minha voz se estenda,
Como um canto sublime de esperança,
Sobre a fronte de todos quantos sofrem,
Ansiando mais luz, mais liberdade
No orbe da expiação e da impiedade!

Comentários de Elias Barbosa

Vazado em versos soltos ou brancos, à maneira do que fez em "Cântico do Calvário", a mais bela elegia já escrita em língua portuguesa, no extenso "Anchieta ou O Evangelho nas Selvas" e em outros poemas, nos quais ora enaltecia a vida campestre, ora se invectivava contra a vida citadina, dando mostras de sua tendência andarilha, neste poema mediúnico, Varela se mostra, ele mesmo, na Espiritualidade a percorrer regiões e regiões, contemplando vias lácteas, astros portentosos, humanidades e humanidades povoando o Universo esplendoroso...

Curioso notar que na sua obra terrena, desde *Noturnas*, de 1861, Varela, entre uma e outra libação alcoólica, já se preocupava com a imortalidade. Vejamos apenas um exemplo de "Fragmentos", longo poema que ocupa seis páginas das suas *Poesias Completas*,[43] em que chega a sentir a presença de uma entidade espiritual:

> Cansado de lutar sobre esta vida,
> Senti um dia esmorecer no crânio
> A centelha da crença e da esperança.
> Por altas noites, na mansão dos mortos
> Quando a terra dormia, mergulhado
> Em negro pesadelo, errei sombrio
> Os mistérios da campa interrogando.
> Haverá outra vida?... Após a morte
> Irei eu habitar um novo mundo
> Onde não sinta os desprazeres deste?
> Eu filho da matéria e escravo dela
> Serei em breve reduzido a lodo,
> Após haver tragado em brônzea taça
> Tanto fel e absinto?... assim clamava
> Colando sobre a terra dos sepulcros
> Minha fronte incendida pela febre.

A sua crença em Deus e nos homens, demonstra-a o poeta no poema "A morte". Destaquemos apenas duas estrofes (p. 384), pertencentes aos *Cantos Meridionais*:

> Na flor dos anos conheci da vida
>   Toda a triste ilusão,

---

[43] Fagundes Varela, *Poesias completas*, Introdução de Edgard Cavalheiro, Organização, revisão e notas de Frederico José da Silva Ramos. São Paulo: Saraiva, 1956, p. 54 e 55.

> Embora os homens meu porvir manchassem,
>   Não os detesto, não!
>
> Embora o sopro ardente da calúnia
>   Crestasse os sonhos meus,
> Nunca descri do bem e da justiça,
>   Nunca descri de Deus!

No poema "A criança", reconhece que os Espíritos recém-desencarnados "inda respiram/Os lânguidos aromas/das flores de outra vida!" (p. 409).

Em "Mimosa (Poema da Roça)", canto primeiro, o poeta sente em si mesmo a realidade palpitante da reencarnação. Transcrevamos apenas as estrofes 25ª e 26ª:

> Que faz lembrar o que existiu, é certo,
> Porém, aonde e quando? Que tortura
> A memória impotente e em vez de um fato
> Mostra ao poeta o abismo da loucura!
>
> Indeciso clarão de uma outra vida!
> Fugitivo ondular, dobra ligeira
> Do manto do ideal estremecendo
> Entre bulcões de fumo e de poeira!
>   (p. 455)

"Imortalidade" afigura-se-nos a resposta sincera de Fagundes Varela ao seu "Voz do poeta", que foi publicado três anos depois da sua morte, em *Cantos Religiosos,* com prefácio de Otaviano Hudson. Destaquemos somente partes das três estrofes:

> Perdão, Senhor, meu Deus! Busco-te embalde
> Na natureza inteira! O dia, a noite,

> O tempo, as estações, mundos sucedem-se,
> Mas eu sinto-te o sopro dentro d'alma!
> ....
> Eu creio em ti! eu sofro, e o sofrimento
> Como ligeira nuvem se esvaece,
> Quando murmuro teu sagrado nome,
> Eu creio em ti! e vejo além dos mundos
> Minha essência imortal brilhante e livre,
> ....
>
> (p. 934 e 935)

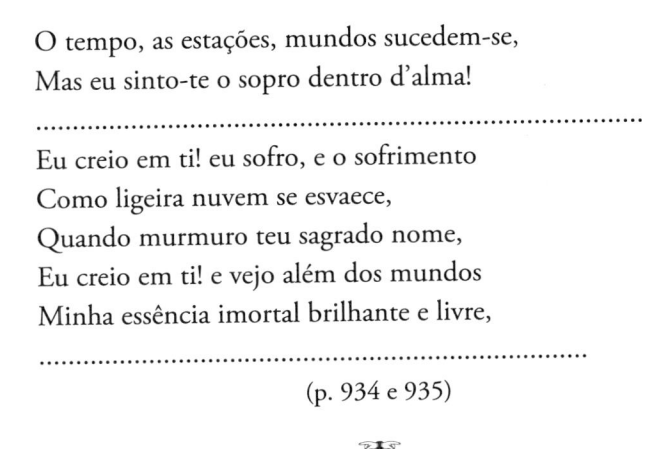

No "Diário de Lázaro", também póstumo (de 1880), há passagens expressivas de pressentimento da morte próxima e de mágoa contra a impotência da Medicina frente à sua enfermidade que afinal o levaria ao túmulo, com apenas 34 anos.

No Canto VI, o poeta se refere à experiência de Lázaro logo que deixou o corpo físico, na Terra:

> Por que me obrigas tu, velho insensato,
> A revelar mistérios de além-mundo?
> ....
> Achei-me leve, cândido, impalpável
> Como o éter sutil que me cercava!
> E dessas regiões da eternidade,
> Vi num canto da terra, inerte, mudo,
> O que fora meu corpo: imundo andrajo
> Esquecido num antro de misérias!...
>
> (XI, p. 800 e 801.)

Edgard Cavalheiro, em *Fagundes Varela*,[44] inclui um artigo escrito por Varela no *Correio Paulistano* — "Crenças populares — A guarida de pedra", em que o autor narra horripilante história de fantasmas.

---

[44] Edgard Cavalheiro. *Fagundes Varela*, 3. ed. São Paulo: Livraria Martins Editora, 1956, p. 293 a 298.

A respeito da linguagem do poeta, que chegou a provocar polêmica entre Camilo Castelo Branco e Carlos de Laet e de que trata Edgard Cavalheiro na obra citada (cap. XIV), seja-nos lícito apenas apontar uma característica do poeta — o uso do vocativo se transformando numa espécie de refrão; o uso abusivo dos pronomes relativos — *que, cujo, quem* —, partículas, aliás, que enfraquecem a poesia lírica e são peculiares à épica, no dizer de Emil Staiger.[45]

Ontem, no "Cântico do Calvário":

Eras na vida a pomba predileta
Que sobre um mar de angústias conduzia
O ramo da esperança. — Eras a estrela
Que entre as névoas do inverno cintilava
Apontando o caminho ao pegureiro.
                    (p. 293)

Hoje,

Senhor! Senhor! que os verbos luminosos
....
Que o meu grito bem alto se levante
....
Que os lírios te saúdem perfumando.

Ontem, no "Anchieta ou O Evangelho nas Selvas":

Auriflama divina! Insígnia eterna!
Tu que espancando as sombras da mentira
Ao grande imperador mostraste outrora
Do verdadeiro Deus o santuário;
Tu que do luso Chefe às hostes bravas
....

---

[45] Emil Staiger, *Conceitos fundamentais da poética*, p. 41.

Brilhaste aos olhos do argonauta ilustre
Mostrando a terra que tomou teu nome;
Tu que proteges na soidão dos mares
A triste nau batida pelos ventos
E dos átrios de pobres presbitérios,
Dos campanários de pomposos templos,
Consolas o cansado peregrino,
Quando os montes da pátria avista ao longe;

Tu que nos descampados santificas
O leito infeliz, que mão traidora
Feriu em noite escura, e o ermo sítio
Onde caiu exausto o viageiro;
Que da rósea criança o berço guardas,
....
(p. 623 e 624)

Que o próprio leitor, pacientemente, anote as orações subordinadas que se multiplicam, do princípio ao fim do poema recebido por Chico Xavier. Quer do ponto de vista estrutural, quer do ponto de vista temático, trata-se, com efeito, de Fagundes Varela, aquele mesmo que, orando, cantava:

Eu quero andar! Eu sei que no futuro
Inda há rosas de amor, inda há perfumes,
  Há sonhos de encantar!
Não, eu não sou daqueles que a descrença
Para sempre curvou, e sobre a cinza
  Debruçam-se a chorar!
(p. 364)

Guerra Junqueiro

    Abílio Guerra Junqueiro, poeta português, nascido em 1850 e desencarnado em 1923, é assaz conhecido no Brasil como épico dos maiores da Língua Portuguesa e admirado por quantos não estimam na Poesia apenas o malabarismo das palavras, mas o fulgor das ideias. Notável, sobretudo, pela sua veia combativa e satírica, vemos, por sua produção de agora, que os anos do Além-Túmulo não lhe alteraram a sadia e lúcida mentalidade, nas mesmas diretrizes. E esta circunstância é tanto mais notável quando o Romantismo se ufana de uma irreal conversão *in extremis*.

O padre João

Tombava o dia:
A luz crepuscular
Mansamente descia
Inundando de sombra o céu, a terra, o mar...
O meigo padre João,
Um puro coração,
Qual lírio a vicejar em meio a um pantanal,
Sonhava ao pé da igreja — um templo envelhecido
Ao lado de um vergel, esplêndido e florido —
Sentindo dentro dalma um frio sepulcral.
O firmamento
Tingia-se de luz brilhante e harmoniosa,
A noite era de sonho e névoa luminosa.

Padre João meditava, orando ao Deus de amor:
Revia em pensamento
Uma luz singular nas dobras do passado;
Era um vulto sublime, excelso, imaculado,
Que fazia descer o amor às multidões,
Inflamado de fé, desatando os grilhões
Que prendiam a alma à carne putrescível,
Uma réstea de sol sobre a noite do Horrível,
Iluminando o mundo, iluminando a vida,
Pensando docemente a pútrida ferida

Da imperfeição que rói a torva Humanidade,
Oferecendo amor em flores de bondade,
Aos pecadores dando amigas esperanças,
E aumentando nos bons as bem-aventuranças.
Era o meigo Pastor irradiando a luz,
Era o Anjo do Bem, o imáculo Jesus.

O sacerdote, então,
Comparou, meditando, a fúlgida visão
Com aquele Cristo nu, de pau, inerte e frio,
Imóvel dominando o âmbito vazio;
Notando a diferença enorme, extraordinária,
Daquela igreja fria, a ermida solitária,
Da igreja de Jesus,
Feita de amor e luz,
De paz e de perdão,
O farol da verdade ao humano coração.

E viu da sua igreja o erro tão profundo,
Dourando os véus da carne e amortalhando o mundo
Em trevas persistentes,
Por anos inclementes
Em séculos sem fim.
Conhecendo no padre o gêmeo de Caim,
Afastado da luz, fugindo aos irmãos seus,
Fugindo desse modo ao próprio amor de Deus,
Padre João meditou nas lutas incessantes
Sustentadas na Terra em prol da evolução,
E viu no mundo inteiro as ânsias delirantes
De trabalho, de amor, de eterna perfeição.

Sentiu seu coração em dores lacerado,
E no sonho da luz fulgente do passado,
Penetrou soluçando a ermida então deserta.
Teve medo e receio, o espírito gelado,

Sentiu-se no seu templo um pobre emparedado...
E fugindo a correr da porta semiaberta,
Com o coração sangrando em úlceras de dor,
Encaminhou-se ao campo, à natureza em flor.

Fitou extasiado a natureza em festa,
As árvores, a flor, os mares, a floresta,
E como se o animasse uma chama divina,
Despiu-se do negrume espesso da batina,
E fitando, a chorar, o céu estrelejado,
Encheu a solidão com as vozes do seu brado:

"Ó Igreja! não tens a ideia que eu sonhava,
A luz radiosa e bela, a luz eterna e rara
Que nos vem de Jesus;
Tua mão não conduz
Às plagas da verdade,
Mantendo inutilmente a pobre Humanidade
No mal da ignorância, túrbida e falaz,
Crestando a fé, roubando a luz, matando a paz.

Torturas a verdade, endeusas a matéria,
E transformas o padre em trapo de miséria,
Num farrapo de sombra, exótica e execrável,
Num fantasma ambulante em treva interminável!

É um blasfemo quem crê que em teus nichos e altares
Guarda-se a essência pura e imácula de Deus;
Eu vejo-O, desde a flor às luzes estelares,
Na piedade, no amor, na imensidão dos céus!
Ó Igreja! o dogma frio é um calabouço escuro,
E eu quero abandonar a noite da prisão;
Prefiro a liberdade e a vida no futuro,
Guiando-me o farol da fúlgida Razão.
Desprezo-te, ó torreão de séculos trevosos,

Ruínas de maldade estúltica a cair,
Eu quero palmilhar caminhos luminosos
Que minh'alma entrevê na aurora do porvir!"

E o padre emudeceu. Submergido em pranto,
Achou mais belo o céu e o seu viver mais santo.

Pairava na amplidão estranho resplendor.
A Natureza inteira em lúcida poesia
Repousava, feliz, nas preces da harmonia!...
Era o festim do amor,
No firmamento em luz,
Que celebrava
A grandeza de uma alma que voltava
Ao redil de Jesus.

Caridade

Caía a noite em paz. Crepúsculo. Horas quedas.
Horas de solidão. Pelas planícies ledas,
A asa ruflando inquieta, os meigos passarinhos
Recolhiam-se à pressa, em busca dos seus ninhos!
Repousavam, tremendo, os colibris doirados;
Pipilavam febris no beiral dos telhados,
Reunidas no lar caricioso e terno,
Andorinhas gentis, tardígradas do inverno.
As árvores senhoris, despidas dos seus galhos,
Como braços em cruz, sangrentos nos trabalhos,
Elevavam-se ao céu silenciosas, mudas,
Sentinelas da dor nas regiões desnudas;
Chegavam aos ovis as ovelhinhas mansas;
Os risos dos aldeões e as orações das crianças
Casavam-se formando, em rimas soberanas,
Os poemas de luz, que nascem das choupanas,

Canções de oiro e de sol das almas virginais,
Exalando, a sorrir, o aroma dos trigais;
Almas puras, em flor, relicários da essência
Da verdade e do amor, do amor e da inocência,
Almas feitas de luar, de cândida frescura,
Vivendo a vida doce, imaculada e pura,
De quem ama a existência plácida da aldeia,
Cujo sonho é candura e a vida uma epopeia
De louvores à dor, de exaltações, de prantos!...
Caía a noite em paz, por entre os negros mantos
De espessa escuridão. Sinistramente, a Lua
Rolava na amplidão como cabeça nua,
Como poça de sangue, horrendamente informe...
O silêncio pesava impressionante e enorme!

Nevava quase e a treva espessa e fria,
Era bem a visão da mágoa e da invernia;
Enchia-se o ar de gelo igual a açoite de aço,
Que vibrasse, cortando, a imensidão do espaço.

E eu pedia ao Criador da imensidade etérea,
Que estendesse o seu manto aos ombros da miséria,
Que agasalhasse o pobre e que desse ao mendigo
Um frangalho de pão e um momento de abrigo;
Que pusesse suas mãos benévolas e puras
Sobre o abismo voraz de tantas amarguras;
Que levasse o amor onde faltasse o lar,
Onde sobrasse a angústia, onde andasse o penar.

Em mim, sentia a dor dos que não têm carinhos,
Que se vão de longada ao longo dos caminhos,
Sem temer a hediondez das negras horas mortas,
Pedindo a soluçar um caldo negro às portas!
E sondava o amargor dos operários rudes,
Filhos da obediência, anhos de mansuetudes,
Que vão cedo ao trabalho, à lide que os consome,

Deixando a casa entregue às penúrias da fome...
Pesava toda a dor que o mundo inteiro cobre,
O castelo real e a cabana do pobre,
A dor que faz da Terra um ninho de infelizes,
Que palpita nos reis, que anda nas meretrizes;
A dor que dobra e vence as multidões ignaras,
Que derruba os casais e come o pão das searas,
Quando vi resplender nas bandas do ocidente
Uma excelsa visão, que andava mansamente:
Tinha nas mãos de luz ramalhetes de lírios
E no olhar a expressão de todos os martírios:
Digna como um juiz, fulgente como a luz
Que dimana do amor divino de Jesus!
Seu luminoso olhar, esplêndido e profundo,
Era como a piedade iluminando o mundo;
Suas faces e a fronte, alvas como alabastros,
Pareciam do alvor das estrias dos astros...
Emitia esplendor sua túnica de arminhos,
Dissolvendo os cendais das trevas dos caminhos!...

Quem és tu? — murmurei.
    — "Meu nome é Caridade,
Emissária de Deus a toda a Humanidade:
Pairo por sobre um ser resplandecente e puro,
Como pairo a sorrir por cima de um monturo;
Desço das vastidões dentro das horas mudas,
Deixo Cristo na cruz para encontrar com Judas.
Amo os bons e protejo as almas vis e hediondas,
Ando por toda a terra, ando por sobre as ondas
Do oceano a rugir sob meus pés de névoa,
Para levar a luz, e com ansiedade levo-a
A quem, nas aflições, chama-me em altos brados
No turbilhão de horror de todos os pecados.
Para mim, não existe a classe, a seita e as gentes;
Abranjo em meu amor a alma dos continentes,

Atravesso o oceano e atravesso os países,
Vou onde haja a miséria e pranto de infelizes;
Sou o farol da legião dos pobres sofredores,
Levo sol, pão e luz, balsamizando as dores;
Conduzo com avidez o lúcido estandarte
Do bem, que ampara a dor e vela os sonhos d'arte.
Amo o labor da ciência e amo a existência honesta
Do ingênuo lavrador, que, em vez do sono à sesta,
Enche com o seu trabalho as lindas manhãs claras,
E quando a tarde chega, engendra a paz das searas.
Amo o trabalhador, como adoro as boninas
Que se entreabrem na estrada, adornando as campinas;

As rosas festivais das frescas alamedas,
Que abarrotam de olor as primaveras ledas.
Amo o goivo e o lilás, como amo o luto e a festa,
Amo a fera bravia e as aves da floresta;
Guardo comigo a dor, as mágoas e esperanças,
Idolatro os senis, como idolatro as crianças.
Vivo fora do plano imundo da matéria,
Confortando o amargor, consolando a miséria;
É por isso, talvez, que, comovida, eu ouço
Do palácio o carpir e os ais do calabouço;
Visito os hospitais, creches e orfanatos,
Sem toques de clarins e sem espalhafatos;
Vou ao cárcere escuro, entro nos palacetes,
Desço ao antro abismal e ascendo aos minaretes.
Estou dentro do templo e dentro dos prostíbulos,
Ao pé do altar da fé, no sopé dos patíbulos;
Oro em qualquer lugar, nas ermidas, nos montes,
Subo da Terra ao Céu. Não conheço horizontes.
Não conheço nações, corro do brejo aos sóis,
Beijo um cadáver nu, como osculo os heróis.
Nunca a lisonja fiz, nem recebo homenagens,
Trato com o mesmo amor os cultos e os selvagens.

Jamais pude escolher entre Roma e Paris,
Não me regem as leis que regem um país.
Minha missão é amar. Amo o templo e amo a escola,
Amo o bem que alivia, amo o bem que consola."

"Caridade! — tornei. — Por que volves ao mundo?
O mundo é o mesmo caos, o mesmo charco imundo.
A Humanidade é a mesma, alma de fariseus,
Que não te quer, nem quer o amor do próprio Deus!
O homem não se mudou. E a tola sociedade
É o nojento paul da criminalidade,
Lodo fenomenal de descrença e malícia.
Vai! consulta as prisões e consulta a polícia.
Onde puseste a luz, onde fundaste a escola,
O homem pôs o missal, as batinas e a estola.
Onde foste ensinar cantigas às ceifeiras,
O homem fez barregãs que se vendem nas feiras!

Onde andaste a criar a cidade e os impérios,
Ele fez podridões de imundos cemitérios;
Onde criaste o ideal e a inspiração divina,
Fez a bomba explosiva, a forca e a guilhotina.
A sociedade vil é quase a mesma Impéria,
Rindo na podridão, transudando a miséria.
Morre o bem, morre o amor, causa nojo a política,
Ressumbra asco e pavor a velha sifilítica,
Que brada sem cessar: — Inda grita a canalha?
Abra-se-lhe a prisão, jogue-se-lhe a metralha.
E se alguém reclamar, há canhões na Alemanha;
Se o canhão não chegar, há mosteiros na Espanha,
Onde existe o grilhão dentro de escuras celas,
Celas que são prisões, cheias de sentinelas.
E se o povo chorar, que se açoite esse povo!
Alguém, que reclamar, pague um tributo novo.
Mate-se a mocidade, asfixie-se a infância,

Propague-se impiedade, espalhe-se ignorância,
De nada serve o livro a um povo sempre cego.
E se a fome vier, ponha-se a honra ao prego.
Para que se não veja a ruína e os cemitérios,
Se o estrangeiro chegar — Bailes nos ministérios!
Músicas sobre a dor, flores sobre os lameiros,
Girândolas ao ar, honras aos forasteiros!
Cubram sedas a lepra, aromas os fedores,
Fogo a quem mendigar! morte a quem tiver dores!...
Ao raiar a manhã, toque-se para a missa,
Que esta plebe é de cães, que esta plebe é submissa.
E esse povo infeliz dorme pelas calçadas,
Almoça e ceia o luar, morre sob pauladas —
E à podre sociedade é igual a religião,
Que encarcera o ideal dentro da Inquisição!
Principalmente Roma, a esta nada escapa,
Demonstrando o conflito entre Jesus e o Papa:
Jesus amava a luz, o Papa o oiro vil,
Jesus amava o pobre, o Papa a Rotschild!
Que queres, Caridade? O mundo é sempre assim,
Sacrifica um Abel para aceitar Caim!"

— "Antes de tudo, amigo, eu não sei, não discuto;
Eu só quero saber onde há miséria e luto.
Raciocina, poeta!
    A alma da caridade
Abomina o rumor que alimenta a vaidade;
Para o seu labutar, toma vestes singelas;
Para fazer o bem, corre o fecho às janelas,
Não lê Anacreonte e ignora Petrarcas;
Não reconhece a lei que emana dos monarcas.
Nunca soube notar, nem sabe discernir
Qual deles foi maior, se Goethe ou Shakespeare;
Se houve o pincel de Goya e o buril de Bordalo,
Se Calígula quis endeusar um cavalo;

Se o nome de Mafoma é o mesmo que Maomé,
Se houve no tempo antigo uma arca de Noé;
Se a Patti cantou bem pelas festas mundanas,
Se viveram maus reis, entre más soberanas;
Não entende Voltaire, nem más literaturas,
Somente lhe interessa a sorte das criaturas,
Nunca soube enxergar se há Lutero e Jesuítas,
Sabe somente ver as dores infinitas.
Não vai a Roma ver o Papa que se cobre
De fulgentes milhões para humilhar o pobre.
Não vai à Terra Santa em peregrinações,
Jamais toma lugar para fazer sermões.
Passa no mundo a pé, jamais anda de sege,
Nem sabe distinguir entre um pária e Carnegie,
Nunca aos concílios foi dar suas opiniões,
Nunca reza em latim, nunca fez procissões,
Jamais focalizou questões eleitorais,
E não vai desfolhar misérias nos jornais.
Entra no lupanar, não lhe estorva a política,
Não lhe pode abalar a opinião da crítica.
Nunca viu povoléus, nem divisa a ralé,
Nem problemas sociais, nem dogmas de fé!
Rejeita a excomunhão, jamais amaldiçoa,
Sabe somente que ama e também que perdoa.
Sabe apenas que há pranto ao longo dos caminhos,
Que falta o amor e o pão, água e calor nos ninhos.
Corre, sem se cansar, desde o nascer da aurora,
Para buscar a dor da orfandade que chora.
Reconhece na treva a fonte dos pecados
E abraça com carinho os grandes torturados.
Sabe onde falta sol, onde escassa é a saúde,
Onde se mete a flor excelsa da virtude.
Olha sem se anojar, mágoas, misérias, dor,
Não conhece opinião, segue a Nosso Senhor!
Anda no Novo Mundo, corre por toda a Europa,

Mendigando uma luz e um bocado de sopa,
Luz para desfazer a baixeza de instintos,
Sopa para matar a fome dos famintos.
Foge da discussão, não está nas pelejas,
Nem no ambiente hostil e estreito das igrejas.
Sabe amar e querer flores e passarinhos,
Os mendigos e os reis, os palácios e os ninhos!
Tem abnegação. Sabe rasgar o peito,
E escrever com seu sangue a Justiça e o Direito!
Sabe o amor. Sabe o bem. A alma da caridade
Sabe endeusar a luz e adorar a verdade.
Vai a todo lugar, recôndito e diverso.
Não existe num mundo. Existe no Universo.

Poeta amigo, adeus! Há muito que me espera
A imensidão da dor. Procuro a pomba e a fera.
Tenho muito a prestar às ovelhas transviadas,
Que ouvem as tentações do beiral das estradas.
É preciso que eu vá visitar os covis,
Amparar o chacal, as aves e os reptis;
Necessário é que eu siga em minhas romarias,
Procurando os pardais, melros e cotovias.
Vou subir a colinas e descer aos valados,
Caçando o pranto e a dor dos pobres desgraçados.
Chama-me o sofredor, chama-me a orfandade,
Necessário é lhes leve a vida e a liberdade.
Se tua alma quiser inda encontrar-me um dia,
Desce ao antro sem paz, donde foge a alegria;
Vai sem medo e receio à lôbrega mansarda,
Onde tarda a saúde e onde o conforto tarda.
Vai às roças louçãs nas alvoradas claras...
Estou com o lavrador na tarefa das searas,

Como do seu farnel, tomo o arado e a charrua,
Lá me ponho a lidar e de lá volto à rua,

Para guiar os maus, para guiar felizes;
Minha missão é amar os vermes e os países!..."

Muito tempo passara e a noite inda era escura.
Noite de neve atroz, noite de desventura!
Foi-se a linda visão, dissipando as neblinas,
Repartindo o seu pão de carícias divinas.

Tudo voltou à paz silenciosa e calma!...
O inverno e o pesar; e aos olhos da minh'alma,
O mundo famulento, a Terra, parecia
O planeta da sombra e a mansão da agonia!

ROMARIA
(Passeio matinal)

(Fim da poesia inserta em Poesias Dispersas.)
....
....

Não sabeis, não sabeis, filhas que adoro tanto,
Calcular a extensão de tantas amarguras,
Existências em flor, fustigadas de pranto,
Lírios no lamaçal das grandes desventuras...

Almas na escuridão da noite sem aurora,
Corpos de podridão, urnas de lama e pus,
Anjos açucenais que a miséria devora,
Pobrezitos sem pão, esquálidos e nus.

No entanto, há aroma e luz na beira dos caminhos,
Cantos de rouxinóis, árvores, fruto e flor,
Harmonias sutis, que se evolam dos ninhos
Dourados pelo sol d'alvorada do amor!

Mocidade no abril resplandecente e loiro
De noivado e canção das almas virginais;

Entoando a sorrir mil ditirambos de oiro,
Como as aves gracis em voos nos trigais.

A alegria taful das manhãs harmoniosas
Em que maio desfolha os cravos e os jasmins,
Espargindo dos céus as glicínias formosas,
Na esmeraldina cor do colo dos jardins!

E Deus que fez o Sol e a candura das crianças,
Fez também o soluço e a lágrima dorida,
E se fez a bondade envolta de esperanças,
Criou a dor clareando a escuridão da vida.

Há risos e esplendor e há prantos, filhas minhas,
Porque o pranto é que lava as manchas e os negrumes
De almas torvas e vis, misérrimas, mesquinhas,
Transformando-as em luz e em vasos de perfumes!...

A lágrima da dor é estrela que transluz,
Um coração que sofre é chama que se eleva
Da túrbida hediondez dos pantanais da treva,
Às regiões da glória intérmina da luz.

Sobre o escuro, porém, das lepras malcheirosas,
Paira o clarão do amor, edênico e sem par,
Que liga o verme ao mar, que une a pomba às rosas
Que o grão de areia une ao roble secular.

O amor que fraterniza, o amor que dá saúde,
Que irmana a fera e a rosa, as aves e os chacais,
Que faz da Caridade a flama da Virtude,
Que sublime conduz aos planos celestiais.

Filhas que Deus me deu, vinde alegres, comigo,
Vinde comigo ver a dor dos desgraçados

Que chorando se vão, sem pátria e sem abrigo,
Cheios de sânie e pus, com os corpos cancerados.

Aproveitemos, pois, esta hora calma e mansa,
Em que há músicas no ar e olores nas estradas,
Hora em que a Terra acorda em haustos de esperança,
Ébria de aroma e luz das flores orvalhadas.

Saúdam o alvorecer as vozes das ovelhas,
Perpassam colibris, chilreia a passarada,
Zumbem sofregamente as trêfegas abelhas,
Compondo o hino de sol de esplêndida alvorada!

Partamos nós, também, por este mundo afora,
Nutrindo o coração na fonte da esperança,
Dando consolo à dor, à treva a luz da aurora,
A paz à guerra e à luta os lírios da bonança.

Conduzamos conosco a luz da Caridade,
Oferecendo o Bem aos pobres pequeninos,
Ofertando com amor a toda a Humanidade
Esse pão divinal que é dos trigais divinos.

Espalhemos a Fé, a Caridade e a Crença,
Tenhamos a noss'alma em delubros de luz,
E acharemos no fim da romaria imensa,
O sol primaveril da graça de Jesus!

Eterna Vítima

Na silenciosa paz do cimo do Calvário
Ainda se vê na cruz o Cristo solitário.

Vinte séculos de dor, de pranto e de agonia,
Represam-se no olhar do Filho de Maria.

Abandonado e só na aridez da colina,
Sofre infindo martírio a vítima divina;

Açoitado, traído e calmo, silencioso,
Da Terra ao Céu espraia o seu olhar piedoso.

Dois mil anos de dor, e os seus cruéis algozes
Passaram sem cessar como chacais ferozes.

Caravanas de reis nos tronos passageiros,
Exaltados na voz das trompas dos guerreiros;

Os lendários heróis no dorso dos corcéis,
Inscrevendo com fogo as máximas das leis.

Cavalheiros gentis, valentes brasonados,
Nobres de sangue azul nos seus mantos dourados.

Viram-no seminu, na cruz, ensanguentado,
E puseram-se a rir do louco supliciado!

O Cristo continuou, humilde e silencioso,
Espraiando na Terra o seu olhar piedoso.

Sábios do tempo antigo abrindo os livros santos
Olharam-no também, partindo como tantos.

Artistas e histriões, poetas e trovadores,
Castelãs juvenis, turbas de gozadores

Inda vieram; depois, aqueles que em seu nome
Espalharam a treva, o pranto, a guerra e a fome.

Desolação e horror, mataram-se os irmãos,
Lobos, tigres, chacais, na capa dos cristãos.

Contemplaram Jesus no cume da colina,
Multiplicando a guerra, as lutas e a chacina.

O Mestre prosseguiu, sublime e silencioso,
Espraiando na Terra o seu olhar piedoso.

E na época atual a caravana estranha
Estaca no sopé da árida montanha;

Mas os soberbos reis e césares antigos,
Hoje mais nada são que míseros mendigos;

Os nobres doutro tempo, agora transformados
Nos párias do amargor, nos grandes desgraçados,

Agora veem, sim, no topo do Calvário,
O sacrifício e a dor do eterno visionário,

Bradando com furor: — "Socorre-nos Jesus!
Que possamos vencer a dor em nossa cruz.

Sorvendo o amaro fel nas dores da aflição,
Temos fome de paz e sede de perdão!"

E o Mestre da bondade, o anjo da virtude,
Estende o seu perdão cheio de mansuetude.

E do cimo da cruz, calmo e silencioso,
Consola a multidão com o seu olhar piedoso.

A UM PADRE

(*Versos a um agressor do Espiritismo*)

Ó padre lutador, procurai santamente
Apregoar ao mundo herético e descrente
Os dogmas ancestrais da vossa velha Igreja!

A árvore do progresso, esplêndida, viceja.
A Ciência caminha a passos de gigante
Para se unir à Fé, operosa e triunfante.
É preciso instalar a Inquisição de novo,
Contendo a aspiração indômita do povo,
De saber a verdade acerca do Destino.

Proclamai, proclamai o dogma *divino*!
Fazei bulas, torcei as leis, trazei Loiolas,
Ensinai catecismo em todas as escolas;
Ponde sobre a esperança o inferno que flameja,
Cheio de excomunhões e de mastins da Igreja!
Ensinai que Deus é o bramânico sátrapa
Que enviou para o mundo os bergantins do papa,
Afirmai que um sacrista é um ministro do Eterno.
Comei Jesus no pão refogado em falerno;
Formai sob a batina as gerações vindouras,
Tomai em vossas mãos das *crísticas* tesoiras,
Cortai a asa de luz de toda liberdade,
Afogai na descrença a pobre Humanidade,
Multiplicai no mundo as vossas benzeduras,
Multiplicai na Igreja os ritos e as tonsuras!

Teologicamente, anatematizai
Todo aquele que em Deus sentir o amor de um Pai,
Ponde em cada recanto um novo Torquemada,
E um trapo de batina ao pé de cada estrada;
Fazei autos de fé, pregai probabilismos
Dentro das ilações e dos anacronismos,
Endeusai sobre o trono a fortuna dos Cresos,
Esquecei sobre a lama os pobres indefesos.

Transformai todo templo em balcão de bentinhos,
Com representações em todos os caminhos;
Interpretai Jesus no prisma do interesse,
Traficai com o altar, vendei o ensino e a prece,

Anatematizai todas as heresias;
Aprovai, aplaudi as grandes simonias,
Porque, em verdade, são como crimes sagrados
E a estola de um sacrista é isenta de pecados.

Incensai Harpagões, absolvei magnatas,
Entre encomendações, discursos, sermonatas;
Lembrai a Inquisição e a história do papado,
Retende na memória os erros do passado.

Lede com desassombro o intrépido Barônio,
Sem o medo pueril do inferno e do demônio,
E vinde proclamar ao mundo fariseu
Que somente na Igreja há sendas para o Céu;
Só a Igreja possui a santa autoridade,
Dentro das presunções da infalibilidade.

Sobre o luxo gritai no púlpito florido,
Gritai que o mundo está perverso e corrompido.
Escrevei com furor contra as guerras tigrinas,
A abençoar fuzis, metralhas, carabinas,
A discórdia infundi! Nutri regionalismos,
Incentivai com ardor os rubros fanatismos.

Se puderdes, irmão, armai nova fogueira
A quem asseverar que o Papado é uma feira
Onde Deus é um cifrão e onde se negocia
A bênção de Jesus, e a bênção de Maria;
Onde a verdade está sob as cavilações
Dos círculos hostis de torpes convenções!
Praticai e afirmai ainda mais do que isto.
Tendes a autoridade e a mansidão do Cristo...
....

Mas ouvi minha voz impávida e serena!...
Fazendo-vos ouvir, tomando a vossa pena,

Jamais vos esqueçais de que a verdade é de ouro.
Afastarmo-nos dela é andar no sorvedouro
Da calúnia que fere o coração mais rude,
Da mentira que, enfim, não alcança a virtude,
Que traz, porém, consigo o vírus que envenena!...

Quem perpetra a inverdade a si mesmo condena.

A luta da verdade, a luta das ideias,
É feita nos clarões das grandes epopeias,
Abrindo o coração ao nobre sacrifício;
Cada gesto leal é sublime interstício
Por onde a Luz penetra em jorros cristalinos,
Clareando o porvir ignoto dos destinos.

Criar uma ficção e excomungar de oitiva,
É próprio das paixões e próprio da inventiva.
Nunca vos entregueis a tanto despautério,
Jamais enxovalheis o vosso ministério.

Acostumai-vos, pois, ao sol que tudo aclara;
Deixai a insensatez dos clérigos, da tiara,
Abandonai a treva e vinde para a luz!
Aprendei muito mais do exemplo de Jesus.

Olvidai convenções, congregações, papado,
Que a Verdade jamais se vende no mercado.

"Um quadro da Quaresma"

Entre lamentações e estrídulas matracas,
Num cenário infantil, feito de gesso e lacas,
Representa-se a peça antiga da quaresma...

O pobre Senhor-Morto, um pálido abantesma,
Talhado de encomenda, em tinta espessa e forte,

Dorme grotescamente o sono dessa morte
De teatro burlesco, anual, que se repete,
Como as grandes funções do entrudo e do confete.

Imóvel, sob a luz esdrúxula das tochas
Que ilumina esse caos de tintas rubro-roxas,
É o ator da paixão, a vítima e comparsa
Do Papa, o explorador santíssimo da farsa,
Paródia de uma dor sublime e incomparável,
Filha da estupidez bisonha e condenável,
Que a Igreja representa, arrecadando esmolas,
Com latim, cantochãos, bandeiras e sacolas.

A função quaresmal prossegue. A multidão
Espera com ansiedade o clássico sermão.
Numa fantasmagoria esplêndida de aroma
Dos incensos do altar, sobre o púlpito assoma
Uma figura heril de abade gordo e enorme,
Coquelin tonsurado, obeso, desconforme,
Que grita com estentor:

"Caríssimos irmãos!
Nós somos sobre a Terra os únicos cristãos.
Fora das concepções altíssimas da Igreja,
Existe tão somente o Inferno que despeja
O mal e as tentações no espírito perdido;
Rezai! que atualmente o mundo pervertido
Pretende esfacelar os dogmas romanos,
Sentinelas da fé, há quase dois mil anos!

Não busqueis progredir nas coisas transcendentes,
Porque o Papa é senhor de céus e continentes
E o *Sylabus* proíbe a evolução de tudo!

Eu só vos peço a fé, porquanto a fé é o escudo
Que vos há de livrar dos gênios tentadores.

Evitai conviver com os livres pensadores!
A análise conduz à escuridão do Averno,
Voltaire e Galileu são ministros do Inferno,
Calvino, Comte, Wesley, seus embaixadores;
Das chamas infernais, criaturas inferiores
Dirigem, certamente, o espírito moderno.

Precisais cultivar o nosso dogma eterno,
De eterna submissão ao Papa que é infalível.
Toda ordem de Roma é boa e indiscutível.
É preciso antepor, a toda a Humanidade,
Sentimentos de fé e catolicidade.

Necessário se faz prender quem raciocine.
Reformistas quaisquer?... Satanás que os fulmine
A falta de fervor tem feito heresiarcas,
Tem até corrompido os padres e os monarcas.
Obedecei à Igreja em sua Santidade,
Que é o traço de união do arcano da Trindade.

O dogma é uma lei benigna e sublime,
Sofismá-lo, enformá-lo, é cometer um crime.

A Humanidade está sob o império do demo;
Oremos pelo mundo em desconforto extremo.

Vivei, caros irmãos, em santa penitência;
As mortificações recebem da indulgência
Os prêmios celestiais na Eterna Beatitude.
Sede firmes na fé, contentes na virtude,
Amando a caridade, a humilde singeleza,
Como Jesus amou a glória da pobreza!"

Condenando a Ciência, a Luz, a Liberdade,
E abominando o Cristo, o Senhor que ele esquece,
Terminou a oração, rogando que se desse
Uma estola ao Progresso e um véu à Humanidade.

Com um aceno abençoou, segundo o gesto em uso,
Resmungando um latim exótico e confuso;
E depois de exercer seu santo ministério,
Procurou lestamente o calmo presbitério.
Aguardava-o o jantar de finas iguarias:
Pratos de ostentação, recheios, ambrosias,
Licores, moscatéis, confeitos, doces raros,
Opíparo jantar regado a vinhos caros.

E após se abastecer pantagruelicamente,
Em paz sacramental, seu cérebro indolente
Desejou meditar nas cenas do Calvário...
Mas o sono roubou-lhe as preces e o breviário.
Terminada que foi a sacra pantomima,
Esquecido Jesus, olvidou-lhe a doutrina.

Sereno, adormeceu sem pensar que pusera
Em cada coração um coração de fera,
Com o seu rubro sermão, cavando um negro abismo,
Propagando a cegueira, a guerra e o fanatismo.

Olvidou o que Jesus obrara com o exemplo,
Dos atos a lição, da caridade o templo,
Sem artigos de fé, sem bispo e Vaticano.
Não se lembrou que houvera o bom samaritano,
Porque a verdade pura, o lídimo Evangelho,
Era um livro escurril, inadequado e velho.

Da doutrina cristã, a sacrossanta essência
Ficou em pregação de mágica eloquência.
Jesus apenas fora a máscara piedosa,
Para tanta extorsão impune e criminosa.

Por isso, ó meus irmãos do altar e da batina,
A Igreja que foi pura e que já foi divina,

Morre sem remissão de horrível carcinoma,
Nos pântanos letais e lúgubres de Roma,
Lá onde a cupidez fatídica se entrapa
E morre às próprias mãos sacrílegas do Papa!

Comentários de Elias Barbosa

Referindo-nos, de passagem, às principais obras de Guerra Junqueiro, detenhamo-nos em *A morte de D. João*,[46] sem dúvida a obra-prima do poeta português, para o devido cotejo com a produção mediúnica, no que tange ao aspecto formal, já que o temático salta aos olhos e dispensa qualquer observação a mais da que o próprio leitor possa fazer.

Baseamo-nos na 14ª edição de *A morte de D. João*, e os versos mediúnicos serão citados pelos números correspondentes ao longo do contexto.

Verso 4. "*o céu, a terra, o mar...*" — Na Introdução, p. 24, a disposição trina das palavras, de quase todas as categorias gramaticais:

> Que forças colossais, magnéticas, estranhas!
> ....

> Verso 17. Que povo misterioso, indômito, infinito
>   À p. 26:
> Eu vi as três irmãs —, a fome, a peste e a guerra —
> Batendo em noite escura às portas de um bordel."
> ....

> Teu rude coração/Porque brame d'amor, se despedaça, estoira;
> Irradiando o trabalho, a vida, o movimento.

> Ó abismo do mar, o mar do pensamento
> Também tem como tu a mesma tempestade:
> As três luas do Bem, do Belo e da Verdade
>   (p. 27)

---

[46] Guerra Junqueiro, *A morte de D. João*, 14. ed. Porto (Portugal): Lello & Irmão Editores, s/d.

....
Há uma voz que lhe diz: — Lutar! lutar! lutar!
(p. 28)

Às vezes, o número de adjetivos, como acontece nos poemas mediúnicos, chega a ultrapassar o número de três:

Tudo o que é puro e nobre e fugitivo e suave
— Desde o colo dum cisne ao canto duma ave
Nada disto traduz as lânguidas doçuras,
As linhas imortais, aveludadas, puras
Do seu corpo divino...
(p. 29)

....
E com voz musical, translúcida, impoluta
(Idem)

....
Que pensamentos maus, fantásticos, insanos
(Idem)

....
A vossa alma, alegre, esplêndida, sonora
(p. 30)

....
Brinca, salta, sorri, não pode estar em paz
(p. 33)

....
O povo num só dia, o povo dos insetos,
Abrasados, febris, coléricos, inquietos,
Sacodem pelo ar as deslumbrantes asas.
(p. 41)

....
Trabalha, sua e cava; e em volta do seu sangue
(Idem)

> ....
> Cujas constelações são Prometeu e Dante
> E Cristo, Galileu, Washington, Pascal
> E Newton e Voltaire — zodíaco imortal
> Da consciência humana. [...]
> (p. 50)

Estudemos, ainda, os dois quartetos de "D. João", soneto que se encontra na parte terceira, p. 263:

> Sou um pântano escuro, inavegável, quieto,
> Sem vida, sem amor, sem vibrações, sem lutas.
> Trago dentro de mim um coração abjeto,
> Torpe como o lençol das velhas prostitutas.
>
> O spleen, dominador, vampírico, secreto,
> Roeu-me da consciência as fibras impolutas.
> Sou um pântano escuro, inavegável, quieto,
> Como a hedionda paz das trevas absolutas...

Sobre o aspecto propriamente formal, referindo-se à arte moderna, o autor, em "Nota" inserta na obra citada, p. 341 e 342, diz o seguinte:

> Pelo lado da forma é duma correção geométrica, pitoresca, inexcedível. Cada adjetivo é um bisturi.

A propósito de rimas, vejamos apenas alguns exemplos: Mozart/crepuscular (p. 173); beijos/desejos (p. 171); *champagne/cocagne* (p. 169); Shakespeare/partir (p. 148); bebê-los/cabelos (p. 147); Roma/Mafona (p. 103); Roma/coma (p. 107); comprasse/face (p. 106); Cid/Madrid (p. 98); também/mãe (p. 90); Belot/dó (p. 59).

Com relação à métrica, vejamos alguns versos frouxos e outros densos, até de treze sílabas, por falta de sinalização gráfica da ectlipse:

>Fi/cais a o/lhar/ pa/ra/ mim?/ Sen/tis/ no/ co/ra/ção
>(p. 82)
>
>É/ vo/ar/ é/ vo/ar/ na/a/sa/ da/ lou/cu/ra
>(p. 80)
>
>O/ho/mem/fei/to/ven/tre, a/al/ma/fei/ta/sa/po
>(p. 73)
>
>Tens/ u/ma al/ma,/ tens,/ne/gro/ le/ão/con/vul/so
>(p. 25)

∞

Finalmente, analisemos o conteúdo imagístico. Primeiramente, as comparações que se sucedem, em catadupa:

>Doce como um perdão, casta como um sorriso
>(p. 31)
>
>Duro como um cutelo e frágil como um vime
>(Idem)
>
>Raios de ouro e de luz que saltam pelo espaço,
>Como frechas batendo em armaduras d'aço.
>(p. 34)
>
>Triste como Caim, mudo como um assombro
>(p. 36)
>
>Na trágica mudez das nuvens pardacentas
>(p. 37)
>
>E a Terra muda e triste, uma fornalha ardente
>(p. 40)
>
>...A Lua ensanguentada/É como uma cabeça enorme e decepada

(p. 43)

Deram agora mesmo as três da madrugada.
A neve cai; a noite é fria; o Céu é baço.
Os montes vão vestindo as armaduras de aço.
Silêncio sepulcral! mudez que não se exprime!
É o silêncio que segue as convulsões dum crime.
O silêncio tem voz; a noite tem olhar.
Há sonhos pela terra, há sonhos pelo ar.

(p. 69)

※

Em Oração à Luz,[47] encontramos passagens assim:
Por ti um sopro anímico e fecundo
Penetra o lodo, a rocha, a água, o ar,
Voa de esporo a esporo, e mundo a mundo...

Por ti a asa, o lábio, a mão, o olhar...
Por ti o canto e o riso e o beijo e a ideia...
Por ti o verbo ser e o verbo amar!...

(p. 12)

※

Do *Livro de orações*,[48] destaquemos estes belíssimos versos:

Num grão de trigo habita
Alma infinita.
Alma latente, incerta, obscura,
Mas que geme, que ri, que sonha, que murmura...

(p. 25)

※

---

[47] Guerra Junqueiro, *Oração à Luz*. Porto: Livraria Chardron, de Lello & Irmão Editores, 1904.
[48] Idem, *Livro de orações*. Lisboa: Empreza de Edições Populares, 1917.

De *A velhice do Padre Eterno*,⁴⁹ estas quatro estrofes que muitos sabemos de cor:

> Ó crentes, como vós, no íntimo do peito
> Abrigo a mesma crença e guardo o mesmo ideal.
> O horizonte é infinito e o olhar humano é estreito:
> Creio que Deus é eterno e que a alma é imortal.
>
> Toda a alma é clarão e todo o corpo é lama.
> Quando lama apodrece inda o clarão cintila:
> Tirai o corpo — e fica uma língua de chama...
> Tirai a alma — e resta um fragmento d'argila.
>
> E para onde vai esse clarão? Mistério...
> Não sei... Mas sei que sempre há de arder e brilhar,
> Quer tivesse incendiado o crânio de Tibério,
> Quer tivesse aureolado a fronte a Joana d'Arc.
>
> Sim, creio que depois do derradeiro sono
> Há de haver uma treva e há de haver uma luz
> Para o vício que morre ovante sobre um trono,
> Para o santo que expira inerme numa cruz."
>   (p. 3 e 4.)

Eis, na íntegra, o poema que se encontra em *Poesias Dispersas*, 5. ed. (Porto: Lello & Irmão Editores, s/d., p. 113 a 121):

Romaria
Passeio Matinal

(Fragmento)

Filhas, andai comigo! Hora divina e mansa,
Balsâmica manhã dum junho verde em flor!
Sobe da Terra ao Céu um frêmito d'esp'rança,
Baixa do Céu à Terra um hálito d'amor...

---

⁴⁹ Guerra Junqueiro, *A velhice do Padre Eterno* (com um estudo de Camilo Castelo Branco). Porto: Lello & Irmão Editores, s/d. (Edição Popular).

Translúcidas canções d'inocência e noivado
Perpassam rindo... Exala aromas o vergel!
A boca forma o beijo e a abelha o mel doirado...
Vem das almas o beijo e da corola o mel...

A madressilva, a rosa, o cravo, a balsamina
Vertem emanações edênicas no ar...
E em cada verso poisa uma imagem divina,
Como poisa num ramo um pássaro a cantar!

Sagrada comunhão d'heroísmo e d'alegria!
Banquete d'abundância e de graça imortal!
A luz, sangue do sol, vinho de eucaristia,
Tocando os corações, deixa-os como um cristal.

Vinde comigo, vinde, ó pombas cor d'aurora,
Vinde comigo, vinde, ó luz dos olhos meus
Que eu quero-vos mostrar a dor que sangra e chora
Sob o azul, onde vós julgais que habita Deus!

Olhai a estrada, olhai... que madrigal tão triste
Como no olmeiro a vide os seus festões levanta!
E um aleijado ao pé de cada tronco existe,
E em cada ramo verde uma avezinha canta!

Olhai bem, olhai bem a infinita desgraça,
Pústulas, podridões, cancros, miséria, dor,
Festim de sangue exposto aos olhos de quem passa,
Donde quem passa volve os olhos com terror!

Primeiro os cegos: um de fronte taciturna,
Barbas de neve, o ar extático e vidente
De quem marcha, num sonho, através duma furna,
Segurando na mão uma lanterna ausente...

Outros quase a sorrir, mesmo através dos crepes
Da escuridão, sorriso ingênuo de criança,

Lembram-me os divinais mendigos dos presepes
Entre um boizito loiro e uma ovelhita mansa...

E as suas almas na noite espessa das clausuras,
Em moradas sem luz, sem cânticos, sem ar,
Vão ansiosas, tacteando as sombras, às escuras,
Debruçar-se detrás dos olhos sem olhar.

Como presos, no horror de negras enxovias,
Espreitando o clarão dum sol que nunca vem,
Batendo eternamente a duas frestas sombrias,
Que eternamente um juiz mandou cerrar também!

Olhai, olhai este! O rosto cancerado,
Tão carcomido, e o sangue em úlceras, tão preto,
Que a máscara a cair já mostra o mascarado,
E atrás da carne padre aparece o esqueleto!

E enquanto o azul deslumbra a natureza inteira
Dia a dia ele assiste, e com inúteis ais,
À decomposição da cabeça em caveira,
Como a fazem na terra as larvas sepulcrais!...

Engole o pão de Deus por uma chaga em brasa!
Olha os astros por dois fontículos de pus!
Da latrina da boca a sânie lhe extravasa...
E o hálito... que horror!... Jesus! Jesus! Jesus!...

Vede aquele: um montão de pústulas obscenas
E, à luz do Sol que doira o laranjal e a vinha,
Move-se esta ambulante ostreira de gangrenas,
Cuja alma é talvez mais pura do que a minha!

Há-os ali que vão, as pernas torcionadas,
De rastos como a cobra — oh! trágicas galés!

Pondo a boca no lixo ignóbil das estradas,
Pondo o olhar onde eu ponho a marca dos meus pés!

E os doidos seminus, rotos, apedrejados,
A barba intonsa, a boca espúmea, o olhar sangrento
Ululando e dormindo as noites por silvados,
Ou sob a telha vã dos cabanais, ao vento!

Vede além numa enxerga uma cabeça enorme
Em corpo de pigmeu infinitesimal!
Esse monstro ali sonha, ali pasma, ali dorme,
Insensível, fitando a vida universal!...

Naquela aterradora e túrgida cabeça
Vagueia-lhe inconsciente o espírito apagado,
Como uma Lua enferma, entre uma névoa espessa,
Transudando um clarão atônito e gelado...

Filhas, tendes horror a tanta desventura,
A tanta chaga hedionda, a tanta podridão,
Vendo, enquanto gorjeia o ninho na espessura,
Uivar o sofrimento humano como um cão?!

É que vós não sabeis o que é a vida, o globo,
Hecatombe que vai, sem tréguas, sem parar,
Da raiz da açucena aos colmilhos do lobo,
Da vossa própria boca à boca dum jaguar!

Não sabeis, não sabeis quanta dor, quanto luto,
Quanta mágoa sem fim, chora, soluça e clama
Na Terra este candente e miserável fruto,
Com a polpa de fogo involucrada em lama!

Não sabeis, não sabeis que nesta própria hora
Milhões, milhões, milhões de vítimas sombrias,

A arder na mesma febre à luz da mesma aurora,
Tendo na mesma carne as mesmas agonias,

Se contorcem no mesmo eterno matadoiro,
Sem um ai de piedade, uma oração d'amor,
Indo engordar o estrume onde as abelhas d'oiro
Zumbem na madressilva e na verbena em flor!
....
1888.

Gustavo Teixeira

Paulista, nascido na cidade de São Pedro, em março de 1881. Escreveu *Ementário*, *Poemas Líricos*, *Último Evangelho* e outras obras assaz estimadas, falecendo em 1937.

A São Pedro de Piracicaba

Último instante, derradeira imagem
Nas procissões da sombra em longas filas...
Era a morte, cerrando-me as pupilas
No doloroso termo da romagem.

Graças a Deus, a crença era meu pajem
E buscando-lhe, ansioso, as mãos tranquilas,
Chorei de gratidão ao pressenti-las,
Conduzindo-me à luz doutra paisagem.

Ó terra de São Pedro, que amo tanto,
Com que angústias te vi, banhado em pranto,
Nos supremos e tristes estertores!...

Trabalha e espera sob os céus risonhos,
Que a morte é vida para os nossos sonhos,
E paraíso para as nossas dores.

Comentários de Elias Barbosa

Perlustrando as 532 páginas maciças das *Poesias Completas* de Gustavo Teixeira (com prefácio de Cassiano Ricardo, São Paulo: Anhambi, 1959), somente surpreendemos um "Hino ao grupo escolar de São Pedro", às p. 413 e 414, e nenhuma referência a mais à sua cidade natal, dele que foi um poeta do interior, no dizer de Vicente de Carvalho, no prefácio ao *Ementário*, datado de 1908.

"Simples secretário da Câmara Municipal de São Pedro de Piracicaba", — diz Cassiano Ricardo, no prefácio das *Poesias Completas* —, "suas desataviadas funções nunca passaram daí."

Detenhamo-nos, no entanto, nas palavras seguintes de Cassiano Ricardo:

> Sofreu ele, portanto, sob certo ângulo, as limitações decorrentes desse fato. Como explicar tamanha riqueza verbal como a de que dá mostras em seus vários livros, num recanto de cidade singela e pitoresca?
> Uma necessidade de compensação, possivelmente, como a que está implícita em "À sombra dos montes":

> Quero escalar os píncaros dos montes
> porque meus olhos vão ficando tristes
> de saudade dos amplos horizontes.

"Quanta vez tal desejo de 'amplos horizontes'" — continua Cassiano Ricardo — "não teria, pungido a alma do poeta em seu pequeno, embora afetivo, mundo municipal!"

> Outra curiosidade: o seu amor à Grécia, em São Pedro de Piracicaba. Fala ele em "formas gregas de alabastro"; o seu poema "Horas mortas" é dedicado "a uma grega". Em "A um poeta", diz:

> Invoca a inspiração! Em teu auxílio chama
> os deuses imortais da Grécia primitiva! [...]

> Não se quer dizer com isto que houvesse sido Gustavo Teixeira um "poeta municipal" em relação ao "federal", segundo malicioso poema de Drummond. Antes, não lhe faltou aquele "barro do município" a que alude Ribeiro Couto, condição pra ser "federal" no legítimo sentido de "brasileiro". Não lhe faltou sequer ser "grego", isto é, universalizar-se pelo espírito. Afinal, o verdadeiro poeta tem que ser tudo isso, a um só tempo; ser grego e ser municipal; regressar ao antigo e a ser criança à hora em que bem o entenda...

Apontando-lhe principalmente os defeitos e certas peculiaridades de estilo, Cassiano Ricardo procura situá-lo no tempo devido.

Analisando toda a sua obra terrena, constatamos, salvo engano, que dos seus 236 sonetos (apenas um traduzido — de Stecchetti, "Soneto XVIII", à p. 441), a maioria em versos alexandrinos, estudando, principalmente, passagens do Evangelho, detendo-se em vários deles na figura de Madalena, o esquema rímico predominante foi o utilizado após a morte — *abba-abba-ccd-eed*, como, por exemplo, neste:

Casa paterna

> Da velha casa em que a manhã da vida
> Passei — conservo uma lembrança exata:
> Antes de eu vir ao mundo foi erguida
> Perto da serra, quase ao pé da mata.
>
> Dá para o sul a frente enegrecida;
> Ao lado, para um poente de escarlata,
> Janelas donde, na estação florida,
> Se aspira o cheiro dos jasmins de prata.
>
> Perto, o bambual em cujo seio amigo
> Cantam graúnas, e o pomar antigo
> Com melros, tiés e gurundis em bando.
>
> O ribeirão, o cafezal, a horta...
> Ah! que saudade o coração me corta
> Do lar querido que deixei chorando!
>
> (p. 96)

Ao que tudo indica, consagrando o soneto mediúnico à sua terra natal, o poeta agradece ao seu berço a paciência de tê-lo recebido, a ele que, a vida inteira, desejou voltar a habitar metrópoles que o fizeram perder precioso tempo em existências pretéritas, desculpando-se por não se lembrar dela quando escrevia em plena paisagem terrestre.

Hermes Fontes

Sergipano, nasceu na Vila de Boquim, em 1888, e suicidou-se no Rio de Janeiro aos 26 de dezembro de 1930. Poeta de grande relevo emocional, deixou firmada sua personalidade literária, tendo publicado *Apoteoses*, *Gênese*, *Lâmpada Velada* e *Fonte da mata*, seu último livro.

Soneto

Sou o lavrador que fez, rude e bisonho,
A sementeira luminosa e rara
Do trigo louro e rútilo do sonho...
— Sonho lindo que a nada se compara.

Não reparou o labor triste e enfadonho,
Regou, chorando, a terra que lavrara;
E de alma ingênua e coração risonho,
Esperou confiante o sol da seara.

Passados os trabalhos e os tormentos,
Quando aguardava a messe, jubiloso,
Numa grande esperança insatisfeita,

Eis que aparecem os arrasamentos,
E o pobre, desgraçado e desditoso,
Perdeu tudo no instante da colheita.

Minha vida

Não pude compreender o meu destino
Na amargura invencível do passado,
Que amortalhou meu sonho peregrino
Nas trevas de um martírio irrevelado.

Do sofrimento fiz o apostolado,
Como fizera de minha arte um hino,
Procurando o país indevassado
Do ideal luminoso de Aladino.

E fui de vale em vale, serra em serra,
Buscando a imagem fúlgida, incorpórea,
Do que chamamos — a felicidade.

Mas só colhi os frutos maus da Terra,
As promessas pueris da falsa glória,
E o triste engano da celebridade.

POEMA DA AMARGURA E DA ESPERANÇA

Falar-vos de martírios e tormentos,
É perpetrar amargas redundâncias,
Redizer minhas mágoas, minhas ânsias,
Renovar minhas síncopes de dor...
Não sorvo mais os tóxicos violentos
Do desespero e da melancolia,
Após a derrocada
Das construções de um sonho superior.

Tudo outrora, Senhor,
Na minha pobre vida abandonada,
Era o tédio cruel que me impedia
De vislumbrar a claridade intensa
Da luz do sol puríssimo da crença,
Tudo em volta de mim era a cegueira
Que torturou a minha vida inteira,
Que me seguiu o espírito ambicioso!

A carne é pobre e é cheia de fraqueza,
Simbolizando o ciclo tenebroso
Das sínteses de dor da Natureza.
E a carne subjugou-me inteiramente,

Fez-me fraco e descrente,
E transformou a minha mocidade
Num montão de ambições, de fama e glória,
Adormeceu-me aos cantos da vaidade
E me afastou da estrada meritória
Da crença e da bondade...

Misericordiosíssimo Senhor!
De tortura em tortura amargurado,
O meu frágil espírito inferior
Viu-se presa de trevas, no passado,
E a desgraça suprema o amortalhou.

Tudo sofri, de dor e de miséria,
Mas a tua bondade me levou
A esquecer a influência deletéria
Da carne passageira...
Rompeste a minha venda de cegueira
E divisei o excelso panorama
Do Universo infinito, que Te aclama
Como a fonte do amor ilimitado!

Relevaste, meu Deus, o meu pecado
E pude ouvir as harmonias puras
Que equilibram os mundos nas alturas!...

Cheio de amaridúlcida ansiedade,
A esperança o espírito me invade
Aguardando das lágrimas futuras
A minha redenção...

Que a confiança, pois, em Ti me anime,
Que no porvir a dor bela e sublime
Jorre em minh'alma a luz da perfeição.

Comentários de Elias Barbosa

Para que possamos compreender o "Soneto" e "Minha Vida", nada melhor que transcrevermos o antológico "Buena-dicha", no qual deixa Hermes Fontes a marca inconfundível de seu talento:

Olhou-me a pitonisa, olhou-me e disse:
"Brilharás. Amarás. E sofrerás".
Eu ia, então, na minha meninice
inquieta, há cerca de vintênio atrás.

E, tal se por sabê-lo, eu antevisse
o predestino esplêndido e mendaz,
quis brilhar, quis amar... quis que a Velhice
não me recriminasse de ações más.

Para brilhar — busquei a glória, na arte.
Para amar — procurei o bem, no afeto.
Para sofrer — levei a Cruz e o Andor.

Mas a glória falhou. Por sua parte,
mentiu-me o Amor. Tudo mentiu... exceto
a doce mãe dos imortais, a Dor!

Em "Hino à perfeição", de seu *Despertar!*,[50] há gritos semelhantes aos que se encontram no "Poema" mediúnico:

Doce martirilógio dos meus nervos!
Dolorosa embriaguez em que ardo e tumultuo...
— Ilusão... Perfeição!

---
[50] Hermes Fontes, *Despertar!* — *Canto Brasileiro*. Rio de Janeiro: Jacinto Ribeiro dos Santos, Editor, 1922, p. 137 a 140.

> À eminência do Ideal, para que vos celebre,
> subo, e, ébrio de minha alma, vos invoco:
> Beijo em êxtase o mármore. Que febre,
> que febre, em mim! Mas ah! que frio em vosso bloco!

Diz Povina Cavalcanti,[51] reportando-se ao suicídio do poeta: "A solução da morte era uma constante do seu espírito, em estado de permanente fraqueza devida às suas amarguras. Foi um ergastênico, que não resistiu à coincidência de tantos impactos emocionais".

E, fato curioso, como tivemos oportunidade de observar a respeito de outro poeta suicida — Antero de Quental —, Hermes Fontes era devoto de Maria Santíssima, como sabemos, a defensora, no mundo espiritual, de quantos se entregam ao suicídio, estejam eles no plano físico ou extrafísico.

Da obra de Povina Cavalcanti é que transferimos para as nossas páginas o soneto "Salve-Rainha" (p. 162), "soneto incomparável", em que "há uma notícia expressa da presença do crente perturbado":

> Salve-Rainha, mãe dos enjeitados,
> mãe de misericórdia, mãe dos tristes,
> — prodigalizadora de cuidados
> àqueles, para cuja guarda existes!
>
> Ó mãe que amparas os desamparados!
> Mãe das minhas virtudes, que me assistes
> e me atenuas todos os pecados,
> Mãe de Misericórdia: mãe dos tristes!...
>
> Salve, fonte das minhas esperanças!
> — Fonte, de cujas lágrimas me inundo
> Nas translúcidas gotas, que me lanças!
>
> — Fonte, de que meu pensamento é oriundo;
> que choras... de chorarmos desde crianças

---

[51] Povina Cavalcanti, *Hermes Fontes — Vida e Poesia*. Rio de Janeiro: J. Olympio, 1964, p. 225.

neste vale de lágrimas — o mundo!

À p. 163, Povina Cavalcanti fixa trecho de uma carta do poeta às irmãs, afirmando: "Pois bem, nessa carta de maio de 1930, o poeta escrevia textualmente: 'Agora é o mês de Maria. E Nossa Senhora protege os irmãos, que andam separados, na distância do espaço. Felizmente estamos sempre próximos pelo coração'".

Acrescenta o autor, linhas à frente:

> Então Hermes não reencontrou a Deus, como Jackson o teria encontrado, ou como Augusto dos Anjos não se teria consolado de, alguma vez, o ter perdido?
> Certamente, ele nunca o perdeu. Mas o seu destino estava traçado e a sua marcha foi de calvário. Santa Teresinha, lá do céu, há de tê-lo compreendido e, na hora final, despetalado sobre a cabeça inerme as suas infinitas rosas de amor.

Ignácio José de Alvarenga Peixoto

Ignácio José de Alvarenga Peixoto, foi um dos malogrados poetas da Conjuração Mineira, ao qual foi imposta a pena de degredo perpétuo na África, onde veio a falecer em 1793, "minado pela nostalgia".

Redivivo

Divina lira,
Musa que inspira
Meu coração
A relembrar...
Celebra, amena,
A vida plena,
A paz sublime,
A luz sem par.

Volta, de novo
Ao grande povo
Que não me canso
De estremecer;
Revela, ainda,
A Pátria linda
Que faz vibrar
Todo o meu ser.

Exalça agora
A nova aurora
Que brilha cheia
De amor cristão.
O mundo em prova
Que se renova
Espera o dia
De redenção.

Une-te ao canto
Formoso e santo
Que flui soberbo,
Sepulcro além...
Lira divina,
Louva a doutrina
Da liberdade
No eterno bem.

Dize a grandeza
Da glória acesa
Na vida excelsa
Que a dor produz,
Proclama à Terra
Que além da guerra
E além da noite
Floresce a luz.

Não mais procures,
Chorando alhures,
Enfraquecer-te
Nas lutas mil.
Canta somente,
Ditosa e crente,
A nova era
Do meu Brasil.

Comentários de Elias Barbosa

Em lúcido ensaio — "Algo de novo sobre Alvarenga Peixoto" — M. Rodrigues Lapa[52] pôde chegar a algumas conclusões sobre o autor de *Estela e Nise*: teria nascido no Rio de Janeiro, em 1744; feitos os primeiros estudos em Braga; tomou o grau de doutor em leis, a 3 de fevereiro

---
[52] M. Rodrigues Lapa, "Algo de novo sobre Alvarenga Peixoto", *Revista do Livro, n*o 14, ano IV, junho-1959, Rio de Janeiro: MEC/INL, p. 7 a 18.

de 1767; exerceu a magistratura em Sintra, desde janeiro de 1769 a dezembro de 1772; transferiu-se de Portugal para Rio das Mortes, Minas Gerais, em 11 de agosto de 1775 e não em 1776 como se julgava anteriormente; e se referindo a cinco sonetos inéditos de Alvarenga Peixoto, existentes no manuscrito no 8.610 da Biblioteca Nacional de Lisboa.

Noutro livro,[53] o mesmo erudito português M. Rodrigues Lapa faz considerações das mais judiciosas, das quais nos serviremos para basear nossos estudos da poesia mediúnica de Alvarenga Peixoto.

Inicialmente:
I — *O amor do poeta ao Brasil* — Poema 28, publicado pela primeira vez no *Parn.*, cad. 1º (1829), p. 5 e 6. Vem no manuscrito I (séc. XVIII) com o título "Sonho poético":

Oh, que sonho, oh, que sonho eu tive nesta
feliz, ditosa, sossegada sesta!
Eu vi o Pão d'Açúcar levantar-se,
e no meio das ondas transformar-se
na figura do Índio mais gentil,
representando só todo o Brasil.
(p. 44)

Poema 29 — Ode publicada pela primeira vez no *Parn.*, cad. 1º (1829), p. 6 a 9:

Sirva à real grandeza
a prata, o ouro, a fina pedraria,
que esconde destas serras a riqueza.

(O autor refere-se em geral às serras do Brasil e em especial às de Minas Gerais, estando, como tudo indica, na Ilha das Cobras, no Rio de Janeiro, p. 47.)

---

[53] M. Rodrigues Lapa, *Vida e obra de Alvarenga Peixoto*. Rio de Janeiro: MEC/INL, 1960.

> Vinde, real Senhora,
> honrai os vossos mares por dous meses,
> vinde ver o Brasil, que vos adora.
> (p. 48)

Do prefácio de M. Rodrigues Lapa — p. XLI:

> Alvarenga, com o seu entusiasmo e sua ambição, espírito de bandeirante da última hora, com os pés bem fincados no solo, com os braços e olhos abarcando os horizontes infinitos, sentiu de chofre, como ninguém até então, a presença e a promessa magnífica da terra brasileira. Mais ainda: soube associar à grandeza e riqueza da terra o trabalho dos seus filhos mais humildes, os escravos duros e valentes.

Página L: "Alvarenga, com a corda na garganta e o seu sonho de grandeza, junto à sua sincera brasilidade, não podia deixar de pertencer à *maloca*".

Página LVI: Depois de apontar a obra pequena, que "tem um importante significado literário e político", acrescenta:

> O sentimento nativista irrompe dela com uma sinceridade e uma veemência que talvez se não encontre em nenhum outro escritor do tempo; mas aquilo em que por certo se avantaja a todos os outros é a nota de comovida simpatia pelos humildes que trabalhavam a terra, os pobres escravos que fizeram a grandeza do Brasil e que ele queria libertar em 1789. Esta simpatia humana junta a uma arte em que se nota a insistente procura da expressão e imagem nova, são particularidades que militam a seu favor e nos fazem esquecer as suas misérias de homem.

II — *Favorável à paz* — Poema 23:

> Porventura, senhores, pôde tanto
> o grande herói, que a antiguidade aclama,

porque aterrou a fera de Erimanto,
venceu a Hidra com o ferro e chama?
Ou esse a quem da tuba grega o canto
fez digno de imortal e eterna fama?
Ou inda o macedônico guerreiro,
que soube subjugar o mundo inteiro?

(Nota 75: "[...] Depois de citar o grande esforço dos trabalhos de Hércules, dos de Ulisses e das conquistas de Alexandre, fixa-se no esforço da guerra e pondera que se não compara com o trabalho do mineiro, que consegue modificar a forma da terra", p. 36.)

Poema 14:

Não os heróis, que o gume ensanguentado
   da cortadora espada,
em alto pelo mundo levantado,
   trazem por estandarte
   dos furores de Marte

(Nota 4 e 5: "Toda a primeira parte da ode é o desenvolvimento de uma ideia cara à filosofia e à moral do Iluminismo: a condenação do esforço guerreiro e a ruindade das conquistas à mão armada", p. 17.)

Soneto 20 — "Expõe Teresa acerbas mágoas cruas". Nota 20: "[...] Consagrado aos anos de D. Maria I, nele se faz o cotejo entre as três rainhas: Maria Teresa da Alemanha, Catarina da Rússia e D. Maria I de Portugal, considerada acima das outras, por reger seus povos em paz disciplinada, longe do bulício guerreiro".

Soneto 33 — Apenas o primeiro quarteto:

A paz, a doce mãe das alegrias,
o pranto, o luto, o dissabor desterra;

faz que se esconda a criminosa guerra,
e traz ao mundo os venturosos dias.
   (p. 54)

Sobre este soneto, à p. LII do Prefácio, diz M. Rodrigues Lapa:

O outro soneto, A paz, a doce mãe das alegrias, é, como forma, o mais perfeito dos três. O poeta liga jeitosamente a súplica do perdão à soberana com o mistério do nascimento de Jesus, que veio desterrar a dor e conceder a paz aos homens. E a poesia realmente traz, no alvoroço afetivo das exclamações, aquele clima de êxtase e felicidade incomparável.

Para terminar, apenas a primeira estrofe, respectivamente, dos poemas 18 (p. 23) e 21 (p. 30), especialmente para apreciação daqueles que, mal informados, julgavam o poema mediúnico muito semelhante às produções de Gonzaga:

Marília bela,
vou retratar-te,
se a tanto a arte
puder chegar.
Trazei-me, Amores,
quanto vos peço:
tudo careço
para pintar.

(*Nota 18*: "Publicado pela primeira vez, sem nome do autor, na *Miscelânea curiosa e proveitosa*, Lisboa, tomo VII (1785), p. 328 a 332, com o título 'Retrato', dedicado não a uma Anarda, mas a uma Marília. O precioso e delicado sensualismo das tintas lembra o melhor de Gonzaga, que deu aos seus pincéis o mesmo jeito no louvor de Marília de Dirceu.")

Bárbara bela,
do Norte estrela,
que o meu destino
sabes guiar,

de ti ausente,
triste, somente
as horas passo
a suspirar.
Isto é castigo
que Amor me dá.

Jésus Gonçalves

Jésus Gonçalves nasceu em 12 de julho de 1902, na cidade de Borebi (SP). Surgindo-lhe os sintomas do Mal de Hansen, em 1930, internou-se num hospital, daí se transferindo para o Asilo Colônia de Pirapitingui, onde desencarnou, em 16 de fevereiro de 1947, e onde dirigia um centro espírita.

Anjo de redenção

Do Céu desceste resplendente e puro
E no santo mistério em que te apagas
Vestiste-me o burel de sânie e chagas
E algemaste-me a lenho estranho e duro.

Nume solar pairando no monturo,
Terno, escondendo as flores com que afagas,
Ouviste-me, em silêncio, o choro e as pragas,
Doce e invisível no caminho escuro!...

Mas, da cruz de feridas que me deste,
Libertaste meu ser à Luz Celeste,
Onde, sublime e fúlgido, flamejas!

E agora brado, enfim, de alma robusta:
— Deus te abençoe, ó Dor piedosa e justa,
Anjo da redenção! bendito sejas!...

Comentários de Elias Barbosa

Com este belíssimo soneto, o autor de *Flores de Outono* vem completar o ciclo autobiográfico que se inicia com "Uma vida",[54] de que destacamos os dois tercetos:

---

[54] Jesus Gonçalves, *Flores de outono*, 2. ed. São Paulo: LAKE, nota da editora, de setembro de 1971, p. 17.

Cresci. Lutei. Sem ter o privilégio
da 'carta' que se ganha no colégio
e que clareia ao homem seu fadário.

Da palhoça, passei para os salões,
onde nasceram novas ilusões,
que vieram sucumbir num leprosário!...

— passando para "Eu", depois que se tornou espírita:
Eu, desta vez, metido na enclausura
de um cárcere de chagas e de dores,
vivo cantando o bem da desventura,
num grande espinheiral colhendo flores!

Animado que estou de outros pendores,
vejo no amor a única ventura.
E bebo o fel crucial dos dissabores,
certo de ser um bem o mal que cura!

Cumpre-se a Lei! As lágrimas vertidas
são como orvalho de manhã radiosa,
que vem curar as chagas de outras vidas.

Outrora Fariseu, fugia à luz...
Palmilho agora estrada dolorosa,
buscando Aquele que morreu na cruz!
(p. 50)

Finalmente, em "Anjo de redenção", entre as suas produções mediúnicas:

E agora brado, enfim, de alma robusta:
— Deus te abençoe, ó Dor piedosa e justa,
Anjo da redenção! bendito sejas!...

João de Deus

  Nascido em São Bartolomeu de Messines, Portugal, em 1830, e desencarnado em 1896, afirmou-se um dos maiores líricos da língua portuguesa. É tão bem conhecido no Brasil quanto em seu belo país. Em sua poesia palpita, de modo inconfundível, a suavidade e o ritmo da sua lira.

As lágrimas

Desci um dia
Ao sorvedouro
Da atra agonia
Da Humanidade,
5 A procurar,
A perscrutar
Qual a verdade,
Qual o tesouro
O mais profundo,
10 Que neste mundo
O homem prendesse
E o retivesse.

E vi, então,
No coração
Da criatura,
Só a ilusão
Duma ventura.

E vi senhores
Que dominavam
E se orgulhavam
Do seu poder,
Sempre a abater
Os desgraçados.

Os potentados
25 Com seus valores
Bem se julgavam
Onipotentes,
Heróis valentes
Cá nesta vida...
30 Depois, porém,
Reconheceram
E viram bem
Nesta existência
Toda a impotência
35 Do deus-milhão,
Perante a mão
Da fria dor,
Que lhes domava
E lhes dobrava
40 O torpe egoísmo.

Busquei os lares,
Ricos solares
Dos protegidos,
Onde o conforto
45 Para a matéria
Anda em contraste
Com atroz miséria

Dos desvalidos.
E ainda aí
Não pude achar
O que eu ali
Fui procurar.

Eu vi mulheres
Nos seus prazeres,
55 Jovens e belas,
Alvas estrelas
De formosura,

Rindo e cantando
Dentro da noite
60 Da desventura.
Pobres donzelas,
Fanadas flores...
Luz sem fulgores,
Que, miseráveis
Párias da vida,
Deixam o teto
Do seu afeto
Maior, supremo,
Insuperável.
Somente encontram
Dores que afrontam,
Mágoa insanável,
Incompreendida!

E penetrei
Pelos castelos
Dourados, belos,
Das diversões,
Onde se aninha

E se amesquinha
A multidão
Que busca rir,
Gozar, sorrir,
A ver se esquece
O que padece,
Julgando crer
Que está a ver
O paraíso.
Mas este riso,
Ao som da festa,
À meia-luz,
É o que produz
Todo o amargor,

A maior dor,
Pois eu ali
Tristonho vi
O que em verdade
É a sociedade;
Só pensamentos
Das impurezas,
Só sentimentos
Que trazem presas,
Aniquiladas,
E esmagadas,
Ensandecidas
105 As criaturas
Outrora puras,
Belas outrora,
No entanto agora
Flores perdidas,
Almas impuras,
Desiludidas!
Nesse recinto

Eu vi, então,
A traição,
A iniquidade,
A grosseria,
Toda a maldade
Da hipocrisia;
E tudo, enfim,
Tristonho assim,
Dissimulado,
Falsificado
No fingimento
Que aparecia
No barulhento
Rumor de vozes,
Notas atrozes,
De uma alegria

Jamais sentida,
Desconhecida
Naquele meio.

Eu contemplei-o
Cheio de horror
E vi que as flores,
As pedrarias
Tão luminosas,
Eram sombrias,
Eram trevosas,
Pois só cobriam
Míseros trapos,
Pobres farrapos
De almas perjuras
Ao seu Criador,
Fracas criaturas
Baldas de amor.

E, condoído,
Desiludido,
Desanimado,
Num forte brado
Disse ao Senhor:

"Onipotente
Pai de Bondade,
Oh! tem piedade
Dos filhos teus
Que choram, gemem,
Pálidos tremem
Ó Senhor Deus!
Faze que a luz
Do bom Jesus
Penetre a alma
Na Terra aflita,
Dando-lhe a calma
Que necessita.
Só conheci
E encontrei,
Só contemplei
O mal que vi".

Mas uma voz
Do azul do Céu,
Pronta e veloz,
Me respondeu:

"Filho bendito
Do meu amor,
Sou teu Senhor,
E no Infinito
Tudo o que fiz,
Nada se perde,

Assim tornando
O ser feliz.
Contempla, ainda,
A Terra linda
E então verás,
Donde provém
A grande paz,
185　O sumo bem.
O grão tesouro,
Mais fino ouro
Dos filhos meus,
Está na luta,
Nos prantos seus,
Que lhes transforma
A alma poluta
Num ser radioso,
Astro formoso
195　De pura luz!".

Eu ajoelhei
E contemplei
As multidões
Atropeladas,
Desenganadas
Nas perdições.
Vi transformadas
Todas as cenas;
Em todos os seres,
205　Homens, mulheres,
Jovens, crianças,
Nas grandes penas,
Nas esperanças,
Por entre a luz,
Por entre flores,
Brotar a flux

No coração
De cada ser,
Em profusão,
Gotas pequenas
Como as brilhantes
Luzes serenas
Das madrugadas
Primaveris.

Reconheci
Que por aí
Na escura Terra
Onde eu amei,
Sorri, chorei,
Onde sofri
E onde eu vi
A dura guerra,
A amarga dor,
Lágrimas belas,
Gotas singelas,

Meigas, serenas,
Eram açucenas
De fino olor
Do espaço azul!

Depois, eu vi
Que os que as vertiam
Por este mundo,
Vale profundo
De mágoa e dor,
Quando voltavam
Do seu exílio,
Eram saudados
Por mensageiros

De amor e luz
Do bom Jesus,
Que os coroavam
Com gemas finas,
Joias divinas
Do escrínio santo,
Primor de encanto
Do amor de Deus.
Fui então vendo,
Reconhecendo
Que aqui nos Céus,
255 Lágrimas lindas
São transformadas,
Remodeladas
Para formarem
Belo diadema
260 E aureolarem

Os que as verteram
Aí na Terra.

E vi, então,
Em profusão,
265 Gemas brilhantes,
Alvinitentes,

Ricas, fulgentes
E deslumbrantes,
Que nem Ofir
270 Pôde possuir.

Sejam benditas,
As pequenitas
Gotas de pranto,
Orvalho santo
275 Do amor divino
Que dá ventura,
Tranquilidade,
Felicidade
Ao peregrino.
280 Bendito o Pai,
O Nosso Deus
Que abranda o ai
Dos filhos seus;
Que a alegria
285 E a paz envia
À Humanidade
Tão sofredora,
Com a lágrima bela,
Luzente estrela
290 Consoladora!

O Céu

Pátria ditosa e linda, e onde o mal
Desaparece ao meigo olhar do Amor,
Que entre os seres do Além é sempre igual,
No mesmo anseio santo e superior!

295 Lá não se vê traição e cada qual
Urde ali sua auréola de esplendor,
Doce Mansão de Paz, imaterial,
Onde impera a bondade do Senhor!

Porto de Salvação para quem crê
Nessa Praia do Azul, que se antevê,
Pelo poder da Fé, na provação;

País dos Céus, aonde o pecador,
Depois de bem sofrer aí a dor,
Vai ali encontrar Consolação.

MORRER

305 Não mais a dor intensa e desmedida
No momento angustioso de morrer,
Nem o pranto pungente por se ver
Um ser amado em horas da partida!...

A morte é um sono doce; basta crer
310 Na Paz do Céu, na Terra apetecida,
Para se achar o Amor, a Luz e a Vida,
Onde há trégua à tristeza e ao padecer.

Venturosa região do espaço Além,
Onde brilha a Verdade e onde o Bem
315 É o fanal reluzente que conduz;

Mansão de claridade e pulcritude,
Onde os bons, que adoraram a Virtude,
Gozam do afeto extremo de Jesus.

O mau discípulo

Era uma alma
Formosa e bela:
Fúlgida estrela
De puro alvor,
Que habitava
Qual uma flor
O espaço infindo,
Imenso e lindo,
Nessas regiões
Onde há mansões
Purificadas,
Iluminadas
Do Criador.

Porém, um dia,
Disse Jesus
A quem vivia
Em meio à luz:

"Filho querido,
Estremecido,
Dos meus afetos!
Tu necessitas
Buscar a Vida

Em meio às vagas
Das provações!
Dentro das lutas,
Tredas disputas
Do Bem, do Mal,
É que verei

Se o que ensinei
Ao teu valor,
Aproveitaste
E assimilaste
Em benefício
Da lei do amor,
Do sacrifício!...
Tens a fraqueza
Da imperfeição;
Aqui, porém,
Já te mostrei
A lei do amor,
Luz do Senhor —
O sumo bem.

Tu lutarás,
Mas vencerás
Se bem souberes
Te conduzir
Nesses caminhos
Entre prazeres,
Risos e flores,
Por entre espinhos,
Mágoas e dores...
E se aprenderes
Saber viver,
Sorrir, sofrer,
Conquistarás
A grande paz,
A grande luz
Que eu, teu Jesus,
Reservarei
E hei de guardar
Para a tua alma,
Ao regressar.

A dor, somente
A luta amara
Lá nos prepara
Para vivermos,
385 Tranquilamente,
Nessas moradas
Iluminadas
Do nosso Pai!
Luta e trabalha
390 Singelamente
Nessa batalha
Que te ofereço,
P'ra conquistares
A luz, o amor
395 Do teu Senhor.
Tu viverás
Entre os brasões
Das ilusões
Da Terra impura;

400 Conhecerás
Lindas riquezas
Iluminando
E te ensinando
O bom caminho,
405 A boa estrada
E com carinho
Sempre a mostrar-te
A caridade
Com toda a luz
410 Que ministrei
Ao teu pensar,
E ora conduz
Teus sentimentos,
Teus pensamentos,

415 À perfeição
Do coração.

Caminha avante,
Na deslumbrante
Rota do amor!
420 Espalha o olor
Que já plantei
E fiz brotar,
Que cultivei
Dentro em teu ser.
425 Sê sempre amigo
Dos sofredores,
Dos que padecem
Sem conhecer
Sequer abrigo
430 Onde isolar-se,
Onde guardar-se
Das fortes dores
Que acometem
Os sofredores.

435 Sê a Bondade
Entre a maldade
Dos homens feros,
Ambiciosos,
Frios, austeros,
Pecaminosos.

Se assim fizeres
E procederes,
Sempre cumprindo
Os teus deveres,
445 Tornar-te-ás
Em verdadeiro
Anjo da paz,

Em mensageiro
Do Deus de amor.
Assim darás
À Humanidade
O testemunho
Da caridade
Do teu Senhor!"

455 A alma formosa
Então desceu
Para lutar,
A conquistar
Maior ventura,
Rútila e pura
Aqui no Céu.

Então, nasceu
Num lar ditoso,
Régio, faustoso,
465 Dos venturosos,
Onde a alegria
Reinava, e ria
Constantemente,
proporcionando
À rica gente
Que o habitava
Os belos gozos,
Lindos, formosos,
Mas irreais,
Desses palácios
Materiais.
Ainda criança,
Era adorado,
Felicitado
Nessa abastança;

Naquele lar,
Rico alcáçar
Dos abastados,
Ele então era
A primavera
Dos áureos sonhos
Dos pais amados!

Assim cresceu,
Belo esplendeu,
Na mocidade.
Ganhou saber
Nobilitante,
À luz brilhante
Dessa ciência
Que, na existência,
Por planetária,
Faz com que a alma
Se torne egoísta
E refratária
À lei de Deus.
Tornou-se esquivo,
Cruel e altivo
À Humanidade,
Não praticando
Mas renegando
A caridade.

O que aprendera
No Infinito
E prometera
Ao bom Jesus,
Tudo esquecera
Em detrimento
Do sentimento

>   Que então trouxera,
> 515   Cheio de luz.
>   Refugiou-se
>   Na vã Ciência,
>   Despreocupou-se
>   Com a consciência.
> 520   Na Academia
>   Dos homens sábios,
>   Ele esplendeu
>   No vão saber;
>   O infeliz ser
> 525   Viveu dos lábios,
>   Seu coração
>   Jamais viveu!
>   Foi uma flor,
>   Mas sem olor;
> 530   Fulgiu, brilhou,
>   Mas renegou
>   A lei do amor.
>   E da existência
>   Da própria alma
> 535   Por fim descreu,
>   A relegar,
>   Como um ateu,
>   Filho do Mal,
>   A imensa luz
> 540   Espiritual.
>
>   Foi refratário
>   Ao próprio afeto
>   Dos pais que o amavam
>   E idolatravam
> 545   Com mór ternura,
>   Dele esperando
>   Sua ventura.
>
>   Os próprios filhos,
>   Suaves brilhos
> 550   Da nossa vida,
>   Nossa esperança
>   Encantadora,
>   Os desprezou,
>   Somente amando
> 555   Sua ciência
>   Enganadora.
>   Só procurou
>   Brilhar, fulgir;
>   Nunca buscou,
> 560   Assim, cumprir
>   Sua missão.
>
>   Sempre espalhou,
>   Em profusão,
>   Suas ideias
> 565   Tristonhas, feias,
>   Do ateísmo
>   Desventurado.
>   Nunca estancou
>   Uma só lágrima;
> 570   Nunca pensou
>   Uma ferida,
>   Que brota nalma
>   Desiludida;
>   Não consolou
> 575   O que sofria,
>   De quem fugia
>   Sem compaixão!
>   Enfim, viveu
>   Só na Ciência,
> 580   Nessa existência
>   Que passa breve!...

O ingrato teve
Mil ocasiões
De praticar
585 Boas ações
E espalhar
O amor e a luz
Que o bom Jesus
Lhe concedera:
Mas, infeliz,
Jamais o quis.

Porém, um dia,
A Parca fria,
A morte amara,
Cruel, avara
E dolorosa,
O arrebatara
Nessa escabrosa
Escura via,
E o conduziu
Para o Infinito,
Onde, num grito,
Ele acordou
Do seu letargo,
Do sono amargo
Em que viveu.

Ao descerrar
O negro véu
Do esquecimento,
Sentiu seus olhos
Enevoados,
Tristes abrolhos
No pensamento!
Olhou o abismo

Do pessimismo
Em que vivera,
Por onde sempre
Se comprazera.
Sentiu-se, então,
Abandonado,
Amargurado
Na aflição!
Somente, assim,
Dentro da dor,
Lembrou de Deus,
Do seu amor,
A implorar
Da luz dos Céus
Consolação!

Das profundezas
Do coração,
Íntima voz
Disse-lhe então:

"Ó mau discípulo,
Em quem eu pus
Todo o esplendor
Da minha luz,
Do meu amor!
Tu te perdeste
Por teu querer,
Pelo viver
Que demandaste.
Jamais soubeste
Te conduzir,
E assim cumprir
O teu dever.
Por isso, agora,

Minh'alma chora
Ao ver que és
Mísero ser.
Tu renegaste
E desprezaste
A inspiração
Do Deus de Amor!
Tua missão
Que era amar
E assim curar
A alheia dor,
Em luz perdida,
Foi convertida
Em fero braço
Esmagador.
O grande amor
— Fraternidade,
665 Que então devias,
Entre alegrias,
Oferecer
À Humanidade,
O abafaste
670 Como se fosse
Assaz mesquinho,
Quando só ele
É o caminho
Que nos conduz
675 À salvação,
À perfeição,
À região
Da pura luz!

Sempre esqueceste
680 Os teus deveres.
Dos próprios seres
Que te adoravam,
Que mais te amavam,
Foste inimigo,
685 E até negaste
A existência
Da própria alma,
A consciência!
Constantemente,
690 Continuamente,
Foste um ingrato
E eu te julgara
Um lutador
Intimorato!..."

695 Calou-se a voz
E o pranto atroz
Jorrou, então,
Do coração
Do miserável,
700 Ser execrável
Que não soubera
E nem quisera
Compreender
O seu dever.
705 Entre lamentos
E dissabores,
Padecimentos,
Frios horrores,
Ele chorou
710 E lamentou,
Por muitos anos,
Seus desenganos
Na senda triste,
Fatal, amara,
715 Que assim trilhara

Na perdição.
Envergonhado,
Espezinhado
Na sua queda,
720 Correu sozinho
O mundo inteiro,
Qual caminheiro
A quem negassem
Um só carinho.
725 Perambulou
Qual Aasvero,
Sofreu, clamou,
Supliciado;
E, muitas vezes,
730 O seu olhar,
Amargurado,
Triste pousou
Sobre o lugar
Onde pecou.
735 A pobre mão
Sempre estendeu
Pedindo o pão,
Pedindo luz,
A lamentar
740 A sua cruz!
Jamais alguém
Quis escutá-lo;
O mesmo bem
Que ele fizera,
Assim lhe era
Retribuído...
E o pobre Espírito
Desiludido,
Desanimado,
750 Desamparado,

Só encontrava
Consolação
Nas lágrimas tristes
Que derramava
Em profusão.

Até que um dia
Em que sofria,
Mais padecia
A dor feroz,
Cruel e atroz,
A alma triste
E solitária,
Exp'rimentada,
Extenuada
No atro sofrer,
Cheia de unção
Por entre prantos,
Formosos, santos,
Disse ao Senhor
Numa oração:

"Ó Mestre Amado,
Sei que hei pecado
E transgredido
As tuas leis,
Tendo comigo
A tua luz,
Ó bom Jesus!
E mesmo assim,
Eu me perdi
Por meu querer,
Pois não cumpri
O meu dever!...
Fui a grilheta

Da impiedade,
Pobre calceta
Da iniquidade.
Mas tu que és bom,
Tão justo e santo,
Sabes do pranto
Das minhas dores,
No meu viver
Sem luz, sem flores,
E hás de acolher
Minha oração
Cheia de fé!...
Dá-me o acúleo
Da expiação,
Para que seja
Exterminado
O meu orgulho.
Oh! dá-me agora
A nova aurora
De uma existência
De provação.
Quero sofrer
Dura pobreza,
Sempre viver
Na singeleza.
O meu desejo
É só voltar
À Terra impura
Onde eu pequei,
Para ofertar
À criatura
O grande amor
Que lhe neguei.
Não quero ter
Nem um só dia

Dessa alegria
Que desfrutei,
Mas só trazer
No coração
Todo o amargor
Da privação.
825 Não quero ver
O dealbar
De uma esperança;
O próprio lar,
Onde se encontra
830 Maior ventura,
Não quero ter;
Nunca, jamais,
Hei conhecer
O que é sorrir!
835 Quero existir
Desconhecido,
Incompreendido
Em minha dor;
Então serei
840 Ramo perdido,
Árido e seco
Pelo vergel
Enflorescido.
Conhecerei
845 A dor cruel
Que nos retalha
O coração.
Nessa batalha
Que empreenderei,
850 Quero ganhar
E conquistar
A luz, o pão,
O agasalho,

                Com meu trabalho.
855   Eu só almejo
                Compreensão
                Para mostrar
                O teu perdão,
                Claro e sublime
860   Para o meu crime,
                Ó bom Jesus,
                Ó Mestre Amado!
                — Eu lutarei
                E chorarei
865   Nas rijas dores
                Mais inclementes,
                Nos turbilhões
                Incandescentes
                Das amarguras,
870   Cruéis e duras
                Das aflições.
                Agora eu vejo
                Que na existência
                A grã ciência
875   Só é grandiosa,
                Só é formosa,
                Quando aliada
                Da caridade,
                O puro amor.
880   Quero com ardor
                Bem conquistar
                A perfeição!
                Serei, portanto,
                Neste planeta,
885   Como a violeta
                Sob a folhagem...
                Viver somente
                Pela voragem

                Das desventuras.
890   Quero sofrer
                Com humildade,
                E sempre ter
                Em mim bondade,
                Feliz dulçor
895   Da caridade!...".

                E o Mestre Amado,
                Compadecido
                Do pobre Espírito
                Dilacerado,
900   Enfim, perdido,
                Deu-lhe o perdão,
                A permissão
                Para voltar
                À antiga arena
905   — Luta terrena,
                Oferecendo-lhe
                Ocasião
                Para tornar-se
                Mais venturoso
910   E sempre digno
                Do seu perdão.

                Seja bendito,
                Pelo infinito
                Desenrolar
915   E perpassar
                De toda a idade,
                O bom Jesus,
                Que, com sua luz
                E terno amor,
920   Escuta a prece
                De quem padece,

Fazendo assim
Desabrochar
O dealbar
925 Das alvoradas
Iluminadas
De muitas vidas,
Belas, queridas,

Para lutarmos
930 E nos tornarmos
Dignos do amor
Inigualável,
Incomparável,
Do Criador!

NA ESTRADA DE DAMASCO

Num certo dia
A Ambição,
De parceria
Com o Orgulho,
Chamou o homem
Jatancioso,
Rude e cioso
Do seu poder
E vão saber,
E assim lhe disse:

"Homem, tu és
Senhor potente,
Grande e valente
Aqui no mundo;
E se quiseres
Tornar-te um rei
Da imensa grei
Da Criação,
É só viveres
A procurar
Mais dominar

Os elementos
A transudar
Nos sentimentos.
Maior coragem
960 Para ganhares
Sempre vantagem
No teu viver,
E conquistares
Sempre o poder
965 Dos triunfantes.
Aos semelhantes
Em vez de amá-los
Tais como irmãos,
Faze-os vassalos
970 No teu reinado,
Glorificado
De grão-senhor!".

E o pecador,
Ser imperfeito
975 Se achasse embora,
A seu agrado,

Bem satisfeito,
Foi sem demora
Então chamado
980 Por um juiz
De retidão,
Que é a Consciência,
Nesta existência
De provação,
985 Que então lhe diz:

"Mas, e o bom Deus
Que está nos Céus,
Que tudo vê,
Sabendo assim
990 Quanto a tua alma
Dele descrê?
Ele é o teu Pai,
O Criador,
O Deus de amor.
E o bom Jesus,
Nosso Senhor,
Mestre da luz,
O Filho amado
Que à Terra veio,
A este mundo
Ingrato e feio
A redimir,
E assim banir
O teu pecado?

Ele te amou
E te ensinou
Que ao teu irmão
Tu deves dar,
Nunca negar

A tua mão;
E espalhar
Somente amor,
A relegar
Toda a maldade,
Para que um dia
Te fosse dado
Reconhecer,
Com alegria,

O solo amado
Do eldorado
Dos belos sonhos,
Lindos, risonhos,
Do teu viver.
Assim, procura
Melhor ventura
Em só buscar,
Acompanhar,
Seguir Jesus
Em sua dor,
Em seu amor,
Em sua cruz!".

Mas o tal homem
Tão orgulhoso,
Que já se achava
1035 Bem poderoso,
Achou estranho
Esse conselho:
Rigor tamanho
Não poderia;
1040 Isso seria
Obedecer
E se humilhar;

E ele havia
Aqui nascido
1045 Só para ser
Obedecido,
Tendo o poder
P'ra dominar.
Assim, buscou
1050 E perguntou
Aos companheiros;

Eles, então,
Lhe responderam
No mais profundo
1055 Do coração:

— "Esse conselho
É muito velho!
Deus é irrisão.
E o tal Jesus,
1060 Com sua cruz
E seu calvário,
Somente foi
Um visionário.
Enquanto Ele
1065 Só te oferece
Amargas dores.
Desolações,
Tristes agruras,
Cruéis espinhos,
Nós concedemos
Ao teu valor
De grão-senhor
Sublimes flores,
Lindos brasões,
Grandes venturas

Nesses caminhos.

Quem mais souber
Gozar e rir,
Mais saberá
O que é existir.
A vida aqui
Só é formosa
Para quem goza;
E pois, assim,
Vale o gozar
Constantemente,
Pois vindo a Parca
Bem de repente,
Há de levar
Esse teu sonho
De amar, sofrer,
Ao caos medonho
Do mais não ser;
Porque a morte
Tão renegada,
Essa é apenas
O frio nada.
O louco amor
Do teu Jesus,
Exprime a dor
E não a luz".

E assim, quando
O homem fraco
E miserando
Mais se exaltou
E se jatou,
Onipotente,
Chegou a Dor

Humildemente,
1110 A lapidária,
A eterna obreira,
A mensageira
Da perfeição,
Nessa oficina
1115 Grande e divina
Da Criação;
Fê-lo abatido
E desolado,
Até enojado
1120 Do corpo seu:
Apodreceu
O seu tesouro.

E o homem-rei
Reconheceu
1125 Que o paraíso
Dos sãos prazeres
Vive nas luzes
Só da virtude,
No cumprimento
1130 Dos seus deveres,
Na humildade,
Na caridade,
Na mansuetude,
Na submissão
1135 Do coração
Ao sofrimento,
Quando aprouver
Ao Deus de Amor
Oferecer
1140 Rude amargor
Ao nosso ser.

Depois, então,
De mui sofrer
E padecer
1145 Na expiação,
Reconheceu
A nulidade,
A fatuidade
Da vil matéria!

Na atroz miséria
Dessa agonia,
Só procurou
Buscar se via
Os seus mentores
Enganadores,
Altivos filhos
Da veleidade.

Só encontrou
O juiz reto,
O Magistrado
Incorrutível
Da consciência,
E que, num brado
Indescritível,
Em consequência,
Lhe fez com ardor
Ao coração
Ermo de afeto,
Ermo de amor,
A mais tremenda
Acusação!

É o que acontece
Em toda a idade,

Com a maioria
Da Humanidade;
Pois sempre esquece
Os seus deveres
E se submerge
Nos vãos prazeres.
Para a alegria
Fatal converge
O seu viver,
Para o enganoso,
Efêmero gozo
1185 Do material,
A esquecer

Tudo o que seja
Espiritual.
Feliz de quem
1190 Aí procura
Maior ventura
No sumo bem;
Porque verá,
Contemplará
1195 Todo o esplendor.
A eterna luz,
Do eterno amor
Do bom Jesus.

Parnaso de Além-túmulo

Além do túmulo o Espírito inda canta
Seus ideais de paz, de amor e luz,
No ditoso país onde Jesus
Impera com bondade sacrossanta.

Nessas mansões, a lira se levanta
Glorificando o amor que em Deus transluz,
Para o Bem exalçar, que nos conduz
À divina alegria, pura e santa.

Dessa Castália eterna da harmonia
Transborda a luz excelsa da Poesia,
Que a Terra toda inunda de esplendor.

Hinos das esperanças espargidos
Sobre os homens, tornando-os mais unidos,
Na ascensão para o Belo e para o Amor.

ANGÚSTIA MATERNA

"Ó Lua branca, suave e triste,
— A mãe pedia, fitando o céu —
1215 Dize-me, Lua, se acaso viste
Nos firmamentos o filho meu.

A Morte ingrata, fria e impiedosa,
Deixou vazio meu doce lar,
Deixou minh'alma triste e chorosa,
1220 Roubou-me o sonho — deu-me o penar.

Se tu soubesses, Lua serena,
Como era grácil, que encantador
Meu anjo belo como a açucena,
Cheio de vida, cheio de amor!..."

1225 Disse-lhe a Lua: — "Eu sei do encanto,
Dum filho amado que a gente tem;
E das ausências conheço o pranto,
Oh! se o conheço, conheço-o bem!..."

— "Então, responde-me sem demora —
1230 Continuava, sempre a chorar:
— Em qual estrela cheia de aurora
Foi o meu anjo se agasalhar?..."

— "Mas não o avistas — responde-lhe ela —
Naquela estrela que tremeluz?
Abre teus olhos... É bem aquela
Que anda cantando no céu de luz."

E a Mãe aflita, martirizada,
Fitou a estrela que lhe sorriu,

Sentiu-lhe os raios, extasiada,
E dos seus cantos, feliz, ouviu:

— "Ilha pacífica, da esperança,
Sou eu no mar do éter infindo;
Do sofrimento mato a lembrança
E abro o futuro, ditoso e lindo.

Do Senhor tenho doce trabalho,
Missão que é toda só de alegrias:
Flores reparto cheias de orvalho,
Flores que afastam as agonias."

— "Quase te odeio, luz de alvorada,
Ó linda estrela que adorna o céu —
Gritou-lhe a pobre desconsolada —
Porque tu guardas o filho meu."

— "Se tu me odeias, se me detestas,
Contudo eu te amo e pergunto: quem
Não tem saudades das minhas festas?
O teu anjinho teve-as também.

Em mim a noite não tem guarida,
Aqui terminam os dissabores;
Aqui em tudo floresce a vida,
Vida risonha, cheia de flores!..."

A mãe saudosa, banhada em pranto,
Notou de logo seu filho lindo,
Todo vestido dum brilho santo,
Num belo raio de luz, sorrindo...

1265 Disse-lhe o filho: — "Tive deveras
Muita saudade, mãezinha amada,

Senti a falta das primaveras,
Senti a falta desta alvorada!...

Não resisti... Tanta era a saudade!
Voltei do exílio, fugi da dor,
Aqui é tudo felicidade,
Paz e ventura, carícia e amor!

Ó mãe, perdoa, se mais não pude
Ficar contigo na escuridão,
A Terra amarga, tristonha e rude,
Envenenava meu coração.

Aqui, na estrela, também há fontes,
Jardins e luzes e fantasias,
Sóis rebrilhando nos horizontes,
Sonhos, castelos e melodias.

Daqui te vejo, daqui eu velo
Pelo sossego dos dias teus;
Faço-te um ninho ditoso e belo,
Muito pertinho do amor de Deus!..."

Aí os olhos da desditosa
Nada mais viram do Eterno Lar.
Viu-se mais calma, menos saudosa,
E, estranhamente, pôs-se a chorar...

LAMENTOS DO ÓRFÃO

Minha mãezinha, alguém me disse,
Que tu te foste, triste sem mim;

Já não me embala tua meiguice,
E não podias partir assim.

Eu acredito que tenhas ido
Pedir a Deus, que possui a luz,
Que de mim faça, do teu querido,
Um dos seus anjos, outro Jesus.

Mas tanto tempo faz que partiste,
Que me fugiste sem me levar,
Que sofro e choro, saudoso e triste,
Sem esperanças de te encontrar.

Há quantos dias que te procuro,
Que te procuro chamando em vão!...
Tudo é silêncio tristonho e escuro,
Tudo é saudade no coração.

Outros meninos alegres vejo,
Numa alegria terna e louçã,
Que exclamam rindo dentro dum beijo:
"Como eu te adoro, minha mamã!".

Sinto um anseio sublime e santo,
1310 De nos meus braços, mãe, te beijar;
E abraço o espaço, beijo o meu pranto,
Somente a mágoa vem-me afagar.

Inquiro o vento: — "Quando verei
Minha mãezinha boa e querida?"
1315 E o vento triste diz-me: "— Não sei!...
Só noutra vida, só noutra vida!..."

Pergunto à fonte, pergunto à ave,
Quando regressas dos Céus supremos,
E me respondem em voz suave:
1320 "Nós não sabemos! nós não sabemos!...".

Pergunto à flor que engalana a aurora,
Quando é que voltas desse país,
E ela retruca, consoladora:
"Depois da morte serás feliz".

E digo ao sino na tarde calma:
"Onde está ela, meu doce bem?".
Ele responde, grave, à minh'alma:
"Além na luz! Na luz do Além!...".

O mar e a noite me crucificam,
Multiplicando meus pobres ais,
Cheios de angústias, ambos replicam:
"Tua mãezinha não volta mais".

Somente a nuvem, quando eu imploro,
Diz-me que vens e diz que te vê;
E me conforta, do céu, se eu choro:
"Eu vou chamá-la para você".

Sempre te espero, mas, ai! não voltas,
Nem para dar-me consolação;
Ó mãe querida, que mágoas soltas
Andam cortando meu coração.

Tanta saudade, e, no entretanto,
Vejo-te linda nos sonhos meus;
Ajoelhada, banhada em pranto,
E de mãos postas aos pés de Deus.

Sempre a meus olhos, estás bonita
Qual uma rosa, como um jasmim!
Porém conheço que estás aflita,
Com o pensamento junto de mim.

Então, entrego-me ao meu desejo,
Tremo de anseio, calo, sorrio,
Sentindo o anélito do teu beijo...
Mas abro os olhos no ar vazio!

Vai-se-me o sonho... Quanta amargura,
Que sinto esparsa pelo caminho!
Que mágoa eterna! que desventura,
Para quem segue triste e sozinho.

Volta depressa! guardo-te flores,
Porque só vivo pensando em ti:
Celebraremos nossos amores,
Junto da fonte que canta e ri.

Já não suporto tantos cansaços!...
Se não voltares, pede a Jesus
Que te conceda pôr-me em teus braços,
Foge comigo para outra luz!...

O leproso

Dizia o pobre leproso:
— Senhor! Não tenho mais vida.
Sou uma pútrida ferida
Sobre o mundo desditoso!

Mas o anjo da esperança
Responde-lhe com brandura:
— Meu filho, espera a ventura
Com fé, com perseverança.

Se teu corpo é lama e pus
Em meio dos sofrimentos,

Tua alma é réstea de luz
Dos eternos firmamentos.

BONDADE

Vê-se a miséria desditosa
Perambulando numa praça;
Sob o seu manto de desgraça
1380 Clama o infortúnio abrasador.

Eis que a Fortuna se lhe esconde;
E passa o gozo, muito ao largo;
E ela chora, ao gosto amargo,
O seu destino, a sua dor.

1385 Mas eis que alguém a reconforta:
É a bondade. Abre-lhe a porta;
E a fada, à luz dessa manhã,

Diz-lhe, a sorrir: — Tens frio e fome?
Pouco te importe qual meu nome,
1390 Chega-te a mim: sou tua irmã.

ORAÇÃO

A Ti, Senhor,
Meu coração
Imerso em dor
Aflito vem,

Pedindo a luz,
Pedindo o bem
E a salvação.

Pedir a quem,
Senão a Ti,
Cuja bondade
Me sorri
E me conduz
À imensidade
Da perfeição?

És a piedade
Divina e pura
Que à criatura
Dá luz e pão.
Sou eu, somente,
O impenitente
Na expiação.

Em Ti, portanto,
Confio e espero,
De Ti eu quero
1415 Me aproximar!

Consolo santo,
Para o meu pranto
Venho implorar.

Bem sei, Senhor,
1420 Se sofro e choro,
Se me demoro
No padecer,

É porque andei
Longe do Amor,
1425 No meu viver.

O Amor é a lei,
Que me ensinaste
E que deixaste
Aos irmãos teus!

1430 P'ra que eu pudesse,
Ditosamente,
Buscar os Céus.

Assim, contente,
Cheio de unção,
1435 Elevo a prece
Do coração,
A Ti, Senhor,
Rogando amor,
Paz e perdão!

A Fortuna

Anda a Fortuna por uma praça,
Fala à Ventura com riso irmão,
E mais adiante topa a Desgraça,
E altiva e rude lhe esconde a mão.

Vaidosa e bela, dá preferência
Ao torpe egoísmo acomodatício,
E entre as virtudes, na existência,
Escolhe sempre flores do vício.

E assim prossegue na desmarcada
Carreira louca do vão prazer,
Como perdida, e já sepultada,
No esquecimento do próprio ser.

Depois, cansada e já comovida,
Quando só pede luz e amor,
Acorre a Morte por dar-lhe a Vida,
E vem a Vida por dar-lhe a Dor.

ORAÇÃO

Vós que sois a mãe bondosa
De todos os desvalidos
Deste vale de gemidos.
    Mãe piedosa!...

1460 Sublime estrela que brilha
No céu da paz, da bonança,
Do céu de toda a esperança —
    Maravilha!

Maria! — consolação
1465 Dos pobres, dos desgraçados,
Dos corações desolados
    Na aflição,

Compadecei-vos, Senhora,
De tão grandes sofrimentos,
1470 Deste mundo de tormentos,
    Que apavora.

Livrai-nos do abismo tredo
Dos males, dos amargores,

Protegei os pecadores
1475   No degredo.

Estendei o vosso manto
De bondade e de ternura,
Sobre tanta desventura,
    Tanto pranto!

Concedei-nos vosso amor,
A vossa misericórdia,
Dai paz a toda discórdia,
    Trégua à dor!...

Vós que sois Mãe carinhosa
Dos fracos, dos oprimidos
Deste vale de gemidos,
    Mãe bondosa!

[Oração:]

Pai de Amor e Caridade,
Que sois a terna clemência
E de todas as criaturas
Carinhosa Providência!
Que os homens todos vos amem,
Que vos possam compreender,
Pois tendo ouvidos não ouvem,
E vendo não querem ver.

Além

Além da sepultura, a nova aurora
Luminosa e divina se levanta;
Lá palpita a beleza onde a alma canta,
À luz do amor que vibra e revigora.

1500 Ó corações que a lágrima devora,
Prisioneiros da dor que fere e espanta,
Tende na vossa fé a bíblia santa,
E em vossa luta o bem de cada hora.

Além da morte, a vida tumultua,
1505 O trabalho divino continua...
Vida e morte — exultai ao bendizê-las!

Esperai nos tormentos mais profundos,
Que a este mundo sucedem-se outros mundos,
E às estrelas sucedem-se as estrelas!

Soneto

Como outrora, entre ovelhas desgarradas,
O coração tocado de agonias,
O Mestre chora como Jeremias,
Vendo o mundo nas lutas condenadas.

Sempre a miséria e a dor nos vossos dias!
Sempre a treva nas míseras estradas...
Preces infindas e desesperadas,
Do caminho de lágrimas sombrias...

Dois milênios contando o grande ensino
Do Amor, o luminoso bem divino,
Sobre as desolações do mundo velho...

Mas, em todos os tempos, é a vaidade
No egoísmo da triste Humanidade,
Demorando as vitórias do Evangelho.

A PRECE

       O Senhor da Verdade e da Clemência
1525 Concedeu-nos a fonte cristalina
       Da prece, água do amor, pura e divina,
       Que suaviza os rigores da existência.

       Toda oração é a doce quinta-essência
       Da esperança ditosa e peregrina,
1530 Filha da crença que nos ilumina
       Os mais tristes refolhos da consciência.

       Feliz o coração que espera e ora,
       Sabendo contemplar a eterna aurora
       Do Além, pela oração profunda e imensa.

1535 Enquanto o mundo anseia, estranho e aflito,
       A prece alcança as bênçãos do Infinito,
       Nos caminhos translúcidos da Crença.

FRATERNIDADE

Fraternidade é árvore bendita,
Cujas flores e ramos de esperança
Buscam a luz eterna que se agita,
Rumo ao país ditoso da bonança.

É a fonte cristalina em que descansa
A alma humana fraca, errante e aflita;
É a luminosa bem-aventurança
Da mensagem de Deus, pura e infinita!...

Vós que chorais ao coro das procelas,
Vinde, irmãos! Desdobrai as vossas velas!...
Não vos sufoque o horror da tempestade

Fraternidade é o derradeiro porto,
A terra da união e do conforto,
Que habitaremos na Imortalidade.

Lembrai a chama

Vós que buscais além da sepultura
A resposta de luz da Eternidade,
Nunca olvideis a Excelsa Claridade,
1555   Que reside convosco em noite escura.

Somos todos a Grande Humanidade,
Em direção à Fonte Eterna e Pura,
Somos em toda parte a criatura
Buscando os dons supremos da Verdade.

1560   Tendes convosco a Chama Adormecida...
Rogamos acendais a Luz da Vida,
Já que buscais mais crença junto a nós!

Se quiserdes brilhar nos Outros Planos,
Ó torturados corações humanos,
1565   Deixai que o Cristo nasça dentro em vós.

Eterna mensagem

Ainda e sempre o Evangelho do Senhor
É a mensagem eterna da Verdade,

Senda de paz e de felicidade,
Na luz das luzes do Consolador.

Nos caminhos da lágrima e da dor,
Ante os desfiladeiros da impiedade,
Não sabe o coração da Humanidade
Beber dessa água límpida do Amor.

Mas os túmulos falam pela estrada,
Em toda parte fulge uma alvorada
Que ao roteiro dos Céus nos reconduz;

O Evangelho, na luz do Espiritismo,
É a escada de Jacob vencendo o abismo,
Trazendo ao mundo o verbo de Jesus.

No templo da Educação

1580 Distribuía o Mestre os dons divinos
Da luz do seu Espírito sem jaça,
E exclama, enquanto a turba observa e passa:
— "Deixai virem a mim os pequeninos!..."

É que na alma sincera dos meninos
1585 Há uma luz de ternura, amor e graça,
De que o Senhor da Paz quer que se faça
O sol da nova estrada dos destinos.

Vós, que tendes a fé que ama e consola,
Fazei do vosso lar a grande escola
1590 De justiça, de amor e de humildade!

As conquistas morais são toda a glória
Que a alma busca na vida transitória,
Pelos caminhos da imortalidade.

Na noite de Natal

    — "Minha mãe, por que Jesus,
1595 Cheio de amor e grandeza,
    Preferiu nascer no mundo
    Nos caminhos da pobreza?

    Por que não veio até nós,
    Entre flores e alegrias,
1600 Num berço todo enfeitado
    De sedas e pedrarias?"

    — "Acredito, meu filhinho,
    Que o Mestre da Caridade
    Mostrou, em tudo e por tudo,
1605 A luminosa humildade!...

    Às vezes, penso também
    Nos trabalhos deste mundo,
    Que a Manjedoura revela
    Ensino bem mais profundo!"

1610 E a pobre mãe de olhos fixos
    Na luz do céu que sorria,
    Concluiu com sentimento,
    Em terna melancolia:

    — "Por certo, Jesus ficou
1615 Nas palhas, sem proteção,
    Por não lhe abrirmos na Terra
    As portas do coração."

Comentários de Elias Barbosa

Exatamente em 1960, seis lustros depois que Chico Xavier psicografou o primeiro poema de João de Deus, o distinto crítico paulista Naief

Sáfady defendeu uma tese em concurso de Docência Livre na Universidade de São Paulo, intitulada "O sentido humano do lirismo de João de Deus",⁵⁵ na qual, dentre outras características de estilo do poeta lusitano, solicita ele a atenção para o seguinte ponto:

> Toda a luta pela expressão, que é, simultaneamente, a aceitação da impossibilidade da expressão, é a busca de algo que termina sempre por ser impreciso, indefinido. Nesse anseio desorientado, desprovido de suporte, a agonia da luz é uma das constantes que escapam do entrechocar do anseio e da impossibilidade: apanhar a luz, sentir a mensagem da luz em suas múltiplas significações, tentar transmitir, reproduzir o significado da luz — eis o que passam a ser alguns dos lugares-comuns expressivos:
>
> Ou quando à luz que adoro,
> Às horas do infinito,
> Nas rochas de granito
> Os braços cruzo e choro;
> Amamo-nos! Não cabe
> Em nossa pobre língua
> O que a alma sente, à míngua
> De voz... que só Deus sabe!
>
> *(Odes e canções, "Amor", tomo I, estrofe VII-VIII, p. 94.)*

É uma luz da hora do infinito, luz especificamente difusa, do tamanho da angústia amorosa que o poema quer transmitir. O *Campo de flores* está cheio disso, desse deslumbramento expressivo pela luz, em todas as manifestações que consegue colher do fundo das impressões, do mundo das imagens difusas dela:

> E quebrado esse espelho em mil pedaços,
> (Que a imagem do céu desaparece)
> Em círculos concêntricos parece
> Tornarem-se a formar novos espaços...

---

⁵⁵ Naief Sáfady, "O sentido humano do lirismo de João de Deus", Faculdade de Filosofia, Ciências e Letras de Assis, 1961, p. 56 a 66.

(*Id., ib.*, "O seu nome", tomo I, estrofe XIII, p. 171), imagens difusas refletidas na "água de um lago, toda um nível" (*Id., ib.*, estrofe XII, p. 170), que é o próprio espelho interior do poeta, um espelho que, sofrendo o roçar de uma impressão, se desfaz, na verdade, em 'mil pedaços', todos concêntricos e fugidios, ondulantes, difíceis de serem apanhados na oscilação constante da flutuação.)

A imagem que procurei criar para sintetizar como recolhe e transmite o poeta as impressões parece-me tanto mais verdadeira quando noto que a luz encarna, para ele, o sentido vital mais elevado da existência:

Os vermes não comem luz!

(*Id.* — *Elegias*, "Pêsame", tomo I, estrofe IV, p. 257), e o valor moral também mais elevado da própria vida — a verdade.

Di-lo:

Ela o resto fará; porque a seu braço
Reis não resistem, não resistem povos:
Um raio a nuvem parte e deixa o espaço
Coalhado de astros, que parecem novos:
Põe ao Sol, que o fecunde, o simples traço,
Como a grande avestruz os grandes ovos;
E quem depois no mundo a luz lhe apaga?
Ninguém apaga a luz que o mundo alaga!

(*Id.* — *Poemetos*, "A lata", tomo II, estrofe XXVIII, p. 158.)

A relação entre a luz física (de múltipla origem, ou com uma origem de essência divina) e a luz moral (também de origem divinal) torna-se, pois, íntima e indestrutível, e a tal ponto, que o poeta passa a eleger o próprio termo *luz* com significação que remonta à pureza interna das essências absolutas, que pretende refletir em seu espelho interior. Assim, a ideia da luz arraiga-se de tal maneira no *Campo de flores*, como forma de expressão do indizível, que a quase tudo ela se aplica:

A luz que dá o teu rosto
É a luz da madrugada

> (*Id.* — *Cançonetas*, "Agora", tomo I, estrofe I, p. 56), que é imagem e, simultaneamente, juízo de valor:

O Sol já da montanha
Nos disse adeus! Adeus!
E a cúpula dos céus
Ficou pálida e estranha

> (*Id.* — *Odes e canções*, "Heresta", tomo I, estrofe XIII, p. 105) —, assim começa Heresta a responder ao pedido de inspiração do poeta. A imagem impressionista que fica daquela "cúpula dos céus" que "ficou pálida e estranha", não é só imagem — embora de singular riqueza —, é juízo de valor, é a afirmação da *pobreza* das coisas ausentes de luz, porque a maior ambição humana do poeta está na busca das coisas *iluminadas*.

A ideia da luz está tão arraigada e é tão constante, que seria até ocioso comentá-la em todos os pormenores com que aparece, inclusive nos poemas menos importantes, como, por exemplo, no "Hino Acadêmico": 'Sejam céu, terra e mar, vale e serra/ Tudo aroma, verdura, harmonia;/ Mas apague-se o Sol que alumia,/ Reinará só terror sobre a Terra' —, que se completa no refrão:

Viva a luz! Deus é luz, é vida!
Noite é morte e a ciência é luz!

> (*Id.* — *Cânticos*, tomo I, estrofe I + coro, p. 360.) [...] A expressão poética de muitos estados de alma é a reprodução da incidência do raio luminoso dentro do poeta:

A Lua desce,
E, ao seu clarão,
A mágoa cresce
No coração.

(*Id.* — *Cançonetas*, "Letra", tomo I, estrofe I, p. 16. São os quatro primeiros versos de cinco das seis sextilhas do poema.) [...] Não sendo a poesia do *Campo de flores* manifestação de plena convicção no ato criador poético, estando ela preocupada em extrair das coisas a poesia natural (e, por extensão, divina), é no sentido fragmentário do *mundo-que-fala* que o poeta vai buscar os elementos poéticos de suas composições. Esses elementos constituem-se nas *correspondências* que procura, para a expressão, à exceção da *luz* — e de seus componentes —, que não é propriamente *correspondência*, mas *essência*, ou melhor, *incidência*: "Há uma luz mais clara/ Que a luz do pensamento: /A dessa imagem cara.../ A deste sentimento!". (*Campo de flores* — Elegias, "Último adeus", tomo I, estrofe II-IV, p. 258.) Daí, o deslumbramento pela imaterialidade da luz, a que se somam consequências de ordem material as mais variadas, é uma das constantes também:

Oh! Luz órfã do dia!
Que mística harmonia
Há nessa luz tão fria,
E a sombra que me guia
Neste areal deserto?

(*Id., ib.*, "Marina", tomo I, estrofe XXVII, p. 222.)

[...] Confusa (difusa) ou clara, a luz é sempre a ânsia maior do poeta:

Surge, acende
Em minha alma vida e luz,
Vida e luz que em tempo ainda,
Viva e linda,
Me juraste por Jesus!

(*Id., Odes e canções*, "No túmulo", tomo I, estrofe III, p. 121), uma forma de integração de seu próprio ser na essência daquela qualquer--coisa que busca incessantemente: "Me banha a mim, também, na luz amiga" (*id., ib.*, "A um retrato", tomo I, estrofe III, p. 111), porque "[...] tudo se reduz/ Para mim, neste mundo, a essa luz!" (*id., ib.*, "Olhar", tomo I, estrofe XIV, p. 163), luz de valores múltiplos, escalonados de maneira ampla e incomensurável. Ora, se a luz encarna o essencial da expressão poética, devido a

> essa escola ampla de valores, explica-se por que ela é o recurso fundamental de dizer: porque, representando ela a essência de tudo, especificamente não afirma nada de *particular*. *É, portanto, um recurso impressionista e subexpressivo na medida em que, enquanto amplidão, pode traduzir a gama das impressões líricas que o artista recebe do mundo e das coisas, sem referir-se, em particular, a nada.*

O que me permite dizer que a própria razão de ser da expressão poética de João de Deus está na luz, cujo anseio é vital — de um vital poético, bem entendido, de um vital para a poesia:

Não apagues a luz que me alumia

> (*Id., ib.*, "Espera!", tomo I, estrofe III, p. 113), cujo significado vai além da angústia amorosa que revela o poema, onde se insere o verso citado. [...] A imagem da *luz-guia*, luz interior, reflexo de outra *luz-fonte, é bem a síntese do vital poético* que anima o sentido do lirismo do *Campo de flores*.

Ora, percorrendo os 1.649 versos existentes no *Parnaso de Além-túmulo*, o elemento *luz* aparece de modo obsessivo como passaremos a demonstrar, para tanto nos limitando a citar os números da maioria dos versos que contêm o lexema estudado: 63; 90; 136; 158; 200; 214; 222; 249; 270; 299; 306; 324 a 326; 331; 345; 369; 385; 397; 404; 412; 419; 428; 469; 502; 524; 547; 558; 567; 596; 637; 645; 668; 687; 767; 805; 831; 855; 881; 949; 955; "Na estrada de Damasco" sugere, de imediato, a ideia de luz, a mesma luz que chegou a cegar temporariamente Saulo; 1028; 1132; 1158; 1227; 1231; em "Angústia materna", verifiquemos o diálogo da Lua branca com a Mãe de alma enlutada e, no verso 1262, a "estrela cheia de aurora"; 1265 a 1267; 1270; 1280; 1295; 1309; 1325; 1353; 1359; 1395; 1406; 1418; 1426; 1439; 1484; 1491; 1528 a 1531; 1541; 1551; 1565; 1569; 1572; 1576; 1585; 1593; 1595; 1601; 1607; 1613; 1617; 1637; 1643.

Apontemos, também, as antíteses: 137 e 138; 227; 608; 617; 1305; 1334; 1547; 1584.

A título de curiosidade, transcreveremos, em seguida, apenas um soneto de João de Deus, por demais conhecido de todos nós, a fim de que venhamos a compará-lo com *Parnaso de além-túmulo*, que deu título ao livro sob nossa análise:

A vida

Foi-se-me pouco a pouco amortecendo
A luz que nesta vida me guiava,
Olhos fitos na qual até contava
Ir os degraus do túmulo descendo.

Em se ela anuveando, em a não vendo,
Já se me a luz de tudo anuveava;
Despontava ela apenas, despontava
Logo em minha alma a luz que ia perdendo.

Alma gêmea da minha, e ingênua e pura
Como os anjos do céu (se o não sonharam...)
Quis mostrar-me que o bem bem pouco dura,

Não sei se me voou, se ma levaram;
Nem saiba eu nunca a minha desventura
Contar aos que inda em vida não choraram...

(*Apud* Mendes dos Remédios, *História da Literatura Portuguesa*, 4. ed. refundida. Coimbra: F. França Amado — Editor, 1914, p. 673.)

José do Patrocínio

José do Patrocínio nasceu em Campos (RJ), em 9 de outubro de 1853, e desencarnou em 29 de janeiro de 1905. Farmacêutico, jornalista, romancista, poeta, impetuoso político e grande orador, membro fundador da Academia Brasileira de Letras. Foi uma das figuras máximas na campanha abolicionista, e todo o seu pensamento convergia para o bem da Humanidade.

Nova Abolição

Prossegue a escravidão implacável e crua...
Não mais senzala hostil, escura e desumana.
A incompreensão do amor, no entanto, continua
Em domínio cruel de que a treva se ufana.

Mas a luz do Senhor não teme, nem recua,
Na ansiedade e na dor, sublime, se engalana,
E, das graças do templo aos sarcasmos da rua,
Erige a liberdade augusta e soberana...

Irmãos do meu Brasil, encantado e divino,
Do Amazonas ao Prata ergue-se a Deus um hino
Que exalça no Evangelho a grandeza de um povo!

Fustiguemos o mal, combatendo a descrença,
Descortinando, além da noite que se adensa,
A alvorada feliz de um mundo livre e novo.

Comentários de Elias Barbosa

Depois de desfazer uma lenda criada por Carlos Dias Fernandes sobre a colaboração direta de Patrocínio, por ocasião do enterro de Cruz e Souza, detendo-se em torno de "uma harpa de lírios, na Rosenvald", diz Raimundo Magalhães Júnior:[56]

---

[56] Raimundo Magalhães Júnior, *Poesia e vida de Cruz e Souza*. São Paulo: Editora das Américas, 1961, p. 180 e 181.

O que na verdade fez José do Patrocínio, juntamente com Nestor Victor, Oscar Rosas e Carlos Dias Fernandes, foi tomar a si a responsabilidade de procurar Prudente de Morais, a quem chamava "o Santo Varão", para dele obter medidas de amparo à viúva e aos filhos (três, em véspera de quatro) do Poeta Negro. Incumbiu-se, igualmente, de fazer uma subscrição, entre os donos de jornais e principais figuras da imprensa, em favor de Gavita e das crianças orfanadas.

Por que Patrocínio teria se condoído do abandono a que afinal se reduzira o Cisne Negro? Tão somente por identificação. Sentia ele a dor do grande bardo que por injunções reencarnatórias se via tão humilhado durante a vida e até mesmo horas antes de descer ao túmulo.

O belíssimo soneto mediúnico, em perfeitos versos alexandrinos, é a confirmação de que, no Além, continua o autor pugnando pela Abolição, não mais da escravatura, pois que não mais existe a "senzala hostil, escura e desumana", mas da que consiste no combate à descrença para que se desfaça a incompreensão do amor e se espanque a treva com a luz dos ensinamentos evangélicos.

José Duro

Poeta português, nasceu em 1875 e desencarnou em 1899. Musa amargurada, deixou um livro — *Fel* — que apareceu poucos dias antes da sua morte e foi prefaciado por Forjaz de Sampaio. Henrique Perdigão classifica-o como o "Cantor da Tristeza".

José Durão

Aos homens

Volta ao pó dos mortais, homem que vens, depressa,
A chave procurar do enigma que encerra
A paragem da morte, o mais além da Terra,
Onde o sonho termina e a vida recomeça.

Volve ao sono cruel da tua carne obscura,
Amassa com o teu pranto o pão de cada dia,
Vai com o teu padecer sobre a estrada sombria,
Para depois ouvir a voz da sepultura.

Tomé, coloca as mãos na tua própria chaga,
Perambula na dor da tua noite aziaga,
Porque a treva e o sofrer sempre hão de acompanhar-te!

Reconhece o quanto és ignorante ainda.
A vida é vibração ilimitada, infinda,
E o seu grande mistério existe em toda parte.

Soneto

Pouco tempo sofri na Terra ingrata e dura
Onde o mal prolifera, onde perece o amor,
Entre a sufocação de um sonho superior
E a esperança na morte, a triste senda escura.

Até que um dia a morte amiga e benfazeja
Apodreceu meu corpo em sua mão gelada,
E minh'alma elevou-se à rutilante estrada
Onde o Espírito encontra a paz que tanto almeja.

Algum tempo eu sofri, ao pé do corpo imundo,
Escravizado ao pranto, agrilhoado ao mundo,
Prisioneiro da mágoa, amortalhado em dor!

Mas depois a oração libertou-me da pena,
E pude, então, voar para a mansão serena,
Onde fulgura o sol do verdadeiro amor.

Comentários de Elias Barbosa

Em belíssimos versos alexandrinos, o poeta vem-nos dizer da nossa ignorância frente ao mistério da vida e de sua própria experiência na travessia do túmulo. "Algum tempo eu sofri, ao pé do corpo imundo": o uso do *eu* conferiu ao verso uma força poética sem precedentes, adensada pelo adjetivo *imundo*, naturalmente dentro de sua carga semântica — o contrário do adjetivo latino *mundos*, limpo: *não limpo, sujo*.

Belíssima imagem — libertar-se da pena para poder voar.

José Silvério Horta

José Silvério Horta, que nasceu em Estância de Monte Alegre, município de Mariana (MG), em 20 de junho de 1859, e desencarnou em Mariana, a 31 de março de 1933, foi sacerdote em sua última existência, tendo deixado várias composições poéticas, dentre outras, "Caminho do Céu", "Vozes do Crente", "Ave-Maria!"...

Oração

Pai Nosso, que estás nos Céus,
Na luz dos sóis infinitos,
Pai de todos os aflitos
Deste mundo de escarcéus.

Santificado, Senhor,
Seja o teu nome sublime,
Que em todo o Universo exprime
Concórdia, ternura e amor.

Venha ao nosso coração
O teu reino de bondade,
De paz e de claridade
Na estrada da redenção.

Cumpra-se o teu mandamento
Que não vacila e nem erra,
Nos Céus, como em toda a Terra
De luta e de sofrimento.

Evita-nos todo o mal,
Dá-nos o pão no caminho,
Feito na luz, no carinho
Do pão espiritual.

Perdoa-nos, meu Senhor,
Os débitos tenebrosos,
De passados escabrosos,
De iniquidade e de dor.

Auxilia-nos, também,
Nos sentimentos cristãos,
A amar nossos irmãos
Que vivem longe do bem.

Com a proteção de Jesus,
Livra a nossa alma do erro,
Sobre o mundo de desterro,
Distante da vossa luz.

Que a nossa ideal igreja
Seja o altar da Caridade,
Onde se faça a vontade
Do vosso amor... Assim seja.

Comentários de Elias Barbosa

"Oração", a nosso ver, é a mais bela tradução em versos do célebre "Pai-Nosso".

Curioso é que o autor usa a segunda pessoa do singular — tu — em todas as estrofes, com exceção das duas últimas, nas quais usa a segunda pessoa do plural, enfatizando o espírito de reverência diante da Luz Divina e a submissão à vontade do Mestre. Caso comum em todos os bons autores de todas as línguas, vejamos apenas um exemplo de Lamartine. Trata-se da 3ª estrofe de "Hymne de l'Enfant a Son Réveil", (I, 7), de *Harmonies Poétiques et Religieuses* (1830):

> *On dit que c'est toi qui fais naître*
> *Les petits oiseaux dans les champs,*
> *Et qui donne aux petits enfants*
> *Une âme aussi pour te connaître!*

(Lamartine, *Poésis Choisies*, Classiques Illustrés Vaubordolle. Paris: Libraire Hachette, 1935, p. 48.)

JÚLIO DINIZ

 Poeta português, nascido em 1839 e desencarnado na cidade do Porto, em 1871. Com este pseudônimo, pois que o seu nome é Joaquim Guilherme Gomes Coelho, notabilizou-se mais como romancista, principalmente com *As pupilas do senhor reitor*. A edição póstuma de *Poesias* exaltou, di-lo um comentador, as suas qualidades primaciais de prosador, sem embargo de possuírem os seus versos um certo encanto melancólico.

O esposo da pobreza

Francisco de Assis, um dia,
Assim que deixara a orgia
    No castelo,
Entregou-se à Natureza,
A uma vida de aspereza
Num canto doce e singelo.
Abandonara a vaidade,
Buscando a paz da humildade,
A santa luz da harmonia;
E nas horas de repouso,
Francisco em estranho gozo
A voz de Jesus ouvia:

— "Filho meu, faze-te esposo
Da pobreza desvalida,
Emprega toda a tua vida
Na doce faina do bem.
Francisco, ouve, ninguém
Vai aos Céus sem a bondade,
Que é a grande felicidade
De todos os corações.

Esquece as imperfeições!...
Vai, conforta os desgraçados,

Sedentos e esfomeados,
Flagelados pela dor.
Quem alivia e consola,
Recebe também a esmola
Das luzes do meu amor!"

Francisco chorava e ria,
E em divinal alegria
Via os lírios e os jasmins,
Que não fiam, que não tecem,
Com roupagens que parecem
Vestidos de Serafins;
As aves que não trabalham
E no entanto se agasalham,
Nos celeiros da fartura,
Saltando de galho em galho,
Buscando a graça do orvalho,
Bênção do Céu, doce e pura.

Via a terra enverdecida
Exaltando a força e a vida,
A seiva misteriosa
No seio dos vegetais,
E a ânsia cariciosa
Das almas dos animais.
E sobretudo, inda via,
A sacrossanta harmonia
Do coração sofredor,
Que não tendo amor nem luz,
Tem tesouros de esplendor
No terno amor de Jesus.

Francisco de Assis, então,
Submerso o coração
Em sublimes alegrias,

Entregou-se às harmonias
Vibrantes da Natureza,
Tornou-se o amparo da dor
E guiado pelo amor
Fez-se o Esposo da Pobreza...

Poesia

Poesia da Natureza
Embalsamada de olores,
Ornamentada de flores
Que os meus encantos resume;
Poema de singeleza
Esplendente e delicada,
Como raios de alvorada
Cheia de luz e perfume!

Suavidade e doçura
Das rosas, das margaridas,
Das lindas sebes floridas
Nos dias primaveris:
Radiosidade e frescura,
Fragrâncias, amenidade,
Aromas, alacridade
Dos cenários pastoris!

As cotovias cantando,
As ovelhinhas balindo,
As criancinhas sorrindo
Na alegria das manhãs;
Jovens felizes amando
Entre arroubos de ternura,

Cariciosa ventura
No abril das almas irmãs.

Belezas de canto agreste
Nas urzes da Terra escura,
Tão cheia de desventura;
Entretanto, imaginai
A Natureza celeste
Longe da Terra sombria,
Na glória do Eterno Dia
Do reino de Nosso Pai.

Ó Terra, quanto eu quisera
Unir-te toda à poesia,
À mesma santa harmonia
Que te prende à luz dos Céus,
Nessa mesma primavera
Dos rutilantes espaços,
Em que me sinto nos braços
Do amor sagrado de Deus.

AVES E ANJOS

Passarinhos... passarinhos...
Aconchegados nos ninhos,
Lares de amor doce e brando,
Pequeninos trovadores
Entre as árvores e as flores,
    Cantando...
    Cantando...

Crianças, anjos suaves,
Mimosas quais bandos de aves

Cortando um céu claro e lindo,
Açucenas perfumadas,
Com as pétalas orvalhadas,
    Sorrindo...
    Sorrindo...

Hino terno de esperanças
Das aves e das crianças,
Vai-se com a luz misturando,
Tecendo as horas serenas
Das alegrias terrenas,
    Sorrindo...
    Cantando..

Comentários de Elias Barbosa

Usando a redondilha maior, volta o poeta de ontem, como que explicitando "A esmola do pobre", dentro do mesmo tema — a pobreza — exaltando a expressão maior da caridade — Francisco de Assis.

Vejamos apenas a primeira e a última estrofes do citado poema deixado no mundo:

Nos toscos degraus da porta
De igreja rústica e antiga,
Velha trêmula mendiga
Implorava compaixão.
Quase um século contado
De atribulada existência,
Ei-la, enferma e na indigência,
Que à piedade estende a mão.
....
E a mendiga, alvoroçada,
Ao colo os braços lhe lança,
Chorando de comoção!

É assim que a caridade
Do pobre ao pobre consola;
Nem só da mão sai a esmola,
Sai também do coração.

(In Custódio Quaresma, Primores da poesia portuguesa, 2ª edição, Livraria Quaresma, Rio de Janeiro, 1951, p. 257 e 258.)

O tema dos passarinhos volta na poesia mediúnica (*Aves e anjos*). Vejamos apenas a primeira estância de "Andorinhas":

Fugi, andorinhas; em mais longas plagas
Buscai outras praias, florestas e céu,
Que é triste o bramido que soltam as vagas,
E um vento pressago nos bosques gemeu.

(Id., ib., p. 259.)

Juvenal Galeno

Nascido em Fortaleza (CE) e desencarnado na mesma cidade, em 1931, com 95 anos. É um vulto literário inconfundível no cenáculo do seu tempo, impondo-se justamente pela naturalidade e espontaneidade do seu estro. Chamaram-lhe — *Béranger brasileiro*. Sua musa foi elogiada por Castilho, José de Alencar, Machado de Assis, Sílvio Romero etc.

Pobres

Mal clareia o Sol a serra,
Toca a vida a despertar:
O pobre se pôs há muito,
Sem descanso, a labutar.
Ao levantar-se da cama,
Inda é espessa a escuridão,
A fome lhe bate à porta,
Persegue-lhe a precisão.
Ao acordar, ele escuta
O coração a gritar:
"Quem não *trabuca não come,*
Já chega de repousar!".
Busca, então, o seu trabalho,
Tudo ajeita, tudo faz,
Rasga a terra, corta os matos,
Luta e sua, não tem paz.
Planta o milho, planta a cana,
Batatas, couves, feijão;
Três quartas partes de tudo
Pertencem ao seu patrão.
Quando a semente germina
E os ramos querem crescer,
Vem a seca sem piedade
E o pobre espera chover.

Não vem a chuva, porém;
Nada existe no paiol,
As plantas já se amarelam,
Arde a terra, queima o Sol.
Quando o pobre vai à mesa,
O estômago pede mais,
Mas se quer repetições,
Que cuide dos mandiocais.
Redobra o pobre os serviços,
Espalha o pé nos gerais,
Ah! que a água já está pouca
Nos rios, nos seringais.
Contudo, ele espera sempre
Do Deus que o ama, que o vê,
E sempre resignado,
O pobre nunca descrê.
O certo é que ao fim do tempo
De constante batalhar,
Aguarda a minguada espiga
Que decerto há de ficar.
Plenamente contentado
Com o pouco do seu suor,
Deus lhe dará no outro ano
Uma colheita melhor.
Se geme, se sofre dor,
Não possui um só real
P'ra consultar um doutor.
Então, resolve pedir
Ao patrão que sempre o tem,
Mas o patrão avarento
Não adianta vintém.
Arrasta-se e vai ao médico
E lhe expõe o seu sofrer:
"Não tem recomendações?
Então não posso atender".

O pobre, humilde e paciente,
Regressa para o seu lar,
E pensa nos outros meios
Da saúde lhe voltar.
E põe em prática os meios:
As beberagens, o chá,
As promessas aos seus santos,
Os vinhos de jatobá.
Ai! que sorte rude e amarga
Do pobre sempre a sofrer:
Se vive para o trabalho,
Trabalha para comer.
Se a morte vem ao seu ninho
E lhe rouba o filho, os pais,
Não lhes pode dar a missa,
Que o padre cobra demais.
Dá-lhes porém seu tesouro,
Sublime estrela que brilha
Da mais rica devoção —
A prece que nasce d'alma,
Que fulge no coração.
Mesmo assim, quanta tortura,
Que amargosa a sua dor!
A todo o instante da vida
Luta o pobre sofredor.
Se tem pão não tem saúde,
Se tem saúde, não tem
Quem o ampare, quem o ajude,
O braço amigo de alguém.
Se outrem lhe ofende e ele pede
Da Justiça a punição,
A Justiça o encarcera
Com a sua reprovação.
Não tem casas de morada,
Nem terrenos, nem ovil;

Se lhe falta o pão do dia
Falta azeite no candil.
Se bate à porta do rico,
Mormente dum rico mau,
Os cães o tocam da porta,
E em vez de pão, ganha pau.
O pobre só tem na vida
A doce mão de Jesus,
Que o cura na enfermidade,
Que na treva lhe dá luz.
Mal do pobre se não fora
O carinho dessa mão,
Que o conforta na desgraça
E ampara na provação.
Mal dele se não houvesse
A vida depois da dor,
Após a morte, onde existem
Justiça, ventura, amor.

Sextilhas

Quando a morte chega em casa,
A casa faz alarido,
Parece até que se arrasa
Sob as chamas de um incêndio;
O povo está reunido
Quando a morte chega em casa.

Ela vem buscar alguém,
De quem precisa por certo;
Não se importa com ninguém
Que chore ou que se lastime,
Esteja distante ou perto,
Ela vem buscar alguém.

A morte não quer saber
Se é preto como urubu,
Se aquele que vai morrer
É branco qual uma garça,
Se tem pratas no baú,
A morte não quer saber.

Não lhe pergunta qual é
A sua religião,
Se Sancho, Pedro ou José
É o seu nome de batismo,
Nem a sua profissão
Não lhe pergunta qual é.

Não quer saber se ele tem
Uma candeia com luz,
Se pratica o mal ou o bem
Se tem mais fé com o demônio
Do que mesmo com Jesus,
Não quer saber se ele tem.

Nem procura examinar
Se tem filhos ou mulher;
Se esse alguém vai se casar,
Se tem pai e se tem mãe,
Nada disso a morte quer,
Nem procura examinar.

Para a morte não existe
Anéis de grau de doutor,
Nem homem alegre ou triste,
Nem mulher bonita ou feia,
Saúde, beleza e dor,
Para a morte não existe.

Para o pobre, para o rico
Nunca tem contemplação;
Como o corvo bate o bico
Por cima de um peixe podre,
Ela vem de supetão
Para o pobre, para o rico...

O cristão ou o pecador
Ela conduz sem ruído,
Não perde tempo em clamor,
Em atenções e conversas,
Leva sem tempo perdido
O cristão ou o pecador.

O que segue vai com unção,
Rogando com fervor terno
Ao santo da devoção
Que o afaste do diabo
E dos horrores do inferno,
O que segue vai com unção.

Mas ele mesmo é quem faz
Os prantos ou gozos seus;
Na tempestade ou na paz,
Essa questão de ficar
Com Satanás ou com Deus,
É ele mesmo quem faz.

DE CÁ

Que amargo era o meu destino!...
Tristezas no coração,

Tateando dificilmente
No meio da escuridão...

Viver na Terra e somente
Remando contra a maré,
Com receio de ir ao fundo...
Nem tão boa coisa é.

Esta vida de sofrer
Trinta dias cada mês,
Entremeados de prantos,
Há quem estime? Talvez...

Mas para mim que só fui,
Galeno sem *nó*, galé,
Tantas dores em conjunto,
Nem tão boa coisa é.

Sentir as disparidades
Das vidas cheias de dor,
O mal sufocando o mundo,
Marchando com destemor:

Ver o rico andar de coche
E o pobre correndo a pé,
Tantas misérias sentir...
Nem tão boa coisa é.

O pranto ferve na Terra,
Salta aqui, salta acolá,
Nas guerras de toda parte,
Nas secas do Ceará;

Meus irmãos de Fortaleza,
Do Crato, do Canindé,

Ver uns rindo e outros chorando,
Nem tão boa coisa é.

Ah! morrer e ainda sentir
Saudades da escravidão,
Da carne, do desconforto,
Da treva, da ingratidão...

Não é possível porque,
Pobre filho da ralé,
Casar-se com a desventura
Nem tão boa coisa é.

Mas falar demais agora,
Já não é próprio de mim,
Não vou *gastar minha cera*
Com tanto defunto ruim;

Patetice é ensinar
Verdade aos homens sem fé.
Jogar pérolas a tolos,
Nem tão boa coisa é.

Comentários de Elias Barbosa

Considerando-se os poemas com que Juvenal Galeno comparece por intermédio da organização mediúnica de Chico Xavier, explicam-se perfeitamente as opiniões judiciosas de João Clímaco Bezerra,[57] das quais transcreveremos pequenos tópicos.

> Juvenal Galeno — diz o ilustre ensaísta — voltou-se, então, para as raízes da sua região. Conservou-se imune às influências do Romantismo, do Parnasianismo e do Simbolismo, para converter-se no primeiro poeta realmente popular do Brasil. [...] Dentro da história literária do Brasil, pode Juvenal Galeno reivindicar o título de criador

---
[57] João Clímaco Bezerra, *Juvenal Galeno — Poesia —, N. Cl.*, nº 34. Rio de Janeiro: Agir, 1959.

da poesia popular ou ainda do 'primeiro poeta abolicionista do Brasil' como acentuou Antônio Sales. [...] Juvenal Galeno não foi, a rigor, um poeta folclorista, mas um poeta popular, no sentido que hoje poderíamos emprestar ao artista que buscasse na tradição, nos costumes e nos anseios do povo, a fonte inspiradora da sua criação.
(p. 5 e 6)

Leiamos, agora, um depoimento importante que os versos mediúnicos confirmam:

> Até certo ponto, Juvenal Galeno foi um virtuose do verso. Tentou todos os metros em voga no seu tempo, desde a quadrinha popular e folclórica até o soneto decassílabo ou alexandrino. Mas, se a forma denuncia nele um longo aprendizado, o temário, no entanto, se mantém fiel à mais pura e ingênua expressão regional.
> (p. 7)

Referindo-se a uma sextilha do poema "A jangada", diz Clímaco Bezerra:

> Ainda estamos diante da trova de sete pés, como se classifica esse tipo de verso no sertão nordestino, embora com nítido disfarce em sextilha. Pois os dois últimos versos, justapostos à redondilha, formam, no poema inteiro, uma espécie de estribilho, aumentando-lhe a característica de canção:

Minha jangada de vela
Que ventos queres levar?

Juvenal Galeno, quando se vale de temas genuinamente folclóricos, aqueles que realmente se confundem com velhas lendas guardadas de memória pelo povo, usa, quase sempre, a redondilha, embora não despreze as múltiplas variações da versificação, num longo e trabalhoso aprendizado.
Mas quando utiliza a sextilha, nos moldes dos cantadores sertanejos, então se identifica, em fundo e forma, com os autênticos violeiros já quase desaparecidos da paisagem humana nordestina:

> Sou pobre, mas sou ditoso
> De ninguém invejo o fado,
> Me falta, sim, o dinheiro!
> Mas de Rosa minha ao lado
> Não me falta amor constante,
> Sossego, mimos, agrado.

A espontaneidade e a musicalidade são perfeitas. É o verso típico dos menestréis matutos (p. 8).

Com a diferença única, acentua o autor, de que a linguagem é bem cuidada e erudita, em relação ao linguajar do povo em si.

Outra característica muito expressiva apontada pelo distinto crítico na poesia de Juvenal Galeno e que se vê estampada nos versos ditados do Além:

> Juvenal Galeno sentiu e compreendeu a Terra. Mas sentiu e compreendeu muito mais a mensagem do homem que a habitava. Daí por que a sua poesia é pobre de paisagem. Toda a sua riqueza reside no homem, nos tipos populares ou nas figuras marcantes da sociedade rural, cuja galeria desfila na maioria dos seus versos.
>
> (p. 14)

Curioso notar que nas "Sextilhas" de hoje, o poeta, utilizando o ritornelo, adotou esquema rímico — *abacba* — mais requintado que o popular nordestino, utilizado por ele em diversos passos — *abcbdb* —, como, por exemplo, na primeira estrofe de "O velho jangadeiro":

> Velho... fraco... quase cego...
> Meus dias passo no mar,
> Sobre a minha jangadinha
> À noite volto ao meu lar,
> Às vezes rindo, contente,
> Muitas vezes a chorar!
>
> (p. 28)

O poema mediúnico, a nosso ver, é uma obra-prima. Somente um poeta de escol poderia compô-lo. O primeiro verso (antecanto) é o mesmo último verso (bordão) de cada sextilha. Somente, repetimos, a mão de um mestre, poeta popular por excelência, poderia escrever página semelhante.

Em relação ao "De cá", em quadrinhas de heptassílabos, rimando apenas o 2º com o 4º versos, o uso do bordão "Nem tão boa coisa é" afigura-se-nos joia riquíssima do ponto de vista artesanal. Só um grande poeta poderia escrevê-lo.

Em "O cativeiro", apoiando-se no mote

Passarinho que cantais
Do primeiro de janeiro,
Canta, canta a liberdade,
Qu'eu choro meu cativeiro — ostenta o significativo bordão (último verso), ao longo das dez sextilhas. Vejamos apenas a primeira:

Passarinho, vai-te embora
Deste raminho fronteiro,
Que em meu rosto cor da noite,
De prantos cai um chuveiro...
  Vai cantando a liberdade,
Qu'eu choro meu cativeiro."

(p. 48 e 50)

Em 1972, ano em que se comemora o centenário de um de seus livros — *Lira-Cearense* —, seria oportuno que todos os pais de família conhecessem o seu poema "O Lelê", por meio do qual o poeta demonstra a gênese dos desajustes conjugais, assunto explorado hoje quase por todas as revistas e publicações do mundo inteiro. Transcrevamos, por fim, apenas uma estrofe, que antecipa em muito as conclusões psicanalíticas atuais a propósito das pessoas com tendência a situações de desastres (automobilísticos, aviatórios etc.):

> E no cochicho o motejo
> Passa à amiga enredadeira...
> Desta passa à cozinheira...
> Tudo cochicha entre os seus!
> E ouvindo sempre cochichos...
> O homem desesperado
> Pra rua corre, aterrado,
> A morte pedindo a Deus!
> (p. 80 a 83)

Leôncio Correia

Leôncio Correia nasceu em 1865, no estado do Paraná, e desencarnou no Rio de Janeiro, em junho de 1950. Professor e poeta, deixou inúmeras obras.

Saudade

Ante o brilho da vida renascente
Depois da névoa estranha, densa e fria,
Surgem constelações do Novo Dia
Muito longe da Terra descontente.

Mundos celestes, reinos de alegria
E impérios da beleza resplendente
Cantam no Espaço, jubilosamente,
Ao compasso do Amor e da Harmonia...

Mas, ai! pobre de mim!... Ante a grandeza
Da glória excelsa eternamente acesa
Volvo à sombra letal do abismo fundo!

E, esmagado de angústia e de carinho,
Choro de amor, revendo o velho ninho
E as aves ternas que deixei no mundo!...

Comentários de Elias Barbosa

Do poeta que fora espírita quando ainda na Terra, e do qual Zêus Wantuil traçou excelente perfil biográfico,[58] transcrevamos apenas o soneto "Renascimento", que se encontra em *Frauta de Outono*:[59]

---

[58] Zêus Wantuil, *Grandes espíritas do Brasil*, FEB, 1969, p. 462 a 469.
[59] *Obras completas de Leôncio Correia*, tomo 2, Edição do estado do Paraná, 1954, p. 56.

Há milênios... Na Grécia, a rude avena
Assoprei, conduzindo o meu rebanho...
Cerrei os olhos e tomou-me estranho
Fulgor... Pairava a lua alta e serena.

Quem diz que a morte à destruição condena
A vida, se da vida é o melhor ganho?
Nem há, por certo, um bem de igual tamanho
Ao que a morte nos dá, sem nos dar pena.

Transitou a minha alma além, por astros,
Ardendo em febre, numa febre insana,
Até de novo aqui rolar de rastros...

E assim se julga — estrangulado grito —
Feliz por se sentir, na dor humana,
Inundada de luz e de infinito...

Lucindo Filho

Nascido em Minas Gerais em 16 de agosto de 1847 e falecido em Vassouras (RJ) em 1º de junho de 1896. Médico, jornalista, compositor musicista e tradutor renomado. Latinista de prol, conta em sua bibliografia *Poemetos*, *Virgilianas*, *Flores Exóticas* etc.

SEM SOMBRAS [60]

Junto ao sepulcro onde a saudade chora
E onde o sonho das lágrimas termina,
Abre-se a porta da mansão divina
Entalhada em reflexos de aurora.

Não mais a noite; vive em tudo, agora,
A beleza profunda e peregrina,
Envolvida na luz esmeraldina
Da esperança que vibra e resplendora.

Sem as sombras das lutas desumanas,
A alma vitoriosa entoa hosanas,
Ébria de paz e de imortalidade.

Não lamenteis quem parta ao fim do dia,
Que a sepultura em cinza escura e fria
É a nova porta para a eternidade.

Comentários de Elias Barbosa

Voltemo-nos para o cromatismo luminoso que ressuma do belíssimo soneto "Sem sombras" e de como a maioria dos ictos dos decassílabos recaem em vogais que denotam a claridade que existe além da noite escura do túmulo. Observemos, ainda, que o poeta romântico preferiu os termos "sepulcro" e "se-

---

[60] N.E. da 9. ed., 1972: Este e outros sonetos de Cruz e Souza foram por ele mesmo traduzidos magistralmente em Esperanto, e as traduções ditadas ao médium Francisco Valdomiro Lorenz, que no-las remeteu. Por supormos fato inédito, deixamo-lo aqui registrado. Essas traduções mediúnicas de versos em Esperanto foram publicadas em elegante volume, sob o título Vocoj de poetoj el la Spirita Mondo.

pultura" com rara felicidade, despojando tais palavras já bastante gastas de seu atual prosaísmo.

Verso 11. Este decassílabo sáfico imperfeito como que sugere a embriaguez da alma vitoriosa ante a imortalidade.

Da sua produção terrena, destaquemos apenas uma estrofe do seu famoso poema "O corvo marinho",[61] em que o elemento luz se sobressai na claridade das vogais:

> E quando a lua, sob o céu suspensa,
> espadana os seus raios prateados
> sobre o rio, — os pés n'água mergulhados,
> o corvo triste e só, medita e pensa.

A seu respeito, assim se expressou seu amigo particular Raimundo Correia:[62]

> Como poeta, é verdade, a obra de Lucindo Filho quase que se reduz à de um simples tradutor; mas quão poucas obras entre nós, com serem originais, chegam a exceder, em mérito real, à sua que o não é!
> Para traduzir como ele traduzia, parece que é preciso ter um *quid* do próprio estro que animou o original, que deu vida ao modelo. Que discernimento, que rara *clairvoyance*, que excepcional penetração, a desse feliz intérprete do Belo cosmopolita e universal!

Vejamos, em seguida, a nota no 3, ao soneto em análise, que aparecia na última página da 8ª edição do *Parnaso de além-túmulo*:

> Esta produção surgiu de improviso no curso de uma reunião familiar em que se não cogitava de assuntos espíritas. O poeta desencarnou no século passado e o médium é deste século; e conquanto fosse intelectual de prol, a seu tempo, é hoje um nome esquecido, fora dos meios culturais. Ninguém ali o conhecera nem dele se lembraria, exceto uma senhora que, em menina, lhe assistira aos funerais, em Vassouras, onde ele tem precioso jazigo, oferecido pela população local.

---

[61] Apud Da Costa Santos, *Joias da poesia mineira*, p. 117.
[62] Raimundo Correia, *Poesia completa e prosa, Texto, cronologia, notas e estudo biográfico por Waldir Ribeiro do Val; Introdução Geral — Manuel Bandeira e Waldir Ribeiro do Val*. Rio de Janeiro: José Aguilar Ltda., 1961, p. 482.

Luiz Guimarães Júnior

Poeta brasileiro, nascido no Rio de Janeiro, em 17 de fevereiro de 1845, e desencarnado em Lisboa com 53 anos. Foi jornalista, comediógrafo e diplomata. Entre suas obras, *Corimbos*, *Noturnos*, *Lírica* etc., sobressai *Sonetos e rimas*, que ainda hoje se lê com encanto. Foi membro da Academia Brasileira de Letras.

Soneto

Na escuridão dos anos procelosos,
Da velhice nos dias mal vividos,
Eu quisera voltar aos tempos idos
Da juventude, aos tempos bonançosos.

Mal podia julgar que inda outros gozos
Mais sublimes que aqueles já fruídos,
Nas esteiras de prantos esquecidos,
Acharia nos céus maravilhosos.

Pairar no Além!... volver ao lar primeiro,
Ressurgido em perene mocidade,
Clarão de paz ao pobre caminheiro!...

No limiar das amplidões da Altura
Penetrei, vislumbrando a Imensidade,
Soluçando empolgado de ventura.

Voltando

Após a longa e frígida nortada
Da existência no mundo de invernia,
Busquei contente a paz que me sorria
No fim da áspera senda palmilhada.

Voltei. Nova era a vida, nova a estrada
Que minh'alma extasiada percorria;
Divinal era a luz que resplendia,
Em revérberos lindos de alvorada.

De volta, e os mesmos seres que me haviam
Ofertado na Terra amores santos,
Envoltos em ternuras e em carinhos,

Novamente no Além me ofereciam
Lenitivo às agruras dos meus prantos,
Nas carícias risonhas dos caminhos.

Comentários de Elias Barbosa

Os dois sonetos mediúnicos de Luiz Guimarães Júnior, do ponto de vista formal e temático, guardam aquela presença inconfundível do poeta que vazou estes quatorze versos célebres, dedicados à irmã dele, D. Isabel Guimarães, datado do Rio de Janeiro, 1876, e do qual existe expressiva paródia feita por Itamar Siqueira:

Visita à casa paterna

Como a ave que volta ao ninho antigo,
Depois de um longo e tenebroso inverno,
Eu quis também rever o lar paterno,
O meu primeiro e virginal abrigo:

Entrei. Um Gênio carinhoso e amigo,
O fantasma talvez do amor materno,
Tomou-me as mãos, — olhou-me, grave e terno,
E, passo a passo, caminhou comigo.

Era esta a sala... (Oh! se me lembro! e quanto!)
Em que da luz noturna à claridade,
Minhas irmãs e minha mãe... O pranto

Jorrou-me em ondas... Resistir quem há de?
Uma ilusão gemia em cada canto,
Chorava em cada canto uma saudade.[63]

Importante observar que se ontem era uma constante a preocupação com *voltar* e com os aspectos de *sombra* e *luz* e, especialmente, com o *inverno* e termos correlatos, hoje o poeta continua na mesma trilha.

Vejamos algo da produção terrena do poeta.

Em "A morte da águia", logo na primeira estrofe:

Era uma águia real. Entre a sombria
Grade da jaula o seu olhar luzia,
Profundo e triste como o olhar humano.

Nas demais estâncias, as mesmas palavras-chaves:

---

[63] *Sonetos e rimas*, princeps, p. 47, apud Péricles Eugênio da Silva Ramos, *Panorama da Poesia Brasileira — Parnasianismo —*, vol. III. Rio de Janeiro: Civilização, 1959, p. 23.

Cheia de luz, tranquila, majestosa,
Dobrando a fronte branca e poderosa,
Aos pés de um rei a águia real caíra.
....
Muda e sombria, a águia pensativa
....
Inundadas da luz que o sol espalha
....
Com esse olhar nublado e delirante
....
Salpicava de luz o céu nevado...
....
Crescia o sol nas nuvens refulgentes
....
Na luz do sol a fronte alvinitente.

Em "Hora de amor":

Reunimo-nos todos no terraço:
A fria lua sobre nós pairava;
Rescendendo à baunilha, suspirava
A aragem, quente ainda do mormaço.
[...] Seu olhar brilhava
Como a opala ao luar, — e procurava...

※

Em "A primeira entrevista", no 2º quarteto:

Noite fechada já! Ah! se chovesse!...

※

Em "O beijo da morta":

Cresce a invernosa noite, um frio intenso
Morde-me as carnes! — lívido, gelado

No leito me ergo... e escuto o desolado,
Vivo do inverno, atroz, convulso, imenso...
....
Caminha... chega e diz-me num segredo:
Une teu rosto ao meu, não tenhas medo:
Venho aquecer-te: — a noite está tão fria!

Em "A sertaneja":

A Jassanan corre e voa
Quando vê sobre a lagoa
A sombra do gavião.

O primeiro terceto de "Fora da barra":

Na fugitiva luz do sol poente
Vai-se apagando — ao longe — tristemente
Do Corcovado a majestade serra.

O último terceto de "Noite tropical":

Parte da mata em que o luar flutua,
E a onça, abrindo a rubra fauce enorme,
Geme na sombra, contemplando a lua.

Em "Noturno", o primeiro terceto:

Ora me levas aos queixosos mares,
Ora à floresta umbrosa e recatada
Onde boiam perfumes e luares...

Em "Triste volta":

> Voltei: Achei fechada a tua porta;
> Quisera ao menos te apertar a mão
> ....
> Que triste volta! que cruel tormento!
> Menos sofrera eu se à tua porta
> Ouvisse alguém dizer nesse momento:
> — Não a procures, não: ela está morta.

Em "A morte de Gabriel":

> Se tivesse caído à sombra das montanhas
> ....
> Os estranhos clarões de um sol indiferente,
> O pardo sol do inverno, exânime e sem brilho,
> Não viriam roçar a sepultura algente
> Que teus restos devora, oh filho, oh filho, oh filho! 64

Em "O vaga-lume", belíssimo poema escolhido por Manuel Bandeira para figurar entre os *Poetas brasileiros da fase romântica*:[65]

> A noite estava tão fria!
> Tão frio e triste o luar!
> A viração mal cerzia
> As quietas vagas do mar!
> — Lume da noite! áureo lume.
> Bebeste o fel no perfume,
> Vaga-lume, vaga-lume.
> ....

---

[64] Alberto de Oliveira e Jorge Jobim, *Poetas Brasileiros, tomo II.* Rio de Janeiro: Livraria Garnier, Paris, 1922, p. 121 a 150.

[65] Manuel Bandeira, *Poetas brasileiros da fase romântica (Revisão crítica, em consulta com o autor, por Aurélio Buarque de Hollanda)*, Edições de Ouro, 1965, p. 309 a 312.

Volta, oh! volta — tudo é morto!
Tudo, tudo já morreu...
Nem há mais cantos na terra,
Nem mais estrelas no céu.
— Lume da noite! áureo lume,
Bebeste o fel no perfume,
Vaga-lume, vaga-lume.

Luís Murat

Fluminense, nascido a 4 de maio de 1861 e desencarnado na cidade do Rio de Janeiro, em 1929. Bacharel em Direito, membro da Academia Brasileira de Letras. Poeta de grande e viva inspiração, conta em seu acervo bibliográfico *Ondas* (três volumes), *Sara* (poema), e vasta colaboração na imprensa.

Além ainda...

Caminheiro que vais ao fim do dia
Demandando o crepúsculo das dores,
Não te percas na lágrima sombria
Da tormenta de anseios e amargores!

Além da sepultura principia
O caminho dos sonhos redentores,
Na alvorada perene da harmonia,
Aureolada de eternos resplendores.

Desolado viajor, ergue teus olhos!
Não te prendas somente ao chão tristonho,
Guarda a esperança carinhosa e linda!

Vence a longa jornada dos abrolhos,
Que o país luminoso do teu sonho
Fica ao alto... distante... além ainda...

Comentários de Elias Barbosa

No prefácio de *Ondas II*,[66] há um trecho de Luís Murat que bem justifica o soneto mediúnico. Eis o que diz o poeta, revoltado contra a sociedade de seu tempo:

---

[66] Luís Murat, *Ondas II*. Rio de Janeiro: Typ. Leuzinger — Ouvidor, 31 & 36, 1895.

Entre nós, mais do que em qualquer outro país, a poesia deve ser a 'Agonia do desespero'. Agonia do desespero, sim, porque a nossa sociedade reproduz fielmente todos os detalhes, todas as formas do vício e da corrupção que os historiadores assinalaram nas sociedades decadentes, onde os homens de gênio eram substituídos pela récova dos cabotins, dos ignorantes e dos ambiciosos. Assim é que a nossa imaginação há de ser precisamente filha da dor, e a fonte da inspiração amarga como o fel. (p. VII)

Concluindo o Prólogo de *Rythmos e idéas*,[67] diz Murat:

O fim tentado foi restabelecer o que parecia interrompido pelas ideias falsas introduzidas na Religião e na Filosofia. Unindo estes três aspectos da verdade — a Ciência, a Filosofia e a Religião, não fizemos mais do que afirmar que qualquer uma delas é uma irradiação, que, partindo do mesmo centro, tende a chegar ao mesmo objeto — que é a Arte. Assim, fica, sumariamente, exposto o que desejávamos, e ampliado o pensamento a esta dupla concepção — a substância infinita e o absoluto poder — de onde tudo irradia, da planta ao anjo. (p. 23)

Após o banho lustral da desencarnação, é natural que o notável poeta que ontem proclamava: *"Nós, poetas brasileiros, nem ao menos podemos dar provas dessa serena coragem estoica: o Brasil não tem defensores"* — hoje proclame que o país luminoso

Fica ao alto... distante... além ainda...

---

[67] Luís Murat, *Rythmos e idéas*, Livraria Francisco Alves, 1920, com prefácio de Félix Pacheco.

Luiz Pistarini

Luiz Pistarini nasceu em Resende (RJ), à rua dos Voluntários, e faleceu, aos 41 anos, naquela mesma cidade, no começo do ano de 1918. Publicou dois livros de poesias: *Bandolim* e *Sombrinhas e postais*, deixando, inédito, um terceiro: *Agonias e ressurreição*. Fundou e dirigiu a revista *A Crisálida* e o jornal *O Domingo*. Residiu durante algum tempo na Capital Federal [Rio de Janeiro foi capital do Brasil entre 1763 a 1960], onde colaborou em vários jornais. Foi um atormentado pelas enfermidades.

No estranho portal

No último instante, a lágrima dorida
Resume as ânsias da existência inteira,
E a saudade é a tristonha mensageira
Que engrinalda de angústia a despedida.

A antevisão do fim de toda a vida
Obscurece a tela derradeira
E a noite escura se distende à beira
Da suprema esperança desvalida.

Um golpe... Um sonho... e excelsa clarinada
Anuncia outra vida renovada,
Brilhando além da lápide sombria.

Apagou-se a candeia transitória
E a verdade refulge envolta em glória,
Aos clarões imortais do Novo Dia.

Comentários de Elias Barbosa

Nota-se que o poeta, ao longo de todo o soneto, se serve com mão de mestre da aliteração em *t* e *d*, para enfatizar o processo natural da desencarnação, e em *l* no primeiro terceto, no qual há expressivo exemplo de aposiopese.

Marta

Este Espírito não pôde ou não quis identificar-se. Aqui o incluímos, porém, de justiça, atentos à magnitude do seu estro.

Nunca te isoles

Nunca te isoles entre os mananciais da vida;
A vida é o eterno bem que nos foi dado,
Para que o multiplicássemos indefinidamente...
E a alma que se abandona,
Ao sofrimento ou ao bem-estar,
É um deserto sem oásis,
Onde outras almas sentem fome e sede.

Multiplicar a vida
É amar sem restrições
A flor, a ave, os corações,
Tudo o que nos rodeia.
Atenuar a dor alheia,
Sorrir aos infelizes,
Bendizer o caminho que nos leva
Da treva para luz;
Agradecer a Deus, que é Pai bondoso,
O firmamento, o luar, as alvoradas,

Ler a sua epopeia feita de astros,
Ter a bondade ingênua das crianças,
Tecer o fio eterno da esperança
Por onde se sobe ao Céu;

Dar sorrisos, dar luzes, dar carícias,
Dar tudo quanto temos,
Tudo isto é amar multiplicando a vida,
Que se estende infinita no Infinito.

Dar a lição de paciência se sofremos,
Dar um pouco de gozo se gozamos,
É guardarmos a semente
Da Vida
Em leivas verdejantes,
E a qual há de nos dar
Sombras amigas para descansarmos,
Indumentos de flores perfumosas
E frutos aos milhares,
Para nutrir as nossas alegrias
Nos jardins estelares...

UNIDADE

Todos nós somos irmãos,
Porque os nossos espíritos
São unos na essência...
Todos nós somos fragmentos
Da mesma luz gloriosa e eterna
Da sabedoria inescrutável
Do Criador,
Cujas mãos magnânimas e misericordiosas
Espalharam com abundância
Nas vastidões imensuráveis do éter,
Infinitas e esplendorosas,

Terras e almas,
As quais no divino equilíbrio do Amor

Buscam a perfeição indefinida.
Todos nós somos irmãos,
Porque nutrimos indistintamente
A mesma aspiração do Belo e do Perfeito,
O mesmo sonho,
A mesma dor na luta
A prol da redenção.

Espiritualmente,
Somos filhos de um só Pai,
Somos as frondes que se interpenetram
De uma só árvore genealógica,
Cuja raiz insondável
Está no coração augusto de Deus,
O qual, por uma disposição inexplicável,
Encerra em si
Todos os mundos,
Todas as almas,
Todos os seres da Criação!

Fazei, pois, da Terra
O caminho comum da vossa salvação,
Porquanto, mais além
Das fronteiras planetárias,
Vivereis dentro de sagrados coletivismos,
Sem egoísmos,
Na suprema unidade
De aspiração para a felicidade.

No templo da morte

O templo da morte tem portas incontáveis,
Como incontáveis são as almas humanas,
E infinitos seus estados de consciência.

Pela porta escura do remorso,
Um dia penetrou os seus umbrais
Uma alma que regressava da Terra.
Lá dentro,
Em nome do Senhor de todos os latifúndios do Universo,
Pontificava o Anjo da Justiça.

"Anjo Bom! — disse-lhe a alma súplice —
Eu tenho a minh'alma coberta de feridas cancerosas!
Cura-me as chagas purulentas do remorso...
Tenho os meus olhos vendados
E uma treva incomensurável na consciência!
Apaga os meus atrozes padeceres!..."

"Filha — respondeu compassivo —,
Para sanar tão estranhas feridas,
Tão amargos pesares,
Só há um recurso:
Volta à Terra!
Lá existe o Regato das Lágrimas,
Banha-te nas suas águas cristalinas;
Elas serão o teu bálsamo consolador
E curarão a tua cegueira...
Estás na escuridão absoluta
Pela ausência da luz, do bem na tua alma!
Mas o Anjo da Dor irá contigo;
Ele há de te guiar através das sirtes do mar encapelado dos sofrimentos,
E te conduzirá ao lugar bendito onde existem as lágrimas salvadoras!..."

E a pobre regressou...
Conduzida pela Dor,
Banhou-se na água lustral dos tormentos,
Submergiu-se no regato encantado, de cuja fonte límpida promana a
                                                                     [Salvação.
E depois de haver percorrido
Tão tortuosos caminhos,

Inçados de perigos
E de dores amargas,
Reconheceu o luminoso Anjo da Dor...
E nos seus braços magnânimos e compassivos,
Penetrou no templo misterioso da morte
Pela porta maravilhosa da Redenção.

Jesus

Jesus foi na Terra
A mais perfeita encarnação do Amor Divino.
E ainda hoje,
Nos dias amargurados que transcorrem,
É para a Humanidade
A promessa da Paz,
O manto protetor
Que abriga os aflitos e os infelizes,
O pão que sacia os esfomeados das verdades eternas,
A fonte que desaltera todos os sofredores.

Apegai-vos a Ele, cheios de confiança!

Ele é a misericórdia personificada,
O Jardineiro Bendito
Que jorra no coração
Dos transviados do caminho do Bem,
As sementes do arrependimento
Que hão de florir na Regeneração
E frutificar na perfeita felicidade espiritual.
Ouvi a sua voz
No silêncio da consciência que vos fala
Do cumprimento austero
De todos os deveres cristãos!

E um dia
Descansareis reunidos,
Ligados pelos liames inquebrantáveis
Da fraternidade além da morte,
À sombra da árvore luminosa
Das boas ações que praticastes,
Longe das lágrimas
Do orbe obscuro,
Dos prantos e das provações remissoras!...

Lembra-te do Céu

És uma estrela caída
Sobre os pauis da Terra...
Acima de todas as coisas transitórias,
Que se desfazem como as neblinas aos beijos leves do Sol,

És alma em ascensão para Deus.

A tua inteligência e o teu sentimento
São fulcros de luz imperecível,
Que constituem os atributos maravilhosos da tua imortalidade.
Por que te abates e desanimas sob os aguilhões da carne perecível?
Contempla o Alto,
Se a fraqueza te envolve em seus tentáculos.
E sentirás uma carícia branda,
Misteriosa, doce, suave,
Que promana
Do empíreo constelado
Para todas as almas que oram,
Que sonham e choram,
Buscando Deus,

— A bússola das suas mais caras esperanças!

Quando sofreres,
Busca aspirar esse aroma divino
E tua alma sofredora
Sentir-se-á envolta na beleza,
No eflúvio peregrino
Que mana fartamente
Dos espaços imensos!...
Na amargura e na dor,
Lembra esse dia que te espera
Na indefinível primavera
Gloriosa de amor.

Ao pé do altar

Eu vivia no Claustro,
Na sombra silenciosa dos mosteiros.

Mas um dia,
Quando as penitências mortificavam
O meu corpo alquebrado e dolorido
E a oração
Era o conforto do meu coração,
Disse-me alguém:

"Minha filha,
Juraste fidelidade só a Deus,
Mas se entrevês os Céus
E as suas maravilhas,
Se tens a Fé mais pura,
A Esperança mais linda,
Não te esqueças que a Caridade,
O anjo que nos abre as portas da Ventura,
Não permanece

No recanto das sombras, do repouso;
Se ama a prece e a pureza,
Não faz longas e inúteis orações:
Ela é a serva de Deus
E as suas preces fervorosas
São feitas com as suas mãos carinhosas,
Que pensam no coração da Humanidade
Todas as chagas abertas
Pelo egoísmo...
Está sempre em meio às tentações
Para vencê-las,
Esmagá-las com o Bem,
Destruí-las com Amor.
A solidão da cela é um crime;
Não te retires, pois, do mundo.
Darás a Deus, sem reserva, a tua alma
Amando o próximo,
Que contigo é seu filho dileto.
Será um hino constante subindo aos Céus;
Sê a mãe desvelada,
A irmã consoladora,
A companheira terna
De todos aqueles que te rodeiam
Na estrada longa dos destinos comuns;
Sê a abnegação e a bondade serena,
E a tua Fé
Será um hino constante subindo aos Céus;
A tua esperança em Deus
Será dilatada,
Para que vislumbres as felicidades celestes
Que esperam os justos na Mansão da Alegria...".

Meu corpo não resistiu
Aos cilícios que o martirizavam
E minh'alma tomada de emoção

Abandonou-o, brandamente,
Atraída pela Verdade,
Desprezando o repouso e a soledade,
Sonhando com a luz do trabalho
Em outras vidas benfazejas;
Porque a verdadeira paz de espírito
É conquistada
No seio das lutas mais acerbas,
Dos mais rudes pesares.
E só a dor que nos crucia
Ou a dor que consolamos,
— Somente a Dor em sua essência pura
Nos desvia da amarga desventura,
Purificando os nossos corações
Na conquista das altas perfeições.

MÃE DAS MÃES

Maria
É a Mãe piedosa
De todas as mães resignadas e sofredoras.
É a consolação
Que se derrama puríssima
Sobre os prantos maternos,
Vertidos na corola imensa das dores;

É o manto resplandecente
Que agasalha os corações das mães piedosas,
Amarguradas e infelizes,
Que orvalham com lágrimas benditas
As flores do seu amor desvelado,
Espezinhadas pelo sofrimento,
Fustigadas pelo furacão da desgraça, atropeladas pelo mal,

Perseguidas pelo infortúnio
No sombrio orbe das lágrimas e das provações.

Todas as preces maternas
Ascendem aos Espaços
Como um doloroso brado de angústia a Maria;
E a rosa sublime de Nazaré
Escuta-as piedosamente,
Estendendo os seus braços tutelares
Às mães carinhosas e desprotegidas;
E bastam os eflúvios do seu amor sacrossanto
Para que as consolações se derramem
Cicatrizando as feridas,
Balsamizando os pesares,
Lenindo os padeceres
Das mães desoladas, que encontram nela
O símbolo maravilhoso de todas as virtudes!...

Ao seu olhar compassivo,
Pulverizam-se os rochedos do mal
Do oceano da vida de desterro e de exílio,
Para que o Brigue da Esperança,
Com as suas velas alvas e pandas,
Veleje tranquilamente,
Buscando o porto esperado com ânsia,
Da salvação das almas que sofreram
Nos torvelinhos do mundo,
Como náufragos de uma tormenta gigantesca,
Que não se perderam no abismo das águas tenebrosas
Do mar da iniquidade,
Porque se apegaram
À âncora da fé.
Maria é o anjo, pois,
Que nos ampara e guia em nossa cruz;
Levando-nos ao Céu, cheia de piedade e comiseração

Pelas nossas fraquezas.
Ela é a personificação do amor divino
No vale das sombras e das amarguras,
E sendo o arrimo de todas as criaturas,
É, sobretudo,
A Virgem da Pureza
— Mãe das mães.

Comentários de Elias Barbosa

Neste poema ("Nunca te isoles"), em que se misturam versos de metros variados, desde o 3º, um verso bárbaro, um alexandrino com acentuação nas 4ª, 8ª e 12ª sílabas, até um dissílabo, a poetisa utiliza o recurso estilístico — enumeração —, com muita propriedade.

Em "Unidade", o discursivo ganha terreno, chegando a autora espiritual a lançar mão de *o qual, as quais*, elementos, como sabemos, que denotam retardamento do fluxo poético. Apontamos esses aparentes senões, a fim de que o próprio leitor possa, por si mesmo, concluir quanto à natureza da poesia — mediúnica. Se se tratasse de criação própria do médium, e no caso teria que ser um gênio, tais *busílis* não figurariam nesta obra.

Neste poema ("No templo da morte"), o tom discursivo é dos mais flagrantes.

Verso 148. *Uma estrela caída* — imagem das mais felizes.

"Ao pé do altar", com lances autobiográficos, termina com quatro belos versos rimados em parelhas.

Verso 250. Belíssima a imagem da consolação ("Mãe das mães") que se derrama puríssima sobre os prantos maternos, vertidos na corola imensa das dores.

Conclusão sobre Marta: Trata-se, com todo o nosso respeito, de um poeta menor, que tem a vantagem de ratificar a sua origem mediúnica e de fornecer aos estudiosos elementos para o devido cotejo com a produção medianímica dos poetas maiores, existentes na antologia em estudo.

Múcio Teixeira

Múcio Teixeira nasceu em 1858, no estado do Rio Grande do Sul, e desencarnou em 1926. Autor de inúmeras obras literárias.

Honra ao trabalho

Trabalha e encontrarás o fio diamantino
Que te liga ao Senhor que nos guarda e governa,
Ante cuja grandeza o mundo se prosterna,
Buscando a solução da dor e do destino.

Desde o fulcro solar ao fundo da caverna,
Da beleza do herói ao verme pequenino,
Tudo se agita e vibra, em cântico divino
Do trabalho imortal, brunindo a vida eterna!...

Tudo na imensidão é serviço opulento,
Júbilo de ajudar, luta e contentamento,
Desde a flor da montanha às trevas do granito.

Trabalha e serve sempre, alheio à recompensa,
Que o trabalho, por si, é a glória que condensa
O salário da Terra e a bênção do Infinito.

Comentários de Elias Barbosa

Em versos alexandrinos, surge o sonetista de ontem, lançando mão das antíteses, como, por exemplo, em "O sonho dos sonhos" (Tão bem/tão mal/ por tanto mal, tão bem.../ sem ter nada de tudo que já tive); ou no soneto "Vem!", que termina assim:

Atende às minhas súplicas discretas:
Sem ti, sou o mais triste dos poetas;
Contigo, o mais feliz dos desvairados![68]

Antônio Carlos Machado, na *Coletânea de poetas sul-riograndenses*[69] inclui do Barão de Ergonte, amigo particular do Imperador D. Pedro II, o soneto "Ao Alvinho — *Meu neto e afilhado*", que pedimos vênia para transcrever, a fim de que possamos apreciar principalmente as antíteses:

Entras nesta existência, quando pouco
Me falta por sair de tanto engano,
Depois de, dia a dia, ano por ano,
Ter eu andado às cegas, como um louco.

De cantar e gemer sinto-me rouco,
Sempre agitado num delírio insano,
Por ver que, neste férvido oceano,
Por mais que a gente dê, nunca tem troco.

Faze o bem, como entendas ou puderes,
Resignado suporta a dura sorte,
E o prêmio da virtude nunca esperes.

Sê meigo e justo, independente e forte;
Crê muito em Deus e pouco nas mulheres...
E ama esta vida, sem temer a morte!

---

[68] *Apud Edgard Rezende, Os mais belos sonetos brasileiros.* Rio de Janeiro: Livraria Freitas Bastos S. A., 3. ed., 1956, p. 66.

[69] Antônio Carlos Machado, *Coletânea de poetas sul-riograndenses (1834-1951).* Rio de Janeiro: Editora Minerva Ltda., 1952, p. 124 e 125.

Olavo Bilac

Natural do Rio de Janeiro, nasceu em 16 de dezembro de 1865 e aí faleceu em 1918. Considerado, ao seu tempo, o Príncipe dos Poetas Brasileiros. Sócio fundador da Academia Brasileira de Letras.

Jesus ou Barrabás?

Sobre a fronte da turba há um sussurro abafado.
A multidão inteira, ansiosa se congrega,
Surda à lição do amor, implacável e cega,
Para a consumação dos festins do pecado.

"Crucificai-o!" — exclama... Um lamento lhe chega
Da Terra que soluça e do Céu desprezado.
"Jesus ou Barrabás?" — pergunta, inquire o brado
Da justiça sem Deus, que trêmula se entrega.

Jesus! Jesus!... Jesus!... — e a resposta perpassa
Como um sopro cruel do Aquilão da desgraça,
Sem que o Anjo da Paz amaldiçoe ou gema...

E debaixo do apodo e ensanguentada a face,
Toma da cruz da dor para que a dor ficasse
Como a glória da vida e a vitória suprema.

SONETO

Por tanto tempo andei faminto e errante,
Que os prazeres da vida converti-os
Em poemas das formas, em sombrios
Pesadelos da carne palpitante.

No derradeiro sono, instante a instante,
Vi fanarem-se anseios como fios
De ilusão transformada em sopros frios,
Sobre o meu peito em febre, vacilante.

Morte, no teu portal a alma tateia,
Espia, inquire, sonda e chora, cheia
De incerteza na esfinge que tu plasmas!...

Impassível, descerras aos aflitos
Uma visão de mundos infinitos
E uma ronda infinita de fantasmas.

No Horto

Tristemente, Jesus fitando os céus, em prece,
Vê descer da amplidão o Arcanjo da Agonia,
Cuja mão luminosa e terna lhe trazia
O cálix do amargor, duríssimo e refece.

— "Se puderdes, meu Pai, afastai-o!..." — dizia,
Mas eis que todo o Azul celígeno estremece;
E do céu se desprende uma doirada messe
De bênçãos aurorais, de Paz e de Alegria.

Paira em todo o recanto a vibração sonora
Do Amor e o Mestre já na sede que o devora,
De imolar-se por fim nas aras desse Amor,

Sente a Mão Paternal que o guia na amargura,
E sublime na fé mais vívida, murmura:
— "Que se cumpra no mundo o arbítrio do Senhor!..."

O BEIJO DE JUDAS

Ouve-se a voz do Mestre ungida de ternura:
— "Amados, eu vos dou meus últimos ensinos;
Na doce mansidão dos seres pequeninos,
Trazei a vossa vida imaculada e pura!

O Amor há de vos dar todos os dons divinos;
Eterna irradiação que atinge a mais escura
Estrada de aflição, de dor e desventura,
— Raio de eterno sol na senda dos destinos.

Derramai com piedade a lágrima terrestre!".
Mas eis que Judas chega e lhe diz: —"Salve, Mestre!".
E toma-lhe das mãos, osculando-lhe a fronte...

E Jesus abençoando aquelas almas cegas,
Responde humildemente: — "É assim que tu me entregas?".
Vendo as coortes do Céu nas fímbrias do horizonte...

A CRUCIFICAÇÃO

Fita o Mestre, da cruz, a multidão fremente,
A negra multidão de seres que ainda ama.
Sobre tudo se estende o raio dessa chama,
Que lhe mana da luz do olhar clarividente.

Gritos e altercações! Jesus, amargamente,
Contempla a vastidão celeste que o reclama;
Sob os gládios da dor aspérrima, derrama
As lágrimas de fel do pranto mais ardente.

Soluça no silêncio. Alma doce e submissa,
E em vez de suplicar a Deus para a injustiça
O fogo destruidor em tormentos que arrasem,

Lança os marcos da luz na noite primitiva,
E clama para os Céus em prece compassiva:
— "Perdoai-lhes, meu Pai, não sabem o que fazem!...".

Aos descrentes

Vós, que seguis a turba desvairada,
As hostes dos descrentes e dos loucos,
Que de olhos cegos e de ouvidos moucos
Estão longe da senda iluminada,

Retrocedei dos vossos mundos ocos,
Começai outra vida em nova estrada,
Sem a ideia falaz do grande Nada,
Que entorpece, envenena e mata aos poucos.

Ó ateus como eu fui — na sombra imensa
Erguei de novo o eterno altar da crença,
Da fé viva, sem cárcere mesquinho!

Banhai-vos na divina claridade
Que promana das luzes da Verdade,
Sol eterno na glória do caminho!

Ideal

Na Terra um sonho eterno de beleza
Palpita em todo o espírito que, ansioso,
Espera a luz esplêndida do gozo
Das sínteses de amor da Natureza;

É ansiedade perpetuamente acesa
No turbilhão medonho e tenebroso
Da carne, onde a esperança sem repouso
Luta, sofre e soluça, e sonha presa.

Aspirações do mundo miserando,
Guardadas com ternura, com desvelos,
Nas lágrimas de dor do peito aflito!...

Mas que o homem realiza apenas, quando,
Rotas as carnes, brancos os cabelos,
Sente o beijo de glória do Infinito!...

Ressurreição

Extinga-se o calor do foco aurifulgente
Do Sol que vivifica o Mundo e a Natureza;
Apague-se o fulgor de tudo o que alma presa
Às grilhetas do corpo, adora, anela e sente;

Tombe no caos do nada, em túrgida surpresa,
O que o homem pensou num sonho de demente,
Os mistérios da fé, fulcro de luz potente,
O templo, o lar, a lei, os tronos e a realeza;

Estertore e soluce exausto e moribundo,
Debilmente pulsando, o coração do mundo,
Morto à míngua de luz, ambicionando a glória;

O Espírito imortal, depois das derrocadas,
Numa ressurreição de eternas alvoradas,
Subirá para Deus num canto de vitória.

O Livro

Ei-lo! Facho de amor que, redivivo, assoma
Desde a taba feroz em folhas de granito,
Da Índia misteriosa e dos louros do Egito
Ao fausto senhoril de Cartago e de Roma!

Vaso revelador retendo o excelso aroma
Do pensamento a erguer-se esplêndido e bendito,
O Livro é o coração do tempo no Infinito,
Em que a ideia imortal se renova e retoma.

Companheiro fiel da virtude e da História,
Guia das gerações na vida transitória,
É o nume apostolar que governa o destino;

Com Hermes e Moisés, com Zoroastro e Buda,
Pensa, corrige, ensina, experimenta, estuda,
E brilha com Jesus no Evangelho Divino.

Brasil

Desde o Nilo famoso, aberto ao sol da graça,
Da virtude ateniense à grandeza espartana,
O anjo triste da paz chora e se desengana,
Em vão plantando o amor que o ódio despedaça,

Tribos, tronos, nações... tudo se esfuma e passa.
Mas o torvo dragão da guerra soberana
Ruge, fere, destrói e se alteia e se ufana,
Disputando o poder e denegrindo a raça.

Eis, porém, que o Senhor, na América nascente,
Acende nova luz em novo continente
Para a restauração do homem exausto e velho.

E aparece o Brasil que, valoroso, avança,
Encerrando consigo, em láureas de esperança,
O Coração do Mundo e a Pátria do Evangelho.

Comentários de Elias Barbosa

Para Alceu Amoroso Lima,[70] as linhas mestras da poética de Bilac consistem no seguinte:

---

[70] Alceu Amoroso Lima, *Olavo Bilac — Poesia*, N. Cl., nº 2, 2. ed. Rio de Janeiro: Agir, 1959, p. 8.

Sua poesia, especialmente na primeira fase, seria uma exploração de seiva bem humana, bem telúrica, girando toda em torno do amor, no mundo dos sentimentos e das formas materiais. Tanto um mundo como outro, entretanto, marcados por uma rigorosa polaridade. No mundo do amor, a polaridade entre o amor platônico e o amor físico; no mundo das formas, a antítese entre as estrelas e as árvores, as formas mais remotas e as formas mais próximas. O mundo sideral e o mundo vegetal, no plano das coisas inanimadas; o mundo do amor mais puro e da sensualidade mais ardente, no plano das coisas animadas — eis os pontos cardeais da vida e da poética desse vulto primacial da geração de 1890. Tudo dominado pela paixão da beleza ideal, da beleza helênica, da busca incessante de uma perfeição de formas imutável e absoluta.

Faz exatamente dois lustros que coletamos dados para responder à injusta e superficial crítica que fez do *Parnaso de além-túmulo* o Sr. Osório Borba, hoje cidadão residente no mundo espiritual, intitulada "Poesia do outro mundo" e publicada no *Anuário brasileiro de literatura*.[71]

Entretanto, para alegria dos leitores, em vez de nossa observação pessoal, lançaremos mão de excelente trabalho de Lincoln de Souza — *Bilac e o Parnasianismo* —, inserto em sua obra *Vida Literária*,[72] no qual o autor demonstra, à saciedade, sem se referir evidentemente ao trabalho do autor de *A comédia literária*, não ter sido Bilac parnasiano autêntico do ponto de vista formal.

Diz ele:

> O Jornal de Letras escrevendo, há tempos, sobre Bilac, chamou-lhe, como fazem todos, de "o nosso maior poeta parnasiano".
> A verdade, porém, a despeito dessa velha classificação, é que nem Bilac, nem nenhum outro vate nacional pode ser chamado de parnasiano, se formos tomar essa palavra na sua exata definição. Veríssimo, Alberto de Oliveira e o próprio Bilac são, aliás, do mesmo ponto de vista. Senão, vejamos o que escreveu o primeiro deles, na sua *História da Literatura Brasileira*: "Em Portugal, mais ainda que no Brasil, não

---
[71] Osório Borba, in *Anuário brasileiro de literatura (1943–1944)*. Rio de Janeiro: Livraria Zélio Valverde, p. 70 a 72.
[72] Lincoln de Souza, *Vida Literária*. Rio de Janeiro: Irmãos Pongetti Editores, 1961, p. 17 a 23.

houve nunca verdadeiros parnasianos, segundo o conceito comum do Parnasianismo".

E mais adiante: "A impersonalidade e, sobretudo, a impassibilidade não vão com o nosso temperamento".

E depois de citar opinião semelhante de Alberto de Oliveira, volta a se deter em Bilac:

> Finalmente, negando o parnasianismo até no Velho Mundo, Bilac vai mais longe, quando afirma:
> Nunca houve uma escola parnasiana, nem aqui nem na Europa. Os paladinos de 1830 apenas tinham pretendido dar seiva nova de idealizações e de elocuções à planta da poesia mirrada e anêmica, empobrecida pela secura do Classicismo. E os de 1865, rebelando-se contra os últimos discípulos daqueles, somente quiseram restaurar estas qualidades, tão simples e tão belas, que estavam a ponto de ser esquecidas: a simplicidade e a correção.

"Influenciado" — continua Lincoln de Souza —, "por certo, pelos moldes parnasianos, Bilac, no *Tratado de versificação*, que deu à publicidade, em colaboração com Guimarães Passos (Ed. F. Alves, 1910), escreve à p. 86: Os poetas populares rimam apenas o segundo e o quarto versos; mas os metrificadores escrupulosos rimam os quatro."

E, em outra página: "As rimas, para ter grande valor, devem ser de índole gramatical diferente. Deve-se procurar para a rima de um substantivo, um verbo; para um advérbio, um adjetivo etc., de modo a evitar a pobreza e a monotonia".

Não é isso, porém, o que Bilac pôs em prática. Nem ele, nem nenhum dos demais chamados parnasianos — Alberto de Oliveira, Emílio de Menezes, Raimundo Correia, para só citar estes.

Para provar que Bilac não foi propriamente um parnasiano e que, portanto, não está certa a classificação que lhe deram, vamos passar em breve revista as suas *Poesias*, edição de 1946, da Livraria Francisco Alves.

Abrindo a citada obra, encontramos, de início, um excesso de rimas fáceis em *oso, osa, ante, ento, ar, ida* etc., — o que não é muito comum em Emílio de Menezes e Raimundo Correia. [...]

Voltando, porém, a Bilac, queremos mostrar que as suas recomendações de não rimar adjetivos com adjetivos, verbos com verbos etc., bem como de evitar, nas quadras, a rima apenas do segundo com o quarto verso, não só não foram por ele observadas, como incorreu em muitas outras imperfeições que se não desculpam num parnasiano.

Vejamos, a começar com rimas da mesma categoria gramatical:

Adjetivos com adjetivos: (os números citados se referem às páginas de *Poesias*) ondeantes, radiantes — 13; luxuriantes, palpitantes — 16; poderoso, ascoso, caudaloso — 23; suntuoso, caprichoso, custoso, esplendoroso — 25; deslumbrante, palpitante — 35; vibrante, fulgurante — 59; ondeante, palpitante — 94; radiantes, errantes — 136; brilhantes, errantes — 192; molhada, embalsamada, desvairada, entrecortada — 223.

Esta é apenas uma parte da colheita. Há mais, muito mais coisa.

Rima de verbos com verbos: nasceste, cresceste, ascendeste — 24; deixando, cantando, cortando, recordando — 75; sorrindo, prescindo, sentindo, medindo — 77; falava, seguiste, passava, viste — 88; prevendo, partiram, fugindo, gemeram — 161; rodavam, levantam, choravam, cantam — 179; palpitar, voar, viver, morrer — 188; despedaçava, passa, devassa, estardalhaça — 264.

Advérbio com advérbio: docemente, tremulamente — 83.

Rimas com palavras de sons diferentes (abertos e fechados): roda, toda — 18; estrelas, sentinelas — 27; fogo, logo — 39; revelas, estrelas — 68; elas, estrelas — 69; inquieta, borboleta — 115; quieta, ampulheta — 140 etc. [...]

Rimas imperfeitas: beijos, desejos — p. 35, 56, 72, 97, 116, 122, 168, 186, 191, 195. [...]

Rima apenas do segundo com o quarto verso: todo o poema *Medalha antiga* — p. 124 e 125.

Expressão caduca: soidão — p. 273.

Cacofonia: "um gozo só: sofrer" — p. 322; *zo, só, so — três fonemas que, juntos, se tornam desagradáveis ao ouvido.*

Depois de uma pausa, explicando ao final do trabalho que não tem a "estulta pretensão de, com este escrito, diminuir a glória de um dos maiores poetas de nossa terra", Lincoln de Souza volta à carga:

Agora, o mais interessante para o nosso trabalho: a contagem das sílabas de certas palavras, que ora Bilac dá mais, ora menos sílabas, aumentando ou diminuindo o número delas.

É certo que também Raimundo Correia, Alberto de Oliveira e Emílio de Menezes fizeram o mesmo, mas em proporções muito menores, sendo que a tendência de Emílio era sempre para a tetração de sílabas. *Luar* e *suave*, por exemplo, só uma vez ele contou duas e três sílabas, respectivamente. É por isso que seus versos são vigorosos, fortes, tersos, mas nem sempre envoltos de poesia.

Entre as palavras que Bilac conta ora com um, ora com outro número de sílabas, anotamos as seguintes, indicando entre parênteses a quantidade de sílabas e, fora deles, a página da obra do poeta:

Misteriosa (5) 15; misteriosa (4) 266. Poema (3) 19; poema (2) 74. Legiões (3) 39; legiões (2) 16. Regiões (3) 103; regiões (2) 106. Poente (3) 104; poente (2) 308. Pompeando (4) 106; pompeando (3) 334. Ainda (3) 181; ainda (2) 181. Ansioso (3) 192; ansioso (4) 161. Poeta (3) 147; poeta (2) 170. Silencioso (5) 71; silencioso (4) 168. Sensual (3) 191; sensual (2) 328. Suave (3) 169; suave (2) 205. Ruína (2) 32; ruína (3) 122. Luar (2) 185; luar (1) 275.

Não nos sendo possível alongar, tomamos a liberdade de sugerirmos ao leitor percorrer a obra *Vida e poesia de Olavo Bilac*, de Fernando Jorge,[73] às páginas 96, 117, 183, 230, 237, 239, 249 e 281, onde há referências ao Espiritismo na vida do poeta de *Tarde*.

Todos sabemos que o poeta, intuitivamente ou não, deixou em alguns de seus sonetos estampada a sua convicção reencarnacionista, e *Reformador*, 1950, p. 45, estampou-lhe "Os sinos" e "A um triste", sob o título "Bilac, reencarnacionista".

---

[73] Fernando Jorge, *Vida e poesia de Olavo Bilac*. São Paulo: Livraria Exposição do Livro, Edição do Centenário.

Para encerrar, um terceiro soneto de fundo reencarnacionista, que encontramos à página 343 de *Poesias*, 24ª edição, Livraria Francisco Alves, 1952:

Avatara

Numa vida anterior, fui um xeque macilento
E pobre... Eu galopava, o albornoz solto ao vento,
Na soalheira candente; e, herói de vida obscura,
Possuía tudo: o espaço, um cavalo, e a bravura.

Entre o deserto hostil e o ingrato firmamento,
Sem abrigo, sem paz no coração violento,
Eu namorava, em minha altiva desventura,
As areias na terra e as estrelas na altura.

Às vezes, triste e só, cheio do meu desgosto,
Eu castigava a mão contra o meu próprio rosto,
E contra a minha sombra erguia a lança em riste...

Mas o simum do orgulho enfunava o meu peito:
E eu galopava, livre, e voava, satisfeito
Da força de ser só, da glória de ser triste!

Pedro de Alcântara

O último imperador deixou alguns sonetos, que, bem o sabemos, há quem diga não serem da sua lavra. Ignoramos por que D. Pedro II, alma boníssima, vibrátil, e espírito culto, não pudesse fazer o que fizeram e fazem tantos outros patrícios nossos, a ponto de ser correntio o conceito de que todo brasileiro é poeta aos vinte anos. De qualquer forma, entretanto, o que se não poderá negar é a estreita afinidade destes sonetos com os que, de D. Pedro, conhecemos.

Meu Brasil

Longe do meu Brasil, triste e saudoso,
Bastas vezes sentia, mal desperto,
Com o coração pulsando, estar já perto
Do pátrio lar risonho e bonançoso.

E deplorava o rumo escuro e incerto,
Do meu desterro amargo e desditoso,
Desalentado e fraco, sem repouso,
O coração em úlceras aberto.

Enviava, a chorar, na aura fagueira,
Minhas recordações em terna prece
Ao torrão que adorara a vida inteira;

Até que a acerba dor, enfim, pudesse
Arrebatar-me à vida verdadeira.
Onde a luz da verdade resplandece.

No exílio

Pode o céu do desterro ser tão belo,
Quanto o céu do país em que nascemos;
Nada faz com que o nosso desprezemos,
Acalentando o sonho de revê-lo.

Todo o nosso ideal pomos no anelo
De regressar, e voando sobre extremos,
Com o pensamento ansioso percorremos
Nosso amado rincão, lindo ou singelo.

Jaz no desterro a plaga da amargura,
De acerba pena ao pobre penitente,
De amaro pranto da alma torturada;

A alegria no exílio é desventura,
É a saudade na ânsia mais pungente
De retornar à pátria idolatrada.

Rogativa

Magnânimo Senhor que os orbes cria,
Povoando o Universo ilimitado,
Que dá pão ao faminto e ao desgraçado,
E ao sofredor os raios da alegria,

Se, de novo, no mundo, desterrado,
Necessitar viver inda algum dia,
Que regresse ditoso ao solo amado
Da generosa pátria que eu queria;

Se é mister retornar a um novo exílio,
Seja o Brasil, lá onde eu desejara
Ter vertido o meu pranto derradeiro...

Que, novamente viva sob o brilho,
Da mesma luz gloriosa que eu amara,
Na alcandorada terra do Cruzeiro.

Soneto

No exílio é que a alma vive da lembrança,
Numa doce saudade enternecida,
Tendo chorosa a vista que se cansa
De procurar a pátria estremecida;

Com dolorosas lágrimas avança,
Do sonho que teceu e amou na vida,
Para a morte, onde tem sua esperança,
Na celeste ventura prometida.

E Deus, que os orbes cria, generoso,
Na vastidão dos céus iluminados,
Concede a paz ao triste e ao desditoso

Na clara luz dos mundos elevados,
Onde, do amor, reserva o eterno gozo
Para as almas dos pobres desterrados.

Página de gratidão

Tangendo as cordas da harpa da saudade,
Venho ao Brasil buscar a essência pura
Do amor da pátria minha, da doçura
Da flor cheia do aroma da amizade.

Prende-me o coração a suavidade
Desse arroubo de afeto e de ternura
Dalma do povo meu, que de ventura
E de alegria o espírito me invade.

Do misterioso aquém da morte, eu vejo,
Sentindo, essa onda intensa e luminosa
Da afeição, que idealiza o meu desejo:

E tendo a gratidão por companheira,
Volvo ao pátrio torrão de alma saudosa,
Amando mais a Terra Brasileira.

ORAÇÃO AO CRUZEIRO
(No cinquentenário da Abolição)

Luminosas estrelas do Cruzeiro,
Iluminai a terra da Esperança,
Na doce proteção de um povo inteiro
Onde a mão de Jesus desce e descansa.

Símbolo sacrossanto de aliança
De paz e amor do Eterno Pegureiro,
Guardai as claridades da Bonança
Na vastidão do solo brasileiro.

Constelação da Cruz, cheia de graças,
Transfundi numa só todas as raças,
No país da esperança e da bondade.

Que o Brasil, sob a luz da tua glória,
Possa escrever, no mundo, a grande história
Das epopeias da Fraternidade.

Bandeira do Brasil

Bandeira do Brasil, símbolo da bonança,
Enquanto a guerra estruje indômita e sombria,
Sê nos planos de luta o sinal de harmonia,
Espalhando no mundo as bênçãos da Esperança.

Assinalas, na Terra, o país da Alegria,
Onde toda a existência é um hino de abastança,
Guardas contigo a luz da bem-aventurança,
És o florão da paz, marcando um novo dia.

Nasceste sob a luz de um bem, alto e fecundo,
Nunca te conspurcaste aos embates do mundo,
Buscando iluminar as lutas, ao vivê-las...

É por isso que Deus, que te ampara e equilibra,
Deu-te um corpo auriverde onde a paz canta e vibra,
E um coração azul, esmaltado de estrelas.

Brasil do Bem

Eis que o campo de sombra se esfacela
No doloroso e amargo cativeiro
Da guerra que ameaça o mundo inteiro,
Qual furacão no auge da procela.

Mas na amplidão do solo brasileiro
Outra expressão de vida se revela
N'alma cariciosa, heroica e bela,
Que se engrandece ao brilho do Cruzeiro.

Grande Brasil do Bem e da Abastança,
Deus te guarde os tesouros da esperança,
Desde as luzes dos céus à luz dos ninhos!

Segue à frente do mundo aflito e errante
E alça o pendão pacífico e triunfante,
Como a doce promessa nos caminhos!...

Brasil

Sopra o vento do Ódio e da Vingança,
Aniquilando a Paz do mundo inteiro,
Embora o Amor Divino do Cordeiro
Seja a fonte da Bem-aventurança.

Mas a terra ditosa da Esperança
Vive nas claridades do Cruzeiro,
Onde o Evangelho é o Doce Mensageiro
Das bênçãos da Verdade e da Bonança.

Meu Brasil, guarda a luz dessa vitória,
Que é o mais belo florão de tua glória
Nos caminhos da espiritualidade.

Ama a Deus. Faze o bem. Todo o problema
Está na compreensão clara e suprema
Do Trabalho, do Amor e da Verdade.

Comentários de Elias Barbosa

Os nove sonetos aqui enfeixados se referem ao Brasil e ao exílio do poeta, e com que fervor externou ele seu pensamento de gratidão para com a Pátria do Cruzeiro.

Em *Vultos e fatos*, de 1882, Afonso Celso se detém num dos nomes mais gratos à memória dos brasileiros — D. Pedro II. Deste trabalho,[74] mencionaremos alguns passos a fim de compreendermos os sonetos mediúnicos daquele que foi considerado, em vida, um dos piores poetas.[75]

Diz Afonso Celso à p. 136: "Na sua epístola, meu pai não formulara queixa alguma". A do Imperador, todavia, terminava assim: "Console-se, como eu, procurando servir o Brasil em qualquer ponto do mundo".

Salientemos, em seguida, palavras do próprio Imperador, nos diálogos com Afonso Celso:

> Traição consciente e premeditada, não. Trair afigura-se-me coisa muito difícil; deve exigir extraordinário esforço. E trata-se, demais, de homens com honrosos precedentes e serviços ao país. (p. 137). [...] — 'Terá o senhor por acaso publicações recentes do Brasil? Confesso-me atrasado sobre o que lá se tem escrito ultimamente. Sinto-o deveras, porque gostava de acompanhar o movimento intelectual da nossa sociedade. [...] Livros brasileiros me distrairiam sumamente. Mas ninguém se lembra de me mandar e aqui, infelizmente, não é fácil obtê-los' (p. 142). [...] '— O Brasil será forçosamente o herdeiro, o representante, o continuador das glórias da raça latina sobre o orbe.'

Dirigindo-se à esposa de Afonso Celso:

> — Não acha, minha senhora, extremamente singular que já não existe no Brasil quem se recorde de mim para enviar-me uma carta, um livro, um jornal? Há dois vapores que isto acontece. Não há dúvida — é singular (p. 146).

Quando conversavam sobre o perigo de os brasileiros entregarem aos argentinos parte do território das Missões:

> [...] Foi meu empenho sagrado conservar o Brasil unido e íntegro. Reside nessa homogeneidade indivisível a nossa grandeza. Não sei como a gente

---

[74] In *Revista do Livro*, no 18, ano V, junho, 1960. Rio de Janeiro: MEC/INL, p. 125 a 173. (*Vultos e fatos* — Rio de Janeiro: Magalhães e Cia., 1893.)

[75] Osório Borba, *A comédia literária*. Rio de Janeiro: Civilização, 1959, 2. ed., p. 139. É de Osório Borba esta opinião: "Se se tratasse de escolher o pior poeta em duas línguas, não haveria hesitação: *Monsieur Aloísio de Castro*. Se se tratasse de escolher o pior dos poetas de todos os tempos em todas as línguas: D. Pedro de Alcântara".

que governa não o compreende. Presumia-os animados de melhores intuitos, mais preparados para a tremenda tarefa que se impuseram (p. 150).

Disposto a voltar ao Brasil, sim:

> Seguirei no mesmo instante e contentíssimo, visto ser útil ainda à nossa terra. Mas se me chamarem espontaneamente, notem. Puseram-me para fora... Tornarei se se convencerem de que me cumpre tornar. Conspirar, jamais. Não se coaduna com a minha índole, o meu caráter, os meus precedentes. Seria a negação da minha vida inteira. Nem autorizo ninguém a conspirar em meu nome ou no dos meus. (p. 150) — A História me fará justiça — eis a minha fé consoladora. Atribuíram-me frases que não proferi, atos que não pratiquei. Aceitei os acontecimentos sereno e resignado.

Do poeta-imperador, relacionamos famoso soneto que consta da *História poética do Brasil*, de Jamil Almansur Haddad:[76]

> Não maldigo o rigor da iníqua sorte,
> Por mais atroz que seja e sem piedade,
> Arrancando-me o trono e a majestade
> Quando a dois passos só estou da morte!
>
> Do pego das paixões minha alma forte
> Conhece a fundo a triste realidade,
> Pois se agora nos dá felicidade,
> Amanhã tira o bem, que nos conforte.
>
> Mas a dor que excrucia, a que maltrata,
> A dor cruel que o ânimo deplora
> Que fere o coração e quase mata,
>
> É ver da mão fugir à extrema hora,
> A mesma boca lisonjeira e ingrata
> Que tantos beijos nela pôs outrora!

---

[76] *História poética do Brasil (História do Brasil narrada pelos poetas)* — Seleção e introdução de Jamil Almansur Haddad. São Paulo: Editorial Letras Brasileiras Ltda., prefácio datado de 1943.

Raimundo Correia

Nascido em 13 de maio de 1859, a bordo do vapor *S. Luiz*, na baía de Mangunça, litoral do Maranhão, e desencarnado em Paris a 13 de setembro de 1911. Magistrado, membro da Academia Brasileira de Letras; além de justo e bom, pode sem favor considerar-se um dos maiores poetas da sua geração.

SONETOS

I

Tudo passa no mundo. O homem passa
Atrás dos anos sem compreendê-los;
O tempo e a dor alvejam-lhe os cabelos,
À frouxa luz de uma ventura escassa.

Sob o infortúnio, sob os atropelos
Da dor que lhe envenena o sonho e a graça,
Rasga-se a fantasia que o enlaça,
E vê morrer seus ideais mais belos!...

Longe, porém, das ilusões desfeitas,
Mostra-lhe a morte vidas mais perfeitas,
Depois do pesadelo das mãos frias...

E como o anjinho débil que renasce,
Chora, chora e sorri, qual se encontrasse
À luz primeira dos primeiros dias.

II

Ah!... se a Terra tivesse o amor, se cada
Homem pensasse no tormento alheio,

Se tudo fosse amor, se cada seio
De mãe nutrisse os órfãos... Se na estrada

Do contraste e da dor houvesse o anseio
Do bem, que ampara a vida torturada,
Que jamais viu um raio de alvorada
Dentro da noite eterna que lhe veio

Do sofrimento que ninguém conhece...
Ah! se os homens se amassem nessa estância
A dor então desapareceria...

A existência seria a ardente prece
Erguida a Deus do seio da abundância,
Entre os hinos da paz e da alegria.

Comentários de Elias Barbosa

Ninguém melhor que Péricles Eugênio da Silva Ramos[77] conseguiu resumir em tão poucas palavras o essencial sobre a poesia de Raimundo Correia: "As características de sua poesia são, pelo fundo, um agudo sentimento da transitoriedade das coisas e insolúvel pessimismo; e, pela forma, perceptível senso das virtualidades vocabulares. Sempre foi considerado um dos grandes do Parnasianismo; e não há por que rever essa posição".

Lêdo Ivo,[78] outro crítico e poeta respeitável, assim se refere à *Weltanschauung* do poeta:

> O sentimento de efemeridade da vida e das coisas, a sensação da fluência do tempo, a morte das ilusões, a efusão diante da nudez feminina, a celebração da natureza, através de visões e imagens de rara objetividade — como é o caso do famoso verso "Raia sanguínea e fresca a madrugada" — a inquietação metafísica maldomada, eis alguns dos caracte-

---
[77] Péricles Eugênio da Silva Ramos, *Panorama da poesia brasileira — Parnasianismo*, vol. III. Rio de Janeiro: Civilização, 1959, p. 77 e 78.

[78] Lêdo Ivo, *Raimundo Correia — Poesia, N. Cl.*, nº 20. Rio de Janeiro: Agir, 1958, p. 12.

rísticos morais e psicológicos da personalidade de Raimundo Correia, abrolhantes em sua obra.

Antes que transcrevamos dois dos mais célebres sonetos do autor de *Sinfonias*, com vistas a verificarmos a semelhança de pensamento e forma em relação aos mediúnicos, ouçamos Manuel Bandeira:[79]

> Os parnasianos não gostavam do hiato. Todavia, Raimundo Correia, como Camões, servia-se dele com a mais fina intuição dos valores fonéticos e rítmicos das palavras. No lindo verso da "Ária Noturna": *A toalha friíssima dos lagos* — não há dúvida que o duplo hiato entrou como principal elemento criador do efeito mágico. No soneto "Anoitecer", em cujo final a lua *surge trêmula, trêmula*, parece que o efeito é dado pela repetição do pé dáctilo (*trêmula, trêmula*) seguida do pé anapéstico (*anoité*). Em muitos, na grande maioria desses versos, não se sabe como explicar o sortilégio verbal: tudo neles parece tão desprovido de intenção efectista. Por quê, por exemplo, é tão evocativo da cena pintada em "Tristeza de Momo" o verso "Fauno o indigita, a Náiade o caça?" Em "*Green Spot*" o decassílabo "o fio de água e a sombra suspirada"? Eu poderia multiplicar durante uma hora essa antologia de versos que têm todos a perfeição dos diamantes. Em nenhum poeta brasileiro os encontramos tão frequentes como em Raimundo Correia.

Waldir Ribeiro do Val,[80] demonstrando que na *crítica de si mesmo* é que Raimundo Correia "demonstrou ser o grande artista do verso, dando lição da arte de poetar", expende as seguintes considerações sobre um dos seus mais famosos sonetos:

> No "Anoitecer" cujo tema era tão do agrado de Raimundo Correia, a simples modificação do primeiro verso veio dar o clima de toda a obra, pois esse verso é como que a pincelada de fundo do quadro pintado,

---

[79] Manuel Bandeira, in Raimundo Correia, *Poesia completa e prosa*. Rio de Janeiro: José Aguilar Ltda., 1961, p. 31 e 32.
[80] Waldir Ribeiro do Val, *Vida e obra de Raimundo Correia*. Rio de Janeiro: MEC/INL, 1960, p. 153 e 154.

o colorido que sobressai do conjunto, o verdadeiro cenário que o poeta enquadrou na moldura do soneto. Nas *Sinfonias*: "Vê: esbraseia o Ocaso na agonia/ O sol...". Agora, nas *Poesias*: "Esbraseia o Ocidente na agonia/ O sol...". A forma primeira não tem maior significação. Mas a segunda forma mostra o crepúsculo sangrento, com o sol agonizante como a frase mesma, que parece morrer numa gradação de sons e cores. Há nesse verso como que um cansaço, produzido pela repetição monótona da tônica *ê* em *esbraseia* e em *ocidente*, seguindo-se a palavra *agonia*, com seu hiato longo e seu *i* pungitivo. O restante do quarteto está subordinado ao primeiro verso, em colorido e movimento. Reproduzamos aqui o primeiro quarteto do "Anoitecer":

Esbraseia o Ocidente na agonia
O sol... Aves em bandos destacados
Por céus de oiro e de púrpura raiados
Fogem... Fecha-se a pálpebra do dia...

Vimos que a paisagem do primeiro verso é de inteira calma, de repouso absoluto, cuja monotonia atinge o início do segundo verso, onde declina, reticente. A frase que se lhe segue, então, é como um jato de asas, surgindo, inesperadamente, em meio à luz mortiça, com a alacridade de suas vogais claras (*Aves em bandos destacados*). O acento tônico, incidindo sobre o *a* de *aves*, com que se inicia a frase, quebrando a métrica, traz a sensação de movimento brusco das aves que aparecem de repente na paisagem. E a ligeireza desse voo está perceptível no restante do verso, que só vai ter novo acento métrico na última palavra (porque a tônica muito forte de *aves* abranda a que haveria em *bandos*) obrigando a uma aceleração da leitura. Essa aceleração continua por todo o verso seguinte, que parece querer anular-se para que se aproximem o sujeito e o predicado da oração (aves... fogem).

Deixando que o próprio leitor, a esta altura, analise por si mesmo os sonetos mediúnicos, transcrevamos o conhecidíssimo "Mal secreto", a belíssima recriação de alguns versos de Metastásio (Luigi Arnaldo

Vassalo), numa época em que a Psicanálise deixou de ser assunto pertinente apenas aos especialistas:

> Se a cólera que espuma, a dor que mora
> N'alma, e destrói cada ilusão que nasce,
> Tudo o que punge, tudo o que devora
> O coração, no rosto se estampasse;
>
> Se se pudesse, o espírito que chora,
> Ver através da máscara da face,
> Quanta gente, talvez, que inveja agora
> Nos causa, então piedade nos causasse!
>
> Quanta gente que ri, talvez, consigo
> Guarda um atroz, recôndito inimigo,
> Como invisível chaga cancerosa!
>
> Quanta gente que ri, talvez existe,
> Cuja ventura única consiste
> Em parecer aos outros venturosa!

(Poesia/Sinfonias, p. 135 e 136.)

Raul de Leoni

Fluminense, nascido em Petrópolis em 1895 e desencarnado em Itaipava, com apenas 31 anos. Bacharel em Direito, foi deputado estadual e posteriormente Secretário de Legação. Entre os talentos da chamada nova geração, a sua afirmativa nos domínios da Arte Poética pode considerar-se das mais fulgurantes. Além de *Ode a um poeta morto*, dedicada a Olavo Bilac, de quem foi amigo dileto, deixou *Luz mediterrânea*, considerada como seu livro de ouro.

Luta

Aí na Terra, as bem-aventuranças
São o sonho que o Espírito agasalha,
Mas, mesmo após a morte, a alma trabalha
Buscando o céu das suas esperanças.

Muita vez, quando pensas que descansas,
Além te espera indômita batalha,
Onde o suposto gozo se estraçalha
Sob o guante acerado das provanças.

Para cá do sepulcro a dor antiga,
Que nos traz o desânimo, a fadiga,
Sob a luz da verdade se atenua;

A febre das paixões desaparece,
O Espírito a si mesmo reconhece,
Mas a luta infinita continua.

Na Terra

Renascendo no mundo da Quimera,
Ao colhermos a flor da juventude,
É quando o nosso Espírito se ilude,
Julgando-se na eterna primavera.

Mas o tempo na sua mansuetude,
Pelas sendas da vida nos espera,
Junto à dor que esclarece e regenera,
Dentro da expiação estranha e rude.

E ao tombarmos no ocaso da existência,
Nós revemos do livro da consciência
Os caracteres grandes, luminosos!...

Se vivemos no mal, quanta agonia!
Mas se o bem praticamos todo o dia
Como somos felizes, venturosos!...

Soneto

Não te entregues na Terra à indiferença.
Cheio de amor e fé, trabalha e espera;
Nos domínios do mal, nada há que vença
A alma boa, a alma pura, a alma sincera.

No pensamento nobre persevera
De servir, sempre alheio à recompensa;
O desejo do Bem dilata a esfera
Das luzes sacratíssimas da Crença.

Vive nas rutilantes almenaras
Dos castelos do Amor de essências raras,
Aspirando os olores da Pureza!...

Terás na Terra, então, a vida calma...
E a morte não será, para a tua alma,
Jamais medonha e trágica surpresa.

Nós...

Nós todos vamos pela vida em fora
Deixando no caminho os mesmos traços,
Em Deus buscando a Perfeição que mora
No cume inatingível dos Espaços!...

Cada instante de dor nos aprimora,
Desatando os grilhões, rompendo os laços
Dessa animalidade atrasadora,
Que procura tolher os nossos passos.

Heróis de novas lendas carlovíngias,
O Sonho imanta as nossas almas, cinge-as,
Na Luz Ideal — o nosso excelso escudo;

Buscando o Indefinível, o Insondado,
Deus, que é o Amor eterno e ilimitado
E a gloriosa síntese de tudo.

"Post mortem"

Depois da morte, tudo aqui subsiste,
Neste Além que sonhamos, que entrevemos,
Quando a nossa alma chora nos extremos
Dessa dor que no mundo nos assiste.

Doce consolação, porém, existe
Aos amargosos prantos que vertemos,
Do conforto celeste os bens supremos
Ao coração desalentado e triste.

Também existe aqui a austera pena
À consciência infeliz que se condena,
Por qualquer erro ou falta cometida;

E a Morte continua eliminando
A influência do mal, torvo e nefando,
Para que brilhe a Perfeição da Vida.

Soneto

Se todos nós soubéssemos na vida
A Verdade grandiosa e soberana,
Não faltaria o gozo que promana
Dos sentimentos da missão cumprida.

Mas na Terra a nossa alma empobrecida,
Presa dessa vaidade toda humana,
De desgraças e de erros se engalana
Numa incerteza amarga, irreprimida...

Vamos passando assim a vida inteira,
Sem esposar a crença imorredoura,
A fé demolidora de montanhas,

Quase imersos na treva da cegueira,
Sem vislumbrar a luz orientadora,
Nessa noite de dúvidas estranhas!...

Comentários de Elias Barbosa

Luiz Santa Cruz, em nota de rodapé,[81] assim se expressa sobre o autor de *Luz mediterrânea*:

---

[81] Luiz Santa Cruz, *Raul de Leoni — Trechos Escolhidos*, N. Cl., nº 58. Rio de Janeiro: Agir, 1961, p. 11.

Foi, ao nosso ver, o jesuíta gaúcho, Pe. Germano Novais, quem melhor visualizou a posição da Raul de Leoni como pensador, de inspiração cristã mas longínqua: "O que faltou à filosofia da vida de Raul de Leoni foi uma ordem de valores transcendentes, foi a aceitação sincera da vida de Além-Túmulo, onde o justo será premiado e o injusto punido" (*Raul de Leoni, fisionomia do poeta*, p. 9).

Se pesquisarmos a produção mediúnica de Raul de Leoni, verificaremos que toda ela se refere à comprovação do continuísmo da vida após a morte, principalmente o soneto "Não te entregues na Terra à indiferença", que termina com este terceto bastante expressivo:

> Terás na Terra, então, a vida calma...
> E a morte não será, para a tua alma,
> Jamais medonha e trágica surpresa.

Poeta reencarnacionista como se depreende da sua célebre *Ode a um poeta morto*, do soneto "Maquiavélico" e de outras produções que deixou enfeixadas no seu único livro, Raul de Leoni, em "Nós...", vem como que espiritualizar "Aos que sonham",[82] em que a Verdade volta a ser seu fulcro temático; mostra ângulos novos em relação ao "Sabedoria" (*Luz mediterrânea*, p. 106):

> Não sofras mais à espera das auroras
> Da suprema verdade a aparecer:
> A verdade das cousas é o prazer
> Que elas nos possam dar à flor das horas...
>
> Essa outra que desejas, se ela existe,
> Deve ser muito fria e quase triste,
> Sem a graça encantada da incerteza...
>
> Vê que a Vida afinal, — sombras, vaidades
> É bela, é louca e bela, e que a beleza
> É a mais generosa das verdades...

---

[82] Raul de Leoni, *Luz Mediterrânea*, 10. ed., Prefácio de Rodrigo Melo Franco de Andrade. São Paulo: Livraria Martins Editora, s/d., p. 73.

O poema "Ao menos uma vez em toda a vida" (p. 116 e 117) é a exaltação da Verdade que, no dizer do poeta, "Como os fantasmas, que mal chegam, somem":

> Passou uma só vez em toda a vida!
> Sombra de um voo na água trêmula: Verdade!
> E esse voo,
> Que nunca mais voltou no mesmo céu deserto,
> Nem ao menos deixou a sombra dentro dágua...

Ao escrever os sonetos por intermédio de Chico Xavier, Raul de Leoni como que desejou confirmar as palavras de Rodrigo M. F. de Andrade, a quem ele, o poeta, confiou o espólio literário para a publicação definitiva de sua obra completa — *Luz mediterrânea* —, no prefácio, à p. 12: "Ele foi entre nós, e o foi com singular grandeza, o único poeta de emoção puramente filosófica".

Rodrigues de Abreu

Poeta nascido em Capivari (SP), em 17 de setembro de 1899, e desencarnado, tuberculoso, em Campos do Jordão, aos 24 de novembro de 1927.

Publicou *Casa destelhada*, *Noturnos* e *Sala dos passos perdidos*, além de inúmeros trabalhos esparsos na imprensa do seu estado.

Foi cognominado — *o poeta triste das rimas róseas*.

Vi-te, Senhor!

Eu não pude ver-Te, meu Senhor,
Nos bem-aventurados do mundo,
Como aquele homem humilde e crente do conto de Tolstoi.

Nunca pude enxergar
As Tuas mãos suaves e misericordiosas,
Onde gemiam as dores e as misérias da Terra;
E a verdade, Senhor,
É que Te achavas, como ainda Te encontras,
Nos caminhos mais rudes e espinhosos,
Consolando os aflitos e os desesperados...
Estás no templo de todas as religiões,
Onde busquem Teus carinhos
As almas sofredoras,
Confundindo os que lançam o veneno do ódio em Teu nome,
Trazendo a visão doce do Céu
Para o olhar angustioso de todas as esperanças...
Estás na direção dos homens,
Em todos os caminhos de suas atividades terrestres,
Sem que eles se apercebam
De Tua palavra silenciosa e renovadora,
De Tua assistência invisível e poderosa,
Cheia de piedade para com as suas fraquezas.

Entretanto,
Eu era também cego no meio dos vermes vibráteis que são os homens,
E não Te encontrava pelos caminhos ásperos...

Mocidade, alegria, sonho e amor,
Inquietação ambiciosa de vencer,
E minha vida rolava no declive de todas as ânsias...

Chamaste-me, porém,
Com a mansidão de Tua misericórdia infinita.
Não disseste o meu nome para não me ofender;
Chamaste-me sem exclamações lamentosas,
Com o verbo silencioso do Teu amor,
E antes que a morte coroasse a Tua magnanimidade para comigo,
Vi que chegavas devagarinho,
Iluminando o santuário do meu pensamento
Com a Tua luz de todos os séculos!

Falaste-me com a Tua linguagem do Sermão da Montanha,
Multiplicaste o pão das minhas alegrias
E abriste-me o Céu, que a Terra fechara dentro de minh'alma...

E entendi-Te, Senhor,
Nas Tuas maravilhas de beleza,
Quando Te vi na paz da Natureza,
Curando-me com a Dor.

No castelo encantado

Eu ainda não era um homem,
Quando subi aos elevados promontórios da esperança,
Divisando os países da beleza.
Meu coração pulou com um ritmo descompassado

E desejei a luz das cidades distantes,
O perfume das florestas prodigiosas
Onde cantavam as aves da mocidade e da glória.

Tudo sonhei contemplando o horizonte!...

Na embriaguez da ansiedade e do desejo,
Não vi o cântaro de mel
Que minha mãe deixara com o seu beijo
Na prateleira humilde de minh'alma.
Gotas de mel, palavras de oração —
"Pai Nosso que estais no Céu..."
"Ave Maria, cheia de graças..."
Gotas do mel de amor, do coração.

Tudo esqueci, por infelicidade,
E andei como um fauno louco pelos mares remotos e pelas ilhas
                                                     [desconhecidas...
Eu era dono do mundo inteiro
Porque era senhor dos sonhos absolutos,
Adormecendo à sombra enganadora
Da árvore da ilusão, onde quase todos os frutos apodrecem.
E quando quebrava os últimos altares,
Na inquietação da carne e do desejo,
Chegou ao país de minh'alma um romeiro triste dos Céus,
Falando como Jeremias sobre a Jerusalém de minhas ânsias:

"A sombra da ilusão envenena-te a vida...
Eu corrijo as paisagens interiores,
Trago-te o pão dos grandes amargores,
Sou a Dor, ficarei sempre contigo.
Guarda as minhas verdades, meu amigo,
Manda o Senhor que eu seja a companheira
De tua vida inteira...
Irás comigo a mundos ignorados,

Dar-te-ei maravilhas
Ao sol dos meus castelos encantados..."

Eu não sei explicar o mistério
Daquela personagem enigmática
Que se intrometia, afoitamente,
Na minha estrada de alegria.

Seu olhar parecia
A claridade estranha de toda a resignação e de todo o padecimento.

E, desde esse momento,
Casou-se comigo a Dor, de tal maneira,
Que a senti junto a mim, a vida inteira:

Roubou-me todas as glórias da Terra,
Fez fugir-se-me a noiva idolatrada,
Deixou-me só na lôbrega jornada,
Afastou-me a alegria da saúde,
Apodreceu meu coração em sua mão,
Deu-me as sombras dos Campos do Jordão,
Fez de meu sonho a casa destelhada,
Onde as chuvas de todas as misérias
Caíram sem cessar desde esse dia;
Crestou-me a flor ditosa da alegria,
Tudo levou-me a dor incontentada...

Mas oh! suave milagre de ventura,
Ela deu-me os palácios encantados
Onde brilham as luzes d'Aquele que se sacrificou na cruz por todos
                                              [os homens!...
Pela sua porta estreita,
Encaminhou-me à sensação perfeita
De Tua inefável presença, ó Senhor de Bondade.
Nas grandezas de Tua claridade,
Cala-se o meu verso humilde,

Porque com a Dor
Sinto que Te compreendo, meu Senhor,
E abençoo contente
As mágoas que me deste antigamente...
Pois agora é que eu sei
Banhar-me todo nessa fonte imensa
Da paz, doce e balsâmica da crença,
Enxergando na tamareira da esperança,
A cuja sombra o espírito descansa,
Pelos desertos áridos do mundo,
O único fruto eterno, bom e fecundo...

Fruto que é o Teu amor
E a Tua caridade, meu Senhor,
Sustentando a infeliz Humanidade,
Desde as pedras da Terra
Aos jardins de esplendor da Eternidade!...

Comentários de Elias Barbosa

Na lúcida introdução às *Poesias Completas* de Rodrigues de Abreu (São Paulo: Companhia Editora Panorama, 1952), assim se expressa Domingos Carvalho da Silva: "Qualquer explicação da poesia do autor da *Casa destelhada* será incompleta se não for devidamente considerada a sua existência humana, modeladora, em boa parte, da sua estrutura psicológica, das suas convicções artísticas e éticas". Depois de afirmar que fora filho de operários do campo, continua:

> A sua formação psicológica levava-o a repelir a pobreza que o atormentou durante toda a vida, e a admirar, com fascinação, a alegria e o bem-estar em que vivem os bem-sucedidos e os privilegiados. *Subir, brilhar, fugir à lama*, eis o seu objetivo, a sua obsessão. [...] Foi sob o signo da sua desesperada fé numa vida futura que Abreu elaborou as melhores páginas da *Casa destelhada* e as dulcíssimas *Cinco estâncias da primavera*.

À p. 26, o crítico cita trechos de poemas onde surge a preocupação do poeta com a figura materna.

> O narcisismo, já duas vezes mencionado, é outro fator importante a estudar na poesia de Abreu. Não fosse o poeta um admirador de si mesmo e diversas teriam sido as suas tendências literárias. Mas Rodrigues foi um autocontemplador, e disto fez alarde em seus ritmos, especialmente em *Casa Destelhada*. (p. 28)

À p. 49, o autor se refere à insistência com que o poeta de Capivari usa a expressão *minh'alma*. Finalmente, à p. 59, depois de afirmar que a poesia de Abreu no que se refere à técnica se divide em duas partes distintas — a primeira, em que metrifica com as imperfeições habituais em nossos poetas antimodernistas, e a segunda, em que "institui, praticamente, o verso livre, não obedecendo a nenhuma regra além do ouvido", conclui: "De qualquer modo, a face técnica da poesia de Abreu não nos parece a mais importante de sua obra, e pouco resultaria de um exame da mesma".

Finalizando, apenas alguns trechos de seus longos poemas de quando encarnado:

> Se eu tivesse tido saúde, rapazes,
> não estaria aqui fazendo versos.
> Já teria percorrido todo o mundo.
> A estas horas, talvez os meus pés estivessem quebrando
> o último bloco de gelo
> da última ilha conhecida de um dos polos.
> ("Mar desconhecido", *Poesias Completas*, p. 245.)

De "Tarde de revelação":

> Eu saí uma tarde por uma estrada,
> e me achei num alto, donde avistava toda a planície embaixo.

Primeiro os terrenos de cultura, e depois, longe,
casas raras e brancas de sitiantes pobres.
(p. 258)

De "Vagabundo, sob o céu estrelado...":

Vou caminhando pela estrada, sob o céu estrelado.
Tiro o meu chapéu, como um homem reverente, que fosse andando
pelo meio de coisas consagradas.
(p. 263)

De "Canto irregular":

Não vos peço, Senhor, que façais o meu canto
pairar, sempre igual, volumoso, sereno, perpétuo,
sobre as grandes montanhas, sobre as cidades grandiosas.
O equilíbrio no voo, embora seja alto e brilhante,
não tenta estas asas humildes!
(p. 265)

Da primeira parte de "Dentro da noite":

Sou "médium" vidente...
Para a trípoda mesa estendi as mãos frias...
E, ao invocar-te, o relógio da torre da igreja
— tísico triste, em grande abandono —
tossia na noite, chorando soturno, as doze pancadas pressagas.

Souza Caldas

Nascido na cidade do Rio de Janeiro, em 1762, e aí desencarnado em 1814. Formado em Direito pela Universidade de Coimbra, abraçou mais tarde a carreira eclesiástica, ordenando-se em Roma. Dizem que as suas melhores composições, as que o levaram a ser preso pelo Santo Ofício, perderam-se. Acreditamos que o médium ignorava a circunstância de ser a tradução dos *Salmos de David*, justamente, de suas obras poéticas, a mais apreciada.

Ato de contrição

A vós
Senhor,
Meu Deus
De Amor,
Minh'alma
Implora
A salvação!

Meu Pai,
Bem sei
Que mal
Andei,
Buscando
O erro
E a imperfeição;

Sois vós
A luz,
E junto
À cruz
Do meu
Sofrer,
Quero o perdão;

Perdão
Que traz
Sossego
E paz
Ao meu
Viver
Na provação.

Assim
Pequei,
Na treva
Errei,
E jus
Eu fiz
À expiação.

Vós sois,
Porém,
Farol
Do Bem!
Ouvi
Dos Céus
Minha oração.

Suplico-o
A vós,
Na dor
Atroz,
Amara
E rude
da contrição!

Dai ao
meu ser,
Aflito
Ao ver
O seu
pecado,
A redenção;

E hei de
Poder
Feliz
Vencer
Do mal
Cruel
O atroz dragão!

VERSÃO DO SALMO 12

Senhor dos Mundos, na Terra inteira,
Os maus somente é que dominam,
Rudes tiranos e os impiedosos
    De coração.

Ganham favores, buscam louvores,
Espezinhando seus semelhantes,
Tripudiando nas vossas leis,
    Ímpios que são.

Causam a ruína da vossa casa,
Lançam injúrias ao vosso nome,
Adoradores da iniquidade,
    Da imperfeição.

Vossas ovelhas são confundidas,
E sufocadas pelo amargor,
Fracas e pobres andam saudosas,
    Do vosso amor.

São elas todas, pobres e humildes,
Glorificai-as, meu Criador!
Alevantai-as do abismo escuro
    Com a vossa luz!

Vossa bondade, imensa e eterna,
É a esperança dos pecadores;
Pai amoroso, salvai os homens,
    Confio em Vós!

Versão do Salmo 18

Por toda a parte
Veja a criatura,
Na noite escura
Da sua dor,
A eterna força
De um Deus clemente,
Onipotente,
Cheio de amor.
Astros e mundos
No céu girando,
Aves cantando,
O mar e a flor,
Todos os seres
Hinos entoem,
Cantos ressoem
Ao Criador!
Eterno Artífice
Que os sóis modela,
Lustres da auréola
Da Criação,
Sois a bondade
A mais perfeita,
A Luz Eleita,
A salvação.
Doce refúgio
Dos desgraçados,
Aos meus pecados,
Muitos que são,
Imploro e clamo,
Com o meu esp'rito
Turbado e aflito,
Vosso perdão.
Que desprezei
O ouro brilhante,
Lindo e faiscante,
Bem sei, Senhor!
Como fugi
Da hora fugace
Que me afastasse
Do vosso amor!
Mas bem sabeis
Que a carne impura

Leva a criatura
A mais pecar;
Fazendo assim
P'ra meu tormento,
Meu pensamento
Prevaricar.
Porém, o vosso
Amor profundo
Redime o mundo
Do padecer;
Dando-lhe o tempo
E áspera lida
Para na vida
Tudo vencer.
Vós que acendestes
Faróis brilhantes,
Sóis rutilantes
D'almo esplendor,
Cantando a vida,
A onipotência
E a pura essência
Do vosso amor!
Que sois o sol
Dos universos,
Mundos dispersos
Na imensidão.
Além da força
Vós sois, também,
O sumo bem
E a perfeição
Que vence o mal,
O orgulho e a dor,
Que o pecador
No coração
Guarda com zelo,

Cruéis imigos,
Que são amigos
Da perdição.
Misericórdia,
Assim espero,
Almejo e quero
Para que eu
E os meus irmãos
O mal deixemos
E abandonemos
Buscando o Céu.
Por vossa causa
O maior gozo,
Esplendoroso,
Desprezarei,
Para que eu viva
Na luz fulgente,
Eternamente,
Da vossa lei.
Assim, Senhor,
Minh'alma aguarda
A luz que tarda
Ao mundo vão,
Que há de esplender
Nos homens todos,
Limpando os lodos
Da imperfeição.
Dominareis
Toda a impiedade
Pela verdade
Que em vós transluz!
E, servo, aguardo
Do vosso amor
Consolo à dor,
Amparo e luz!

Comentários de Elias Barbosa

A fim de verificarmos o estilo do poeta de ontem, que hoje volta a se utilizar de arcaísmos — imigos —, formas reduzidas — *com o meu esp'rito, P'ra meu tormento* etc. —, transcrevamos apenas algumas estrofes da sua célebre "Ode ao homem selvagem":[83]

Estrofe 1ª

Ó homem, que fizeste? tudo brada;
   Tua antiga grandeza
De todo se eclipsou; a paz dourada,
A liberdade com ferros se vê presa,
   E a pálida tristeza
Em teu rosto esparzida desfigura
Do Deus, que te criou, a imagem pura.

....

Antístrofe 6ª

Negros vapores pelo ar se viram
   Longo tempo cruzando,
Té que bramando mil trovões se ouviram
As nuvens entre raios decepando,
   Do seio seu lançando
Os cruéis Erros e a torrente impia
Dos vícios, que combatem, noite e dia.

Epodo 6º

Cobriram-se as Virtudes
Com as vestes da Noite; e o lindo canto
Das Musas se trocou em triste pranto.
   E desde então só rudes
Engenhos cantam o feliz melavado,
Que nos roubou o primitivo estado.

---

[83] *Apud* Antônio Soares Amora, *Panorama da poesia brasileira — Era luso-brasileira*, vol. I. Rio de Janeiro: Civilização, 1959, p. 212 a 217.

Alberto de Oliveira e Jorge Jobim incluíram o Padre Antônio Pereira de Souza Caldas no tomo I de *Poetas Brasileiros*,[84] com o seguinte *Psalmo*, um de seus mais felizes momentos poéticos:

> Feliz aquele que os ouvidos cerra
> A malvados conselhos,
> E não caminha pela estrada iníqua
> Do pecador infame,
> Nem se encosta orgulhoso na cadeira
> Pelo vício empestada;
> Mas na lei do Senhor fitando os olhos,
> A revolve e medita,
> Na tenebrosa noite e claro dia.
> A fortuna e a desgraça,
> Tudo parece a seu sabor moldar-se:
> Ele é, qual tenro arbusto,
> Plantado à margem de um ribeiro ameno,
> Que de virentes folhas
> A erguida frente bem depressa ornando,
> Na sazão oportuna,
> De frutos curva os suculentos ramos.
> Não sois assim, ó ímpios;
> Mas qual o leve pó que o vento assopra,
> Aos ares alevanta,
> E abate, e espalha, e com furor dissipa.
> Por isso, vos espera
> O dia da vingança, e o frio sangue
> Vos coalhará de susto;
> Nem surgireis, de glória revestidos,
> Na assembleia dos justos;
> O senhor da virtude he firme esteio,
> Em quanto o ímpio corre,
> De horrísonas procelas combatido,
> A naufragar sem tino.

---

[84] Alberto de Oliveira e Jorge Jobim, *Poetas Brasileiros, tomo I*. Rio de Janeiro: Livraria Garnier, Paris, 1921, p. 93 e 94.

Um Desconhecido

Meditando

Eu fui daquelas almas que viveram
Sem conhecer da Terra os paraísos,
Que somente a amargura dos sorrisos
Pela noite das dores conheceram.

Não que eu fosse infeliz e desditoso,
Pois fui também humano entre os humanos,
E através dos meus dias, dos meus anos,
Se eu quisesse gozar, teria o gozo.

É que ao sentir no âmago do peito
A atitude do homem nessa vida,
Coração enganado, alma iludida,
Afastado do Puro e do Perfeito,

O meu ser que sonhara a Humanidade
Qual um ramo de flores perfumosas,
Viu as almas tremerem, desditosas,
Sob o peso da própria iniquidade.

E isolado nos grandes sofrimentos
De ser só, na aspereza dos caminhos,
Encontrei o prazer pelos espinhos,
Ao trilhar os carreiros dos tormentos.

Pois no mundo pequeno da minh'alma,
Quando em dor me envolvia a desventura,
Eu vislumbrava a luz brilhante e pura
Que me trazia a paz, bonança e calma:

— Era a luz que me vinha da visão
De ver o Cristo-Amor, entre cansaços,
E tinha então prazer de ver meus braços
Enlaçados na cruz da provação.

O nobre castelão

    No interior
Do esplêndido alcáçar,
Agonizava o senhor
Dos domínios extensos.
    O dono do solar
Nos espasmos intensos
    Da agonia,
Em torno dirigia
Um último olhar,
    E viu então
    O seu brasão
Invicto e glorioso,
Insculpido nas fúlgidas realezas
    Do castelo formoso,
Transbordante de glórias e riquezas!

    Mais alongando a vista,
Viu-lhe o feito da esplêndida conquista
    Nas grandiosas searas.
Que em suas mãos avaras
Foram armas cruéis, destruidoras,

Martirizando as almas sofredoras.
Contemplou seus tesouros passageiros,
E em espasmos convulsos, derradeiros,
      Opresso o coração,
Mergulhado no pranto mais profundo,
      Expirou para o mundo
      O nobre castelão.

A sua alma despida das grandezas,
Das terrenas, efêmeras realezas,
Bem após o transcurso de alguns anos
      De triste letargia,
      Foi um dia
Despertada em amargos desenganos:
Conturbado por agros dissabores,
Contemplou seu solar
Ocupado por outros moradores...
      A exclamar,
      Estranhou revoltado,
Que ninguém acudisse ao seu chamado.
      E em atitude austera,
      Tomado de energia,
      De cólera severa
      Já que ele era o senhor,
Reclamou os seus servos com calor
E, entretanto, nenhum lhe obedecia.
      Imerso em turvação,
      Somente, às vezes,
Escutava nos ditos mais soezes
      Terrível maldição
Das vítimas de antanho!
E o sofrimento era tamanho
Em ser incompreendido,
Que se julgou perdido
      Irremissivelmente.

Assim, constantemente,
Durante o transcorrer de muitos dias,
Conservou-se naquelas cercanias
    Como presa feroz
Do sofrimento atroz,
De contínuos pesares e agonias...
    Todavia,
O pobre sofredor,
No auge do amargor,
Recordou-se que havia
Um Pai Onipotente,
    E cheio de fervor,
    Humilde penitente,
    Implorou seu amor
Numa súplica em lágrimas de pena.
    Sua alma sofredora
Sentiu-se então mais calma e mais serena,
Penetrada de doce claridade,
De luz confortadora,
Que provinha de alguém
    Que lhe fazia
Meditar na grandeza da Verdade
E lhe dizia
Da beleza do Amor, da Luz, do Bem:
— "O que sofres, amigo, é a consequência
Da equívoca existência
    Que levaste,
Já que sem piedade aniquilaste
Muitas almas e muitos corações,
Que hoje te envolvem os lúridos momentos
    Em rudes sofrimentos
    E estranhas maldições.

Por que ocultaste as flores formosas
    Que na Terra colheste,

Flores lindas que nunca ofereceste
    Às almas desditosas?
Por que não concedeste um só bocado
    Do teu pão abundante
    Ao pobre esfomeado?
Ocupando-te em gozo, a todo o instante,
Jamais vestiste os nus, nem consolaste
    Aquele que sofria;
Desprezavas o fraco e nunca amaste
    Quem de ti carecia!
    A caridade,
O sentimento-luz, a flor-tesouro,
Não tiveste em teus dias de maldade
    No grande sorvedouro!
Porém, o Deus de Amor
É sempre o magnânimo Senhor,
E permite que voltes aos humanos,
Para que se dissipem teus enganos
    No amargor;
    Voltarás,
Porém, já não terás
Efêmeras venturas,
Serás agora escravo e não senhor...
    Conhecerás
As dores e amarguras,
As mágoas escabrosas
Pelas estradas rudes e espinhosas!
    Abençoa o Senhor
Que te concede a dor,
Para assim compreenderes
Que os reais e legítimos prazeres
Que da vida nos vêm,
Não residem no Mal e sim no Bem."

NESGA DE CÉU

A alma extasiada
Sobe... sobe...
Há toda uma amplidão iluminada
À sua vista...

A estrada
É uma etérea alfombra
Sem resquícios de sombra!
É o domínio da luz que ela conquista!

Vibra no ar
Dulcíssima harmonia,
Como se fora feita
De luar,
De alegria...
De alegria perfeita.

Parece um hino de amor
Dos Paganinis siderais,
A ventura, o fulgor,
Transformados em notas musicais.

Além, fulguram sóis;
Em tudo há um misto
Nunca visto
De manhã e arrebóis.

Aos clarões dessa aurora,
A alma chora
Em êxtase profundo.

E lembra-se que sofreu,
Que amou, que padeceu.

Ao longe, muito ao longe,
O mundo
É um ponto negro que gira...

Ainda além, mais além,
A Via Láctea transluz,
Como um éden de luz
E de amor.

Nesgas do céu, imagens de esplendor,
Cenários majestosos,
Soberbas harmonias
Nos mundos luminosos!

Seres que passam rápidos, flutuantes,
Sorridentes, radiantes,
Nos espaços sem termos, onde a vida
É a imortalidade
Anelada, querida,
De pureza, de beleza,
De perfeição e de felicidade!

Embaixo as vastidões,
Em cima, as emoções
Do Ilimitado.

Atrás a noite e as mágoas de agonia
Do passado;
E, em frente,
Um futuro esplendente
Pintalgado de rosas,
Da mais pura alegria.

Feito de éter, de sonho,
O caminho é risonho,
Recamado de flores perfumosas.

Melodia, luz, aroma!...
De repente,
Numa nesga de céu resplandecente
Assoma
Uma rútila esfera,
Como um país de doce primavera,
Intérmina de gozos!...
A alma se extasia
Na luz do Eterno Dia.
Com os pensamentos puros e radiosos,
Ora a Deus:

Recorda em prece os sofrimentos seus,
Evoca as lágrimas vertidas!
Contempla panoramas de outras vidas,
Vidas de estranha dor...

Mas cada gota amarga dos seus prantos

Agora
É um raio de aurora,
Que um a um
Vão formando uma auréola
De brilhos santos,
Que a engrinalda de luz.

Em suavíssima unção,
A pobre alma orando,
Chorando,
Nessa prece
Reconhece
A alvorada de sua redenção!

Comentários de Elias Barbosa

Um poeta de garra, esse que se esconde sob o anonimato. Dentro do campo autobiográfico, sabendo como poucos manejar seus recursos artesanais, ora empregando o decassílabo, no esquema rímico do tipo *abba*, ora utilizando o verso curto — linossigno autêntico —, numa contenção vocabular admirável, descreve-nos, não apenas uma de suas existências pregressas, quando foi nobre castelão, quanto nos extasia com a descrição de simples nesga de céu.

Neste último poema, nos quatro primeiros blocos estróficos, em que se aglomeram versos ecólicos (a predominância da vogal *a* confere ao grupo poético excelente dinamismo expressivo), e como que chegamos a ver a alma extasiada a subir, deixando para trás "um ponto negro que gira".

Analisemos a enumeração, não a caótica evidentemente, em que o icto recai na 4ª sílaba de decassílabo sáfico imperfeito:

    É a imortalidade
    Anelada, querida,
    De pureza, de beleza,
    De perfeição e de felicidade!

Dando-nos a ideia perfeita da difícil conquista da felicidade para quantos perlustram os carreiros humanos.

Curioso notar que o poeta como que antecipou o movimento de Poesia Concreta, que surgiu em 1956, no Brasil, ao sugerir no espaço em branco como que a queda de cada gota de pranto enunciada neste decassílabo heroico:

    Mas cada gota amarga dos seus prantos

    Agora
    É um raio de aurora,
    Que um a um
    Vão formando uma auréola
    De brilhos santos,
    Que a engrinalda de luz.

O poeta poderia ter grafado uma redondilha maior — "Agora é um raio de aurora" —, mas preferiu destacar o advérbio inicial para que o leitor tivesse a impressão da gota a fluir com o próprio fluxo poético.

Valado Rosas

Nasceu em Viana do Castelo, Portugal, em 1871. Veio para o Brasil com 14 anos e aqui viveu, poetou e desencarnou, na cidade de Caratinga (MG), em 19 de janeiro de 1930. Seu nome é Lázaro Fernandes Leite do Val. Modesto quão talentoso, foi também um polemista e doutrinador espírita vigoroso, que ilustrou o pseudônimo na imprensa profana e doutrinária do Brasil e de sua pátria.

Aos meus irmãos

Sob as estrelas da minha crença,
Cansado e triste cerrei meus olhos
Dentro da noite que é para muitos
Um mar bravio, cheio de escolhos.

Quando no mundo de exílio e sombra,
Habituei-me com as invernias
E com os reveses da minha sorte,
Na luta intensa que encheu meus dias,

É que o Evangelho do Cristo amado,
— O mensageiro da Perfeição,
Nas horas tristes e amarguradas,
Esclarecia meu coração:

Não sou, no entanto, quem vá mostrar
As maravilhas que ele fornece,
Quando escutamos as vozes claras
Da consciência, na luz da prece.

E, então, eu pude adormecer
Na paz serena, doce e cristã,
Abrindo os olhos tranquilamente
Numa alvorada linda e louçã.

Vós, que ficastes no mundo ingrato,
De quem me lembro na luz do Além,
Lede o roteiro dos Evangelhos...
E a paz na morte tereis também.

Na paz do Além

Dentro da noite grandiosa e calma,
Deixo a minh'alma falar aqui,
Aos companheiros de luta e crença,
Da graça imensa que recebi.

Graça divina de haver sofrido,
De ser vencido no mundo vão,
Graça de haver sorvido tanto
O amargo pranto da ingratidão.

Na vida obscura e transitória
A nossa glória vive na dor,
Dor de quem sofre sonhando e espera,
Com fé sincera, no Pai de Amor.

Subi o Gólgota dos meus pesares,
Que os avatares da redenção
São todos feitos nas amarguras,
Nas desventuras da provação.

Perdi na Terra doces afetos,
Sonhos diletos de sofredor,
Mas recebendo na grande escola
A grande esmola do meu Senhor.

E a Morte trouxe-me a liberdade,
A piedade, o amparo e a luz!
Feliz quem pode na dor terrestre
Seguir o Mestre com sua cruz.

Comentários de Elias Barbosa

Neste poema "Aos meus irmãos", estruturado em eneassílabos clássicos (cujos ictos recaem sempre na 4ª e 9ª sílabas), em que rimam apenas o 2º com o 4º versos, alerta-nos o poeta para a necessidade da obediência aos princípios evangélicos, valorizando a prece para que possamos escutar "as vozes claras/Da consciência", e, tanto quanto possível, preparar-nos para a obtenção da paz na morte, imersos na luz do Além, após a travessia do "mundo ingrato", mas redentor.

Concluindo o pensamento expresso no poema anterior, mas já agora dando mostras de seu virtuosismo poético e enfatizando o papel da dor no processo evolutivo das criaturas (*Na paz do Além*), o bardo português recorre ao difícil processo das rimas entrelaçadas, que só os grandes poetas conseguem utilizar, sem prejuízo do dinamismo expressivo e sem quebra do fluxo poético.

Índice alfabético das poesias

A

Adeus – 247
Ajuda e passa – 54
Além – 540
Além ainda... – 607
Alma – 185
Alma livre – 388
Almas – 248
Almas dilaceradas – 239
Almas sofredoras – 112
Almas de virgens – 249
Alter ego – 199
Análise – 186
Angústia materna – 531
Anjinhos – 319
Anjo de redenção – 507
Anjos da Paz – 387
Ansiedade – 383
Ante o Calvário – 217
Ascensão – 321
Ato de contrição – 693
Atualidade – 218
Ave Maria – 93
Aves e anjos – 570

B

Bandeira do Brasil – 657
Beijo de Judas (O) – 636

Beijo da morte (O) – 330
Beleza da morte – 394
Bilhetes – 280
Bondade – 537
Brasil (O. Bilac) – 647
Brasil (P. de Alcântara) – 651
Brasil do Bem – 658

C

Cálice (O) – 79
Caridade (C. e Souza) – 488
Caridade (G. Junqueiro) – 450
Carta íntima – 250
Carta ligeira – 61
Céu – 392
Céu (O) – 515
Ciência ínfima – 99
Cigarra morta – 301
Civilização em ruínas – 214
Companheiros da Doutrina (Aos) – 337
Confissão – 211
Consolai – 108
Contrastes – 240
Crença – 109
Crentes (Aos) – 68
Cromos – 265
Crucificação (A) – 637

D

De cá – 580
Dentro da noite – 194
Depois da festa – 85
Depois da morte – 102
Descrentes (Aos) – 638
Deus – 107
Diante da Terra – 422
Do Além – 129
Do meu porto – 49
Doce missionário (O) – 165
Do último dia – 55
Dor (À) – 397

E

Ego sum – 193
Em êxtase – 244
Em paz – 243
Engano (O) – 331
Era uma vez... – 303
Espiritismo – 336
Espírito – 206
Espíritos consoladores (Aos) – 299
Esposo da pobreza (O) – 567
Esquife do sonho – 147
Estranho concerto – 116
Eterna mensagem – 543
Eterna vítima – 460
Eu mesmo – 427
Evolução – 188
Exaltação – 400

F

Fatalidade – 115
Felizes os que têm Deus – 410
Filhas da Terra (Às) – 291

Flores silvestres – 332
Fortuna (A) – 538
Fracos da vontade (Aos) – 200
Fraternidade – 542

G

Glória aos humildes – 411
Glória da Dor – 403
Gloria victis – 389
Gratidão a Leopoldina – 213

H

Heróis – 384
Homem (Ao) – 202
Homem-célula – 196
Homem da Terra – 209
Homem-verme – 212
Homens (Aos) – 559
Homo – 190
Honra ao trabalho – 629
Hora extrema – 242

I

Ide e pregai – 405
Ideal – 639
Imortalidade – 435
Incógnita – 192
Incognoscível – 114
Irmão (O) – 80

J

Jesus (A. de Oliveira) – 53
Jesus (Marta) – 619
Jesus ou Barrabás? – 633
Juventude (À) – 305

L

Lágrimas (As) – 511
Lamentos do órfão – 533
Lei (A) – 215
Lembra-te do Céu – 620
Lembrai a chama – 543
Lembranças – 349
Leproso (O) – 536
Livro (O) – 641
Luta – 673

M

Mãe – 245
Mãe das mães – 623
Mágoa – 241
Mão divina – 111
Marchemos! – 363
Maria – 251
Maria (À) – 290
Matéria cósmica – 203
Mau discípulo (O) – 517
Meditando – 701
Mensageiro – 395
Mensagem fraterna – 252
Meu Brasil – 651
Meu caro Quintão (Ao) – 334
Meus amigos da Terra (Aos) – 428
Meus irmãos (Aos) – 713
Minha luz – 297
Minha terra (À) – 343
Minha vida – 488
Miniaturas da sociedade elegante – 155
Miragens celestes – 263
Mistério da morte (O) – 89
Mocidade (À) – 132

Morrer – 516
Morte – 45
Morte (À) – 101
Morte (A) – 366
Mundo (Ao) – 131

N

Na estrada de Damasco – 526
Na eterna luz – 315
Na imensidade – 197
Na noite de Natal (C. Cinira) – 308
Na noite de Natal (J. de Deus) – 545
Na paz do Além – 714
Na Terra – 674
Nada... – 148
Não choreis – 110
Não temas – 379
Nas sombras – 210
Nesga de Céu – 706
No castelo encantado – 684
No estranho portal – 611
No exílio – 652
No Horto – 635
No templo da Educação – 544
No templo da morte – 617
Nobre castelão (O) – 702
Nós... – 677
Nos véus da carne – 208
Nossa mensagem – 390
Noutras eras – 398
Nova Abolição – 555
Nunca te isoles – 615

O

Oração (J. de Deus) – 537
Oração (Idem) – 539

Oração (J. S. Horta) – 563
Oração ao Cruzeiro – 656
Oração aos libertos – 391
Ouvi-me – 409

P
Padre João (O) – 447
Página de gratidão – 655
Parnaso de Além-Túmulo – 530
Pé do altar (Ao) – 621
Pensamentos espíritas – 328
Pobres – 575
Poema da amargura e da esperança – 489
Poesia – 569
Post mortem – 677
Prece – 246
Prece (A) – 542

Q
Quadras (B. Braga) – 282
Quadras (C. Cunha) – 323
Quadras de um poeta morto – 125
Quadro da Quaresma (Um) – 465
Quanta vez – 404

R
Raça adâmica – 204
Rainha do Céu – 100
Recordando – 352
Redivivo (A. de Guimaraens) – 69
Redivivo (I. J. de A. Peixoto) – 497
Remorso (O) – 105
Renúncia – 407
Ressurreição – 640
Rimas de outro mundo – 277

Rogativa – 653
Romaria – 458

S
Santa Virgo Virginum – 71
Santo de Assis (O) – 168
São Pedro de Piracicaba (A) – 481
Saudade – 589
Se queres – 396
Sem sombras – 593
Senhor vem... (O) – 254
Sepultura (A) – 386
Sextilhas – 578
Símbolo – 327
Sinal (O) – 307
Sinos – 70
Sofre – 399
Sombra e luz – 329
Soneto (A. de Quental) – 104
Soneto (A. de Quental) – 106
Soneto (A. Nobre) – 130
Soneto (C. e Souza) – 402
Soneto (H. Fontes) – 487
Soneto (J. de Deus) – 541
Soneto (J. Duro) – 560
Soneto (L. G. Júnior) – 597
Soneto (O. Bilac) – 634
Soneto (P. de Alcântara) – 654
Soneto (R. de Leoni) – 675
Soneto (Idem) – 678
Sonetos (B. Cepelos) – 271
Sonetos (R. Correia) – 665
Subsconsciência (A) – 205
Supremacia da caridade – 324
Supremo engano – 113

T

Temos Jesus – 41
Tempo (O) – 94
Terra (A) – 346
Torturados (Aos) – 385
Trabalhadores do Evangelho (Aos) – 412
Tristes (Aos) – 393
Tudo vaidade – 408

U

Um observador materialista (A) – 216
Um padre (A) – 462
Unidade – 616

V

Versão do Salmo 12 – 694
Versão do Salmo 18 – 695
Versos – 326
Vi-te, Senhor! – 683
Viajor e a Fé (O) – 306

Vida – 421
Vida e morte – 207
Vinde! – 253
Virgem (À) (B. Sampaio) – 287
Virgem (À) (Idem) – 292
Voltando – 598
Voz humana – 184
Voz do Infinito – 177
Vozes – 401
Vozes de uma sombra – 180

Índice onomástico e bibliográfico

(Os números entre parênteses indicam páginas desta obra.)

Adelmar Tavares. (340)

Adolfo Casais Monteiro. *Antero de Quental — Poesia e prosa*, N. Cl., nº 6, Agir, 1957, p. 13. (117)

Afonso Celso. In: *Revista do Livro*, nº 18, ano V, junho, 1960. Rio de Janeiro: MEC/INL, p. 125 a 173 (*Vultos e fatos* — Rio de Janeiro, Magalhães e Cia., 1893). (660)

Agrippino Grieco. *Evolução da poesia brasileira*, 3. ed. revista, J. Olympio, 1947, p. 102. (75)

Id., ibid., p. 104. (76)

Id., ibid., p. 80. (430)

(171)

Alphonsus Guimaraens. *Poesias*, "Pastoral aos crentes do amor e da morte". Rio de Janeiro: Edição da Organização Simões, 1955, 1º vol., p. 333. (71)

Id., ibid., "Poema XXXVI", p. 373. (74)

Id., ibid., "Soneto XX", 2º vol., p. 487. (74)

Id., ibid., "Soneto XXXII", p. 456. (75)

Caminho do Céu, "Soneto IV", p. 433. (74)

Poesias, "Um Ser", publicado no jornal "Conceição do Sêrro", de 16-10-1904 (cf. nota 31 de Alphonsus de Guimaraens Filho na op. cit., p. 578 e 579). (416)

Id., ibid., "Eternidade Retrospectiva", p. 199. (416)

Aires da Mata Machado Filho. *Revista do Livro*, nº 19, "O Poeta Augusto de Lima", ano V, setembro, 1960, MEC/INL, p. 119 a 137. (170)

Id., ibid., p. 125, 126 a 128. (170)

Id., ibid., p. 134. (172)

Id., ibid., p. 135. (173)

Alberto de Oliveira. *Poesias*, "Espíritos", ed. melhorada, 2ª série, Garnier, 1912, p. 171. (55)

Alberto de Oliveira e Jorge Jobim. *Poetas Brasileiros*, tomo II. Rio de Janeiro: Livraria Garnier, Paris, 1922, p. 121 a 150. (570)*Id., ibid.*, tomo I, p. 93 e 94. (602)

Alceu Amoroso Lima. *Olavo Bilac — Poesia*, N. Cl., nº 2, 2. ed., Agir, Rio de Janeiro, 1959, p. 8. (255, 642)

Andrade Muricy. *B. Lopes — Poesias*, N. Cl., nº 63. Rio de Janeiro: Agir, 1962, p. 10. (266)

Id., ibid., "Soneto XXV", p. 24. (268)

Id., ibid., "Soneto XXXVIII", p. 25. (268)

Movimento Simbolista Brasileiro. Rio de Janeiro: MEC/INL, vol. I, 1952, p. 104. (415)

Id., ibid., p. 158 e 159. (416)

André Luiz. *Missionários da Luz*, ditada pelo Espírito André Luiz e psicografada pelo médium Francisco Cândido Xavier, FEB, 4. ed., 1949, p. 169. (310)

Antônio Carlos Machado. *Coletânea de poetas sul-riograndenses* (1834–1951). Rio de Janeiro: Editora Minerva Ltda., 1952, p. 124 e 125. (630)

Antônio Houaiss. *Augusto dos Anjos — Poesias*, N. Cl., Agir, 1960, p. 21, nota 30. (226)

Id., ibid., p. 38 e 61, notas 93 e 152. (227)

Antônio Nobre. *Só*, Livraria Tavares Martins, 12. ed., publicada 62 anos após a morte do poeta, Porto, 1962, p. 53 a 57. (134)

Id., ibid., p. 7. (134)

Id., ibid., p. 14, 15 a 17. (135)

Id., ibid., p. 18, 19, 22, 29, 46. (p. 136)

Id., ibid., p. 48, 49, 70, 71, 78, 81, 86, 91, 123, 126, 75, 128, 131, 141, 181, 191, 207, 208, 213, 214. (137)

Só, 6. ed., Porto: Companhia Editora do Minho-Barcelos, 1939, p. 224 e 225. (139)

Id., ibid., p. 170, 171, 185. (139)

Antônio de Pádua. *Revista Brasileira de Filologia*, "Notas de Estilística", vol. 1, tomo II, dezembro, 1955. Rio de Janeiro: Livraria Acadêmica, p. 184 e 185, 8 a 123, 134, 332, 258, 367, 14, 284, 246. (73)

Notas de Estilística, p. 42 a 45. (376)

Antônio Sales. (340, 583)

Antônio Soares Amora. *Panorama da poesia brasileira — Era luso-brasileira*, vol. I. Rio de Janeiro: Civilização, 1959, p. 212 a 217. (697)

Aristóteles. (373)

Artur Azevedo. *Revista Brazileira*, tomo XI, 1897, p. 286. (161)

Auta de Souza. *Horto*, 4ª edição, Fundação José Augusto, Natal (RN), 1970, com prefácio à 3ª edição de Alceu Amoroso Lima (Tristão de Athayde); prefácio da 1ª edição de Olavo Bilac e uma "Nota", ao final do volume, de seu irmão H. Castriciano, datada de Paris, 4 de agosto de 1910. (237)

Id., ibid., p. 132 (256)

Id., ibid., p. 26, 67, 117, 234, 244, 247. (257)

Id., ibid., p. 11, 234, 244, 247. (258)

Id., ibid., "Trovas XX, XXI, XXII, XXIV, XXV", p. 207 e 208. (259)

Bittencourt Sampaio. *A divina epopeia*, "Canto XVI". Rio de Janeiro: FEB, 1914, p. 141 a 144. (293)

Brito Broca. *Horas de leitura*. Rio de Janeiro: MEC/INL, 1957, p. 245 a 250. (150)

Camilo. *O demônio de ouro*, vol. I, cap. XXXII, p. 223. (340)

Camões. (667)

Cassiano Ricardo. *Seleta em prosa e verso*, Coleção Brasil Moço, J. Olympio, INL, Organização, notas e estudos de Nelly Novaes Coelho. Nota de Paulo Rónai, 1972, p. XIV. (16)

(15, 159)

Cigarra (A). *Espumas*, São Paulo, 1917, p. 15 e 26. (90)

Clóvis Ramos. *Antologia de Poetas Espíritas*, "Baixos Relevos". Rio de Janeiro: Irmãos Pongetti Editores, 1959, p. 17. (95)

Correio Fraterno. "Apelo à mocidade espírita-cristã", FEB, 1970, p. 12 a 15. (375)

Custódio Quaresma. *Primores da poesia portuguesa*, 2. ed. Rio de Janeiro: Livraria Quaresma, 1951, p. 257 e 258. (572)

Da Costa Santos. *Joias da poesia mineira*. Belo Horizonte: Edições Mantiqueira, 1952, p. 93 e 94. (171)

Id., ibid., p. 117. (594)

Dámaso Alonso. *Poesia Espanhola — Ensaio de métodos e limites estilísticos*, trad. Darcy Damasceno, MEC/INL, 1960, p. 154 e 155. (13)

De Castro e Silva. *Augusto dos Anjos* — "O poeta e o homem", Belo Horizonte, 1954, p. 94. (234)

Djalma Andrade. (340)

Drummond. (482)

Edgar Cavalheiro. *Panorama da poesia brasileira — O Romantismo*, vol. II, Civilização, 1959, p. 159. (292)

Fagundes Varela. 3. ed. São Paulo: Livraria Martins Editora, 1956, p. 293 a 298. (441)

Id., ibid., cap. XIV. (442)

Edgard Rezende. *Os mais belos sonetos brasileiros*. 3. ed. Rio de Janeiro: Livraria Freitas Bastos S. A., 1956, p. 66. (630)

Edmundo Lys. *Correio Braziliense — Feminino*, "Canto dos Poetas", "Joias do Soneto Feminino", Brasília, 16-2-1969, p. 3. (255)

Elias Barbosa. (16)

Emil Staiger. *Conceitos fundamentais da poética*, trad. de Celeste Aída Galeão. Rio de Janeiro: Edições Tempo Brasileiro, 1972. (14)

Conceitos fundamentais da poética, p. 41. (442)

Id., ibid., "Cântico do Calvário", p. 293. (442)

Id., ibid., p. 623 e 624. (443)

Id., ibid., p. 364. (443)

Eugênio Gomes. *Castro Alves — Poesia*, N. Cl., nº 44. Rio de Janeiro: Agir, 1960. (376)

Fagundes Varela. *Poesias Completas*, Introdução de Edgard Cavalheiro, Organização, revisão e notas de Frederico José da Silva Ramos, id. sem edição, 1956, p. 54 e 55. (439)

Cantos Meridionais, p. 384. (439)

Id., ibid., p. 409. (439)

Id., ibid., p. 455. (440)

Cantos Religiosos, com prefácio de Otaviano Hudson, p. 934 e 935. (440)

Diário de Lázaro, de 1880, "Canto VI". (441)

Id., ibid., XI, p. 800 e 801. (441)

Fausto Cunha. *A luta literária*. Rio de Janeiro: Lidador Ltda., 1964, p. 79 a 86. (235)

Revista do Livro, n°s 23/24, "Castro Alves e o Realismo Romântico", ano VI, julho-dezembro, 1961, MEC/INL, p. 7 a 22. (376)

Fausto Cunha e Waltensir Dutra. *Biografia crítica das letras mineiras — Esboço de uma história da literatura em Minas Gerais*. Rio de Janeiro: MEC/INL, 1956, p. 93 e 94. (150)

Id., ibid., p. 65 e 66. (172)

Fernando de Lacerda. (20)

Fernando Góes. *Panorama da poesia brasileira — O Pré-Modernismo*. Rio de Janeiro: Civilização, 1960, vol. V, p. 31 a 32. (90)

Id., ibid., p. 62 a 87. (235)

Id., ibid., p. 98. (283)

Fernando Jorge. *Vida e poesia de Olavo Bilac*. São Paulo: Livraria Exposição do Livro, Edição do Centenário, p. 96, 117, 183, 230, 237, 239, 249, 281. (646)

Fidelino de Figueiredo. *Antero*. São Paulo: Coleção "Departamento de Cultura", vol. XXVI, 1942, p. 42 e 43. (120)

Francisco de Assis Barbosa. (235)

Francisco Cândido Xavier. (12, 13, 15, 31, 63, 64, 140, 143, 159, 226, 414, 443)

Francisco Valdomiro Lorenz. (415)

Gastão de Deus Victor Rodrigues. *Parnaso Goyano*, 1ª parte de *Páginas Goyanas*, 1917, *in* Gilberto Mendonça Teles, *A poesia em Goiás — Estudo/Antologia*, Universidade Federal de Goiás, 1964, p. 284. (423)

Geir Campos. *Alberto de Oliveira — Poesia*, N. Cl., nº 32. Rio de Janeiro: Agir, 1959, p. 27, 28, 47. (58)

Georges Lote. (64)

Germano Novais, Pe. (679)

Gladstone Chaves de Melo. *Alphonsus de Guimaraens — Poesia*, N. Cl., nº 19. Rio de Janeiro: Agir, 1958, p. 7 a 13. (71)

Guerra Junqueiro. *A morte de D. João*, 14. ed. Porto: Lello & Irmão Editores, s/d. (445)

Id., ibid., p. 24, 26, 27, 28, 29. (469)

Id., ibid., p. 30, 33, 41, 50, 263. (471)

Id., ibid., p. 341, 342, 173, 171, 169, 148, 147, 103, 107, 106, 98, 90, 59, 82, 80, 73, 25. (472)

Id., ibid., p. 31, 34, 36, 37, 40, 43, 69. (473)

Oração à Luz, Livraria Chardron. Porto: Lello & Irmão Editores, 1904, p. 12. (473)

Livro de orações. Lisboa: Empreza de Edições Populares, 1917, p. 25. (473)

A velhice do Padre Eterno, com um estudo de Camilo Castelo Branco. Porto: Lello & Irmão Editores, s/d. (Edição Popular), p. 3 e 4. (474)

Poesias Dispersas. 5. ed. Porto: Lello & Irmão Editores, s/d., p. 113 a 121. (474)

Guimarães Passos. (644)

Gustavo Teixeira. *Poesias Completas*, com prefácio de Cassiano Ricardo. São Paulo: Anhambi, 1959. "Hino ao grupo escolar de São Pedro", p. 413 e 414. (481)

Id., ibid., "Soneto XVIII", p. 441. (483)

Id., ibid., "Casa Paterna", p. 96. (483)

Hans Jürgen W. Horch. *Bibliografia de Castro Alves*. Rio de Janeiro: MEC/INL, 1960. (376)

Hermes Fontes. *Despertar! — Canto Brasileiro*, Jacinto Ribeiro dos Santos. Rio de Janeiro: Editor, 1922, p. 137 a 140. (492)

Hildon Rocha. *Cultura*, nº 2, "Confronto entre Castro Alves e Álvares de Azevedo", ano I, abril a junho de 1971, p. 40 a 53. (376)

Humberto de Campos. (35)

Ismael Gomes Braga, Prof. (42)

Itamar Siqueira. (598)

Jaime Cortesão. (141)

Jamil Almansur Haddad. *Poemas de amor*, de Castro Alves, organização e prefácio. Rio de Janeiro: Civilização, 1957. (p. 376)

Poesias Completas de Castro Alves, Introdução de Jamil Almansur Haddad, organização, revisão e notas de Frederico José da Silva Ramos, 2. ed. São Paulo: Saraiva, 1960. (p. 376)

História poética do Brasil (História do Brasil narrada pelos poetas) — Seleção e introdução de Jamil Almansur Haddad. São Paulo: Editorial Letras Brasileiras Ltda., prefácio datado de 1943. (661)

Jesus Gonçalves. *Flores do outono*, 2. ed. São Paulo: LAKE — Livraria Allan Kardec Editora, nota da editora, de setembro de 1971, p. 17. (507)

Id., ibid., p. 50. (508)

João Clímaco Bezerra. *Juvenal Galeno — Poesia*, N. Cl., nº 34. Rio de Janeiro: Agir, 1959, p. 5 e 6. (582)

Id., ibid., p. 7, 8. (583, 584)

Id., ibid., p. 14, 28. (584)

Id., ibid., p. 48 a 50, 80 a 83. (585)

Joel Pontes. *O teatro sério de Artur Azevedo*, in *Anais* do *Segundo Congresso Brasileiro de Crítica e História Literária*, Faculdade de Filosofia, Ciências e Letras de Assis, 1963, p. 237 a 264. (159)

Jorge Azevedo. *Eles deixaram saudades*. Belo Horizonte: Imprensa Oficial, 1966, p. 57 a 69. (62)

Jorge Jobim e Alberto de Oliveira. *Poetas Brasileiros*, tomo II. Rio de Janeiro: Livraria Garnier, Paris, 1922, p. 121 a 150. (602)

Id., ibid., tomo I, p. 93 e 94. (697)

José Schiavo. *Os 150 mais célebres sonetos da língua portuguesa*. Rio de Janeiro: Edições de Ouro, 1969, p. 67. (312)

Josué Montello. *Caminho da fonte — Estudos de Literatura*. Rio de Janeiro: MEC/INL, 1959, p. 101 a 162, 112, 125 e 126, 149, 153 e 154. (140)

Caminho da fonte — "Uma alternância vocálica na poesia de Língua Portuguesa", especialmente no item IV — "A lição de Antônio Nobre", p. 384 a 394. (142)

Id., ibid., p. 385 e 393. (143)

Lamartine. *Poésis Choisies*, Classiques Illustrés Vaubordolle. Paris: Libraire Hachette, 1935, p. 48. (564)

Lêdo Ivo. *Revista do Livro*, nº 20, "As diatomáceas da lagoa", ano V, dezembro, 1960, MEC/INL, p. 61 a 66. (235)

Raimundo Correia — Poesia, N. Cl., nº 20. Rio de Janeiro: Agir, 1958, p. 12. (667)

Leôncio Correia. *Obras completas de Leôncio Correia*, tomo 2, Edição do estado do Paraná, 1954, p. 56. (589)

Lincoln de Souza. *Vida Literária*. Rio de Janeiro: Irmãos Pongetti Editores, 1961, p. 17 a 23. (643)

Luís da Câmara Cascudo. *Antônio Nobre — Poesia*, N. Cl., nº 41, Agir, 1959, p. 47. (137)

Id., ibid., p. 95. (139)

Vida breve de Auta de Souza. (255)

Luigi Arnaldo Vassalo. (688)

Luís Murat. *Ondas II*. Rio de Janeiro: Typ. Leuzinger — Ouvidor, 31 & 36, 1895. (607)

Rythmos e idéas, Livraria Francisco Alves, 1920, com prefácio de Félix Pacheco, p. 23. (608)

Luísa Michel. (17)

Luiz Santa Cruz. *Raul de Leoni — Trechos Escolhidos*, N. Cl., nº 58. Rio de Janeiro: Agir, 1961, p. 11. (678)

M. Rodrigues Lapa. "Algo de novo sobre Alvarenga Peixoto", *Revista do Livro*, nº 14, ano IV, junho-1959. Rio de Janeiro: MEC/INL, p. 7 a 18. (499)

Vida e Obra de Alvarenga Peixoto. Rio de Janeiro: MEC/INL, 1960. (499)

Id., ibid., "Sonho poético", p. 44. (499)

Id., ibid., "Poema 29", p. 47. (499)

Id., ibid., p. 48. (500)

Id., ibid., p. XLI, L, LVI. (500)

Id., ibid., "Poema 23", p. 36. (500)

Id., ibid., "Poema 14", p. 17. (501)

Id., ibid., "Soneto 20". (501)

Id., ibid., "Soneto 33", p. 54. (501)

Id., ibid., p. LII. (502)

Id., ibid., "Poema 18", p. 23. (502)

Id., ibid., "Poema 21", p. 30. (502)

Id., ibid., nota 18. (502)

M. Bernardes. *Armas da castidade*, na miscelânea de *Vários Tratados*, tomo II, ed. de 1962, p. 367. (340)

M. Cavalcanti Proença. *Augusto dos Anjos e outros ensaios*. Rio de Janeiro: J. Olympio, 1959, p. 83 a 149. (218)

Ritmo e poesia. Rio de Janeiro: Edição da Organização Simões, 1955, p. 80 e 81. (224)

Id., ibid., p. 87 e 88. (431)

Revista do Livro, nº 7, "Nota para um rimário de Augusto dos Anjos", ano II, setembro, 1957, MEC/INL, p. 29 a 39. (235)

Manuel Bandeira. *Sonetos completos e poemas escolhidos*, seleção, revisão e prefácio de Manuel Bandeira, Edições de Ouro, 1969, p. 270. (118)

Id., ibid., p. 303. (118)

Id., ibid., p. 19 e 20. (119)

Id., ibid., p. 185. (p. 121)

Poetas brasileiros da fase romântica (Revisão crítica, em consulta com o autor, por Aurélio Buarque de Hollanda), Edições de Ouro, 1965, p. 309 a 312. (602)

In Raimundo Correia, *Poesia completa e prosa*. Rio de Janeiro: José Aguilar Ltda., 1961, p. 31 e 32. (667)

Manuel Batista Cepelos. (13)

Manuel Quintão. *Cinzas do meu cinzeiro*, Federação Espírita do Paraná, Curitiba, s/d, p. 186 e 187. (p. 338)

(14, 24, 31, 49, 95)

Mário Barreto. *Através do dicionário e da gramática*, 3. ed. Rio de Janeiro: Edição da Organização Simões, 1954, p. 200. (339)

Mário Chamie. Suplemento Literário de *O Estado de São Paulo*, "Metábole", publicado em 4-7-71, ano 15, nº 727, primeira página. (370)

(374 a 376)

Marot. (64)

Martins de Oliveira. *História da literatura mineira (Esquema de interpretação e notícias bibliográficas)*. Belo Horizonte: Itatiaia Ltda., 1958, p. 180 e 181. (148)

Massaud Moisés. *Guia prático de análise literária*. São Paulo: Cultrix Ltda., 1970, p. 42 e 43. (157)

A criação literária — Introdução à problemática da Literatura. São Paulo: Edições Melhoramentos, 1967, p. 162 e seguintes. (157)

Matila C. Chyka. (370)

Mello Nóbrega. *Revista do Livro*, nº 13, "O rimário de Alberto de Oliveira", ano IV, março, 1959, MEC/INL, p. 27 a 45. (56)

Id., ibid., p. 38 a 42. (57)

Rima e poesia. Rio de Janeiro: MEC/INL, 1965, p. 84 e 85. (64)

Id., ibid., p. 282. (137)

Revista do Livro, nº 12, "Evocação de B. Lopes", ano III, dezembro, 1958, p. 116. (267)

Mendes dos Remédios. *História da Literatura Portuguesa*, 4. ed. refundida. Coimbra: F. França Amado — Editor, 1914, p. 673. (551)

Miguel Timponi. *A psicografia ante os tribunais*, 4. ed., FEB, 1961, p. 60 a 64. (35)

Id., ibid., p. 339 a 341. (132)

Mirabelli. (23)

Naief Sáfady. "O sentido humano do lirismo de João de Deus", Faculdade de Filosofia, Ciências e Letras de Assis, 1961, p. 56 a 66. (546)

Id., ibid., Odes e canções, "Amor", tomo I, estrofe VII-VIII, p. 94. (546)

Id., ibid., "O seu nome", tomo I, estrofe XIII, p. 171. (547)

Id., ibid., estrofe XII, p. 170. (549)

Id., ibid., Elegias, "Pêsame", tomo I, estrofe IV, p. 257. (547)

Id., ibid., Poemetos, "A Lata", tomo II, estrofe XXVIII, p. 158. (547)

Id., ibid., Cançonetas, "Agora", tomo I, estrofe I, p. 56. (548)

Id., ibid., Odes e Canções, "Heresta", tomo I, estrofe XIII, p. 105. (548)

Id., ibid., Cânticos, tomo I, estrofe I + coro, p. 360. (548)

Id., ibid., Cançonetas, "Letra", tomo I, estrofe I, p. 16. (549)

Id., ibid., Marina, tomo I, estrofe XXVII, p. 222. (549)

Id., ibid., Odes e Canções, 'No Túmulo", tomo I, estrofe III, p. 121. (549)

Id., ibid., A um retrato, tomo I, estrofe III, p. 111. (549)

Id., ibid., Olhar, tomo I, estrofe XIV, p. 163. (549)

Id., ibid., Espera!, tomo I, estrofe III, p. 113. (550)

Nilo Bruzzi. *Casimiro de Abreu*. Rio de Janeiro: Aurora, 1949, p. 159 a 161. (354)

Olavo Bilac. *Poesias*, edição de 1946, Livraria Francisco Alves, p. 13, 16, 23, 25, 35, 59, 94, 136, 192, 223, 24, 75, 77, 88, 161, 179, 188, 264, 83, 18, 27, 39, 68, 69, 115, 140, 35, 56, 72, 97, 116, 122, 168, 186, 191, 195, 124, 125, 273, 332. (645)

Id., ibid., p. 15, 266, 19, 74, 39, 16, 103, 106, 104, 308, 106, 334, 181, 192, 161, 147, 170, 71, 168, 191, 328, 169, 205, 32, 122, 185, 275. (646)

Tratado de *Versificação*, Ed. F. Alves, 1910, p. 86. (644)

Orris Soares. (235)

Osório Borba. *A comédia literária*, 2. ed. Rio de Janeiro: Civilização, 1959, p. 139. (660)

Anuário brasileiro de literatura (1943-1944). Rio de Janeiro: Livraria Zélio Valverde, p. 70 a 72. (643)

Parnaso de além-túmulo, 8. ed., FEB, nota nº 3 (última página). (594)

Paul-Louis Courier. (149)

Péricles Eugênio da Silva Ramos. *Panorama da poesia brasileira — Parnasianismo*, vol. III. Rio de Janeiro: Civilização, 1959, p. 178. (149)

Id., ibid., p. 180 e 181. (159)

Id., ibid., p. 23. (599)

Id., ibid., p. 77 e 78. (666)

Poetas redivivos. Diversos Espíritos, Psicografia de Francisco Cândido Xavier, FEB, cap. 19. (376)

Povina Cavalcanti. *Hermes Fontes — Vida e poesia*. Rio de Janeiro: J. Olympio, 1964, p. 225. (492)

Id., ibid., "Salve-Rainha", p. 162. (492)

Id., ibid., p. 163. (493)

Raimundo Correia. *Poesia completa e prosa*, Texto, cronologia, notas e estudo biográfico por Waldir Ribeiro do Val; Introdução Geral — Manuel Bandeira e Waldir Ribeiro do Val. Rio de Janeiro: José Aguilar Ltda., 1961, p. 482. (594)

Raimundo Magalhães Júnior. *Poesia e vida de Cruz e Souza*. São Paulo: Editora das Américas, 1961, p. 180 e 181. (555)

Raimundo de Menezes. Coleção Saraiva, nº 13, 2. ed. refundida. São Paulo: Saraiva, s/d., p. 214. (428)

Id., ibid., p. 196. (389)*Id., ibid.*, p. 239. (430)

Raul de Leoni. *Luz Mediterrânea*, 10. ed., Prefácio de Rodrigo Melo Franco de Andrade. São Paulo: Livraria Martins Editora, s/d., p. 73. (679)

Id., ibid., p. 106, 116 e 117, 12. (679, 680)

Reformador. "A Dor", 1934, p. 262 a 264. (42)

1942, p. 43 e 44. (49)

"Poetas do Mais Além" — "Alberto de Oliveira ante os Espíritos", 1968, p. 250. (55)

1918, p. 181. (95)

"Ante os novos tempos", 1970, p. 157. (375)

"Esperanto", 1947, p. 177. (375)

"Bilac, reencarnacionista", 1950, p. 45. (646)

Ribeiro Couto. (482)

Roger Bastide, Prof. (415)

Rodrigues de Abreu. *Poesias Completas*. São Paulo: Panorama, 1952, Introdução de Domingos Carvalho da Silva, p. 26, 28, 49, 59. (687)

Id., ibid., p. 245, 258, 263. (688, 689)

Id., ibid., p. 265. (689)

Roman Jakobson. *Linguística e comunicação*, trad. de Izidoro Blikstein e José Paulo Paes. São Paulo: Cultrix, 1971, p. 118 a 162. (14)

Linguística. Poética, Cinema. São Paulo: Perspectiva, 1970, Pref. de Boris Xchnaiderman e Haroldo Campos. (14)

Saint-Gelais. *Règles de la Seconde Rhétorique.* (64)

Schiller. (16)

Shakespeare. (140)

Sílvio Romero. (293)

Sousa Couto, Dr. (20)

Sousa da Silveira, Prof. *Casimiro* de *Abreu — Poesia*, N. Cl., nº 23. Rio de Janeiro: Agir, 1958, p. 7. (354)

Obras de Casimiro de Abreu, apuração e revisão do texto, escorço biográfico, notas e índices por Sousa da Silveira. São Paulo: Nacional, 1940. (356)

Id., ibid., "Meu Lar", nota 28, p. 74 a 76. (356)

Id., ibid., "A voz do Rio", p. 129 a 131. (356)

Id., ibid., "Suspiros", p. 104 a 106. (356)

Id., ibid., "Poesia e Amor", p. 137 a 140. (356)

Id., .ibid., "Primaveras", p. 151 a 155. (357)

Id., ibid., "Sonhos de Virgem", p. 191 a 193. (357)

Id., ibid., "Sempre Sonhos!...", p. 201 a 204. (357)

Id., ibid., "A J. J. C. Macedo-Júnior", p. 281 a 288. (357)

Id., ibid., "LXXII...", p. 342 a 347. (357)

Id., ibid., "Meu Lar", nota 12, p. 76. (358)

Id., ibid., "No leito", p. 365 a 371. (358)

Id.,ibid., "A vida", p. 374 a 378. (358)

Id., ibid., "Juriti", p. 91 a 93. (359)

Id., ibid., "Primaveras", p. 151 a 155. (359)

Id., ibid., "Moreninha', p. 121 a 125. (359)

Id., ibid.,"Juramento", cf. a nota 21 do professor Sousa da Silveira, p. 159 a 161. (360)

Id., ibid., "Meus Oito Anos", p. 94 a 96. (360)

Trechos Seletos, nota 56, p. 346. (360)

Tasso da Silveira. *Cruz e Souza — Poesia*, N. Cl., nº 4, 2. ed. Rio de Janeiro: Agir, 1960, p. 11. (412)

Id., ibid., p. 67. (413)

Id., ibid., "Caminho da Glória", p. 68. (413, 414)

Poesias completas de Cruz e Souza — Broquéis — Faróis — Últimos Sonetos — Edição rigorosamente revista, com introdução de Tasso da Silveira. Rio de Janeiro: Zélio Valverde, 1944. (413)

Id., ibid., p. 75. (414)

Thiago de Mello. (86)

Tobias Barreto. (42)

Torrieri Guimarães. *Sonetos Escolhidos*, Seleção e Introdução de Torrieri Guimarães. São Paulo: Livraria Exposição do Livro, 1966, p. 26. (119)

Túlio Hostílio Montenegro. (371)

Tzvetan Todorov. *Estruturalismo e poética*. Trad. de José Paulo Paes. São Paulo: Cultrix, 1970, p. 99 a 106. (14)

V. García Calderón. (415)

Virgílio. *Eneida*, I, 35. (360)

Waldo Vieira. (16)

Waltensir Dutra e Fausto Cunha. *Biografia crítica das letras mineiras — Esboço de uma história da literatura em Minas Gerais*. Rio de Janeiro: MEC/INL, 1956, p. 93 e 94. (150)

Id., ibid., p. 65 e 66. (172)

Waldir Ribeiro do Val. *Vida e obra de Raimundo Correia*. Rio de Janeiro: MEC/INL, 1960, p. 153 a 154. (667)

Walter José Faé. *O Liberal.* "Chico Xavier e Castro Alves", Americana (SP), publicados em 30-12-71, 8-1 e 15-1-72. (376)

Zêus Wantuil. *Grandes espíritas do Brasil*, FEB, 1969, p. 462 a 469. (589)

LITERATURA ESPÍRITA

Em qualquer parte do mundo, é comum encontrar pessoas que se interessem por assuntos como imortalidade, comunicação com Espíritos, vida após a morte e reencarnação. A crescente popularidade desses temas pode ser avaliada com o sucesso de vários filmes, seriados, novelas e peças teatrais que incluem em seus roteiros conceitos ligados à espiritualidade e à alma.

Cada vez mais, a imprensa evidencia a literatura espírita, cujas obras impressionam até mesmo grandes veículos de comunicação devido ao seu grande número de vendas. O principal motivo pela busca dos filmes e livros do gênero é simples: o Espiritismo consegue responder, de forma clara, perguntas que pairam sobre a Humanidade desde o princípio dos tempos. Quem somos nós? De onde viemos? Para onde vamos?

A literatura espírita apresenta argumentos fundamentados na razão, que acabam atraindo leitores de todas as idades. Os textos são trabalhados com afinco, apresentam boas histórias e informações coerentes, pois se baseiam em fatos reais.

Os ensinamentos espíritas trazem a mensagem consoladora de que existe vida após a morte, e essa é uma das melhores notícias que podemos receber quando temos entes queridos que já não habitam mais a Terra. As conquistas e os aprendizados adquiridos em vida sempre farão parte do nosso futuro e prosseguirão de forma ininterrupta por toda a jornada pessoal de cada um.

Divulgar o Espiritismo por meio da literatura é a principal missão da FEB, que, há mais de cem anos, seleciona conteúdos doutrinários de qualidade para espalhar a palavra e o ideal do Cristo por todo o mundo, rumo ao caminho da felicidade e plenitude.

CARIDADE: AMOR EM AÇÃO

Sede bons e caridosos: essa a chave que tendes em vossas mãos. Toda a eterna felicidade se contém nesse preceito: "Amai-vos uns aos outros". KARDEC, Allan. *O evangelho segundo o espiritismo*, cap. 13, it. 12.

A Federação Espírita Brasileira (FEB), em 20 de abril de 1890, iniciou sua *Assistência aos Necessitados* após sugestão de Polidoro Olavo de S. Thiago ao então presidente Francisco Dias da Cruz. Durante 87 anos, esse atendimento representava o trabalho de auxílio espiritual e material às pessoas que o buscavam na instituição. Em 1977, esse serviço passou a chamar-se Departamento de Assistência Social (DAS), cujas atividades assistenciais nunca se interromperam.

Desde então, a FEB, por seu DAS, desenvolve ações socioassistenciais de proteção básica às famílias em situação de vulnerabilidade e risco socioeconômico. Fortalece os vínculos familiares por meio de auxílio material e orientação moral-doutrinária com vistas à promoção social e crescimento espiritual de crianças, jovens, adultos e idosos.

Seu trabalho alcança centenas de famílias. Doa enxovais para recém-nascidos, oferece refeições, cestas de alimentos, cursos para jovens, serviços de convivência e fortalecimento de vínculos para idosos e organiza doações de itens que são recebidos na instituição e repassados a quem necessitar.

Essas atividades são organizadas pelas equipes do DAS e apoiadas com recursos financeiros da instituição, dos frequentadores da casa e por meio de doações recebidas, num grande exemplo de união e solidariedade.

Seja sócio contribuinte da FEB, adquira suas obras e estará colaborando com o seu Departamento de Assistência Social.

O EVANGELHO NO LAR

Quando o ensinamento do Mestre vibra entre quatro paredes de um templo doméstico, os pequeninos sacrifícios tecem a felicidade comum.[1]

Quando entendemos a importância do estudo do Evangelho de Jesus, como diretriz ao aprimoramento moral, compreendemos que o primeiro local para esse estudo e vivência de seus ensinos é o próprio lar.

É no reduto doméstico, assim como fazia Jesus, no lar que o acolhia, a casa de Pedro, que as primeiras lições do Evangelho devem ser lidas, sentidas e vivenciadas.

O espírita compreende que sua missão no mundo principia no reduto doméstico, em sua casa, por meio do estudo do Evangelho de Jesus no Lar.

Então, como fazer?

Converse com todos que residem com você sobre a importância desse estudo, para que, em família, possam compreender melhor os ensinamentos cristãos, a partir de um momento de união fraterna, que se desenvolverá de maneira harmônica e respeitosa. Explique que as reflexões conjuntas acerca do Evangelho permitirão manter o ambiente da casa espiritualmente saneado, por meio de sentimentos e pensamentos elevados, favorecendo a presença e a influência de Mensageiros do Bem; explique, também, que esse momento facilitará, em sua residência, a recepção do amparo espiritual, já que auxilia na manutenção de elevado padrão vibratório no ambiente e em cada um que ali vive.

Convide sua família, quem mora com você, para participar. Se mora sozinho, defina para você esse momento precioso de estudo e reflexões. Lembre-se de que, espiritualmente, sempre estamos acompanhados.

Escolha, na semana, um dia e horário em que todos possam estar presentes.

O tempo médio para a realização do Evangelho no Lar costuma ser de trinta minutos.

XAVIER, Francisco Cândido. *Luz no lar*. Por Espíritos diversos. 12. ed., 7. imp. Brasília: FEB, 2018. Cap. 1.

As crianças são bem-vindas e, se houver visitantes em casa, eles também podem ser convidados a participar. Se não forem espíritas, apenas explique a eles a finalidade e importância daquele momento.

O seguinte roteiro pode ser utilizado como sugestão:

1. Preparação: Leitura de mensagem breve, sem comentários;
2. Início: Prece simples e espontânea;
3. Leitura: *O evangelho segundo o espiritismo* (um ou dois itens, por estudo, desde o prefácio);
4. Comentários: breves, com a participação dos presentes, evidenciando o ensino moral aplicado às situações do dia a dia;
5. Vibrações: pela fraternidade, paz e pelo equilíbrio entre os povos; pelos governantes; pela vivência do Evangelho de Jesus em todos os lares; pelo próprio lar...
6. Pedidos: por amigos, parentes, pessoas que estão necessitando de ajuda...
7. Encerramento: prece simples, sincera, agradecendo a Deus, a Jesus, aos amigos espirituais.

As seguintes obras podem ser utilizadas nesse momento tão especial:

- *O evangelho segundo o espiritismo, como obra básica;*
- *Caminho, verdade e vida; Pão nosso; Vinha de luz; Fonte viva; Agenda cristã.*

Esse momento no lar não se trata de reunião mediúnica e, portanto, qualquer ideia advinda pela via da intuição deve permanecer como comentário geral, a ser dito de maneira simples, no momento oportuno.

No estudo do Evangelho de Jesus no Lar, a fé e a perseverança são diretrizes ao aprimoramento moral de todos os envolvidos.

O QUE É ESPIRITISMO?

O Espiritismo é um conjunto de princípios e leis revelados por Espíritos Superiores ao educador francês Allan Kardec, que compilou o material em cinco obras que ficariam conhecidas posteriormente como a Codificação: *O livro dos espíritos*, *O livro dos médiuns*, *O evangelho segundo o espiritismo*, *O céu e o inferno* e *A gênese*.

Como uma nova ciência, o Espiritismo veio apresentar à Humanidade, com provas indiscutíveis, a existência e a natureza do Mundo Espiritual, além de suas relações com o mundo físico. A partir dessas evidências, o Mundo Espiritual deixa de ser algo sobrenatural e passa a ser considerado como inesgotável força da Natureza, fonte viva de inúmeros fenômenos até hoje incompreendidos e, por esse motivo, são tidos como fantasiosos e extraordinários.

Jesus Cristo ressaltou a relação entre homem e Espírito por várias vezes durante sua jornada na Terra, e talvez alguns de seus ensinamentos pareçam incompreensíveis ou sejam erroneamente interpretados por não se perceber essa associação. O Espiritismo surge então como uma chave, que esclarece e explica as palavras do Mestre.

A Doutrina Espírita revela novos e profundos conceitos sobre Deus, o Universo, a Humanidade, os Espíritos e as leis que regem a vida. Ela merece ser estudada, analisada e praticada todos os dias de nossa existência, pois o seu valioso conteúdo servirá de grande impulso à nossa evolução.

PARNASO DE ALÉM TÚMULO

EDIÇÃO	IMPRESSÃO	ANO	TIRAGEM	FORMATO
1	1	1932	2.000	12,5x18,5
2	1	1935	6.000	13x18
3	1	1939	3.000	13x18
4	1	1944	6.000	13x18
5	1	1945	8.000	13x18
6	1	1955	5.056	13x18
7	1	1959	6.444	13x18
8	1	1967	5.056	13x18
9	1	1972	3.000	18x26
10	1	1978	5.000	18x26
11	1	1982	5.100	18x26
12	1	1983	10.200	13x18
13	1	1988	10.200	13x18
14	1	1994	10.000	13x18
15	1	1994	3.000	13x18
16	1	2002	5.000	14x21
17	1	2004	1.500	14x21
18	1	2006	2.000	14x21
18	2	2008	1.000	14x21
19	1	2010	5.000	16x23
19	2	2010	3.000	16x23
19	3	2010	8.000	16x23
19	4	2016	5.000	16x23
19	5	2018	1.000	16x23
19	6	2019	1.500	16x23
19	7	2022	100	16x23
19	8	2022	1.000	15,5x23
19	IPT*	2023	250	15,5x23
19	IPT	2023	500	15,5x23
19	11	2024	1.000	15,5x23
19	12	2024	1.000	15,5x23

*Impressão pequenas tiragens

FEB editora
Livro espírita para um novo mundo
www.febeditora.com.br
@febeditoraoficial
@febeditora

Conselho Editorial:
Carlos Roberto Campetti
Cirne Ferreira de Araújo
Evandro Noleto Bezerra
Geraldo Campetti Sobrinho – Coord. Editorial
Jorge Godinho Barreto Nery – Presidente
Maria de Lourdes Pereira de Oliveira
Miriam Lúcia Herrera Masotti Dusi

Produção Editorial:
Elizabete de Jesus Moreira

Revisão:
Elizabete de Jesus Moreira
Jorge Leite de Oliveira

Capa:
Luisa Jannuzzi Fonseca
Thiago Pereira Campos

Projeto Gráfico e Diagramação:
Bruno Reis

Diagramação:
Luisa Jannuzzi Fonseca

Foto de Capa:
Acervo FEB

Normalização Técnica:
Biblioteca de Obras Raras e Documentos Patrimoniais do Livro

Esta edição foi impressa pela FM Impressos Personalizados LTDA., Barueri, SP, com tiragem de 1 mil exemplares, todos em formato fechado de 155x230 mm e com mancha de 120x184 mm. Os papéis utilizados foram o Off white bulk 58 g/m² para o miolo e o Cartão 250 g/m² para a capa. O texto principal foi composto em fonte Adobe Garamond Pro 12/15 e os títulos em Adobe Garamond Pro 22/26. Impresso no Brasil. *Presita en Brazilo.*